MICHAEL TROWITZSCH
ZEIT ZUR EWIGKEIT

Beiträge zur evangelischen Theologie
Theologische Abhandlungen. Begründet von Ernst Wolf
Herausgegeben von Eberhard Jüngel und Rudolf Smend

Band 75

MICHAEL TROWITZSCH

Zeit zur Ewigkeit

Beiträge zum Zeitverständnis
in der »Glaubenslehre« Schleiermachers

CHR. KAISER VERLAG MÜNCHEN

CIP-Kurztitelaufnahme der Deutschen Bibliothek

Trowitzsch, Michael
Zeit zur Ewigkeit:
Beiträge zum Zeitverständnis in der »Glaubenslehre« Schleiermachers.
(Beiträge zur evangelischen Theologie: Bd. 75)

ISBN 3-459-01066-5

© 1976 Chr. Kaiser Verlag München
Alle Rechte vorbehalten, auch die des auszugsweisen Nachdrucks, der fotomechani-
schen Wiedergabe und der Übersetzung. – Umschlag: Ingeborg Geith. – Schreibsatz-
Studio G. Tibbe, München. – Druck: Sulzberg-Druck GmbH, Sulzberg im Allgäu. –
Printed in Germany.

230. 01529
T759

78081411

INHALT

Hinweise

Zitiert wird Friedrich Schleiermacher „Der christliche Glaube nach den Grundsätzen der evangelischen Kirche im Zusammenhange dargestellt" nach der Ausgabe von M. Redeker als 7. Auflage (aufgrund der 2. Auflage von 1830/31), Berlin 1960, mit Angabe der Paragraphen und Abschnitte, sowie der Band-, Seiten- und Zeilenzahlen. Dabei bedeutet „L" den Leitsatz, „Z" den Zusatz des betreffenden Paragraphen. Wenige Druckfehler und Inkonsequenzen der Interpunktion wurden stillschweigend berichtigt. Lediglich unter Notierung der Band-, Seiten- und Zeilenzahlen werden die handschriftlichen Randbemerkungen Schleiermachers angeführt. Die erste Auflage der Glaubenslehre von 1821/22 wird zitiert als „Gl[1]" mit Angabe des Paragraphen und des Abschnitts. Die übrigen Werke Schleiermachers sind, wenn nicht anders vermerkt, nach der Ausgabe der Sämtlichen Werke (abgekürzt: WW) von 1835ff aufgeführt. Die Hervorhebungen stammen, wenn nicht als „Hervorhebung im Original" notiert, durchgehend von mir. Mehrmals herangezogene Literatur wird nach der ersten Erwähnung mit einer im Literatur-Verzeichnis angegebenen Abkürzung angeführt. Aristoteles, Thomas, Spinoza und Kant werden in der üblichen Weise zitiert, die benutzten Ausgaben im Literatur-Verzeichnis angegeben.
Die Abkürzungen entsprechen denen der RGG[3].

VORWORT

Dieser Untersuchung liegt der Text meiner Dissertation zugrunde, die im November 1974 vom Fachbereich „Evangelische Theologie" der Universität Tübingen angenommen und von mir zum Druck überarbeitet worden ist. – Mein Dank gilt Herrn Prof. Dr. Johannes Wallmann, der mich dabei mit kritischem Rat unterstützt hat, dem Chr. Kaiser Verlag und den Herausgebern für die Aufnahme der Arbeit in die Reihe „Beiträge zur Evangelischen Theologie", darüber hinaus Herrn Prof. Dr. Eberhard Jüngel, der die Arbeit ermutigend begleitet hat, auch als ich sie wegen Krankheit unterbrechen mußte. Seine großzügige Förderung wußte Freiheit und Anspruch zugleich zuzumuten.

Meiner Frau danke ich für Rat, Geduld und Hilfe. Ihr sei dieses Buch gewidmet.

Bochum, März 1976 *Michael Trowitzsch*

A. ZUR HERMENEUTISCHEN SITUATION DER FRAGESTELLUNG

§ 1 *Sinn und Grenzen der Fragestellung*

1. Das seiner Sache folgende Nachdenken der Theologie kann nicht beabsichtigen, in einem grundsätzlichen Sinne von der Stelle zu kommen[1]. Seine ganze Anstrengung hat vielmehr dem zu gelten, bei seiner Sache zu *bleiben,* das heißt: sich — statt auf alles Mögliche — auf dieses eine Bestimmte als es selbst einzulassen. Die Theologie, selber nur in sehr relativer Weise voranschreitend, bleibt dabei, dem Fortschritt nachzudenken, der sich in *Jesus Christus* vollzogen hat. Auf das Ereignis, daß dort Gott die Welt von der Stelle gebracht hat, geht sie in ihrem Denken ein.

Als eines der Themen, die sich dabei stellen, darf „Zeit" gelten. Wie ist in jenem Ereignis mit der Welt auch die Zeit von der Stelle gekommen? — so kann gefragt werden. Von „Problemen" ist dieses Thema „Zeit" freilich zunächst zu unterscheiden: Probleme wollen gelöst werden — die Themen jenes Ereignisses aber gleichsam *Pflege* erfahren[2]. Das Thema „Zeit" zu pflegen, das bedeutet: es gleichsam wachsen zu lassen, um seiner in möglichst ausgebreiteter Fülle ansichtig zu werden. Gerade darin aber wird dies geschehen, daß das theologische Denken eben jene einzelnen Probleme, die dieses Thema von sich aus aufgibt, wenn nicht löst, so doch einer Lösung näherbringt. So gilt diese Arbeit der Pflege des

---

1. In welchem Sinne etwas Ähnliches für die Philosophie geltend gemacht wird, mag ein Zitat aus Martin Heideggers „Über den Humanismus" (Frankfurt a.M. 1947, 23) andeuten: „Sie [sc. die Philosophie] schreitet, wenn sie ihr Wesen achtet, überhaupt nicht fort. Sie tritt auf der Stelle, um stets das Selbe zu denken. Das Fortschreiten, nämlich fort von dieser Stelle, ist ein Irrtum, der dem Denken folgt als der Schatten, den es selbst wirft."

2. Vgl. für einen anderen Zusammenhang Hegel: „Es ist allerdings geschehen, was bei einer großen Anregung nicht auszubleiben pflegt, daß die *Idee der Naturphilosophie,* wie sie in neueren Zeiten sich aufgetan hat, ... von ungeschickten Händen roh ergriffen worden, statt durch die denkende Vernunft *gepflegt* zu werden, und nicht sowohl von ihren Gegnern als von ihren Freunden breit und platt geschlagen worden ist." (Enzyklopädie der philosophischen Wissenschaften im Grundrisse 1830; wir zitieren wegen der darin enthaltenen Zusätze: Theorie-Werkausgabe Suhrkamp, Hg. E. Moldenhauer und K.M. Michel, Frankfurt a.M., 1970, Bd. 8—10; im folgenden angeführt als „ThW"; das Zitat dort: ThW 9,9; „Idee der Naturphilosophie" bei Hegel hervorgehoben).

theologischen Themas „Zeit".

Es ist zu entfalten bedarf freilich der Orientierung an der theologischen Tradition, ja kann sich *in Gestalt* einer Interpretation eines bedeutenden Textes vollziehen[3]; in einen solchen Text einzuführen kann heißen: zur Pflege des Themas „Zeit" in der bezeichneten Weise beizutragen. Wir unternehmen diesen Versuch anhand der „Glaubenslehre" Friedrich Schleiermachers.

Es empfiehlt sich ja, eine solche theologische Tradition zu Wort kommen zu lassen, die sich entweder explizit dem Zeitproblem widmet, oder deren generelle theologiegeschichtliche Bedeutung außer Zweifel steht, so daß zu erwarten ist, daß in ihr auch in bezug auf die „Zeit" grundlegende Verstehensmöglichkeiten anzutreffen sind. Dies wird bei jenen Traditionen in besonderem Maße der Fall sein, die als solche einen tiefgreifenden Wandel der Zeit bezeichnen; von ihnen darf vermutet werden, daß sie das Verstehen von „Zeit" selbst nicht unverändert gelassen haben. Denn mögen sich geschichtliche Umbrüche in neuen Zeit-Rechnungen manifestieren, mögen sie von einem kräftiger oder schwächer ausgeprägten Epochenbewußtsein begleitet sein — zugrundeliegen wird jeweils ein neues Verständnis von so etwas wie „Zeit" überhaupt[4], das — mehr oder weniger bewußt — explizit zur Sprache kommen oder das Denken auch nur verborgen begleiten wird.

Für das Denken Schleiermachers und für seine Glaubenslehre gilt dies nun in besonderer Weise, ist doch die theologiegeschichtliche Bedeutung dieses Werkes bei Freunden und Gegnern unbestritten[5] und kommen doch, eindeutig den Wandel der Zeit

3. Gerade in der Zuwendung zu einem bestimmten Denker findet dann für die Theologie Anwendung, was E. Husserl in bezug auf die Philosophie formuliert hat: „Nicht von den Philosophien sondern von den Sachen und Problemen muß der Antrieb der Forschung ausgehen" (zitiert bei M. Heidegger, Das Ende der Philosophie und die Aufgabe des Denkens, in: Zur Sache des Denkens, Tübingen 1969, 61—80; dort 69).

4. Das Neue Testament selbst dürfte das deutlichste Beispiel für diesen Zusammenhang von Zeitwende und neuem Verstehen von „Zeit" überhaupt sein. — Etwa auch an der geschichtlichen Sensibilität der Literatur, in der sich die neue Zeit schon vor ihrem Beginn in einem neuen Zeitgefühl (oder Zeitverständnis) ankündigt, wird dieser Zusammenhang deutlich (vgl. dazu W. Jens, Statt einer Literaturgeschichte, 5. erweiterte Auflage, Pfullingen 1962, das Kapitel „Uhren ohne Zeiger", 17ff).

5. Selbst in dem von unerbittlicher Gegnerschaft gegenüber Schleiermacher diktierten Buch von Emil Brunner „Die Mystik und das Wort" (Der Gegensatz zwischen moderner Religionsauffassung und christlichem Glauben dargestellt an der Theologie Schleiermachers, 2. veränderte Auflage, Tübingen 1928) wird daran kein Zweifel gelassen. Trotz seiner nicht zu übersehenden Ungerechtigkeiten behält dieses Buch eine merkwürdige Anziehungskraft, die vielleicht darin ihren Grund hat, daß, so hat es Karl Barth formuliert, hier zum erstenmal „von wirklich anderen, Schleiermacher-freien (wenn auch vielleicht erst relativ Schleiermacher-freien!) Voraussetzungen aus gegen Schleiermacher geschrie-

anzeigend, in seiner Theologie offenbar Rationalismus und Pietismus, Romantik und idealistische Philosophie in bestimmter Weise überein[6]. Wenn diese Untersuchung sich also der Glaubenslehre Schleiermachers zuwendet, dann tut sie das in der Erwartung, dort auf eine entscheidende theologische Verstehensmöglichkeit von „Zeit" aufmerksam werden zu können[7].

2. Haben wir bisher die Absicht dieser Arbeit von dorther bestimmt, um des Themas „*Zeit*" willen die Glaubenslehre zu interpretieren, so muß jetzt auch die andere Richtung geltend gemacht werden. Auch von diesem Thema her soll in die *Glaubenslehre* eingeführt werden. Zwar hat Schleiermacher „Zeit" nicht zum selbständigen Thema seiner Erörterungen gemacht – entsprechend ist denn auch sein Zeitverständnis nicht als Gegenstand einer ausführlichen Untersuchung in den Blick gekommen, sondern die wenigen dazu anzutreffenden Bemerkungen[8] haben mehr den Charakter des Beiläufigen, als daß sie dem Problem volle Aufmerksamkeit schenken. Aber eine Untersuchung dieser Frage kann doch über ein Thema seines theologischen Denkens Aufschluß erwarten lassen, das den Fortgang der Gedanken entscheidend begleitet und die explizit behandelten Probleme in vielfältiger Weise durchdringt, interpretiert und bei seiner Klärung eben auch zugänglicher zu machen verspricht. Dieses oder jenes einzelne Problem der Glaubenslehre in neuer Perspektive sichtbar zu machen, aber auch das Gesamtgefüge der Überlegungen in bestimmter Weise besser in den Blick zu bekommen, dazu könnte die Klärung des Zeitverständnisses die Möglichkeit eröffnen. Insofern soll diese Arbeit nicht mehr bieten als eine „*Hilfslinie* zum Verständnis der theologischen Grundgedanken Schleiermachers"[9]. Die verstreuten Be-

---

ben worden ist" (Die protestantische Theologie im 19. Jahrhundert. Ihre Vorgeschichte und ihre Geschichte, Zürich 1960³, 380).

6. Vgl. Barth, Prot.Theol., 78f, 304; 381.

7. Diese Aufgabenstellung bringt es mit sich, daß die Glaubenslehre vor allen Dingen aus sich selbst heraus interpretiert werden soll. Nicht, daß darauf verzichtet werden kann, auch andere Arbeiten Schleiermachers zur Kommentierung heranzuziehen, aber irgendeine selbständige Bedeutung kann ihre Anführung sowenig haben wie die Hinweise auf problemgeschichtliche Perspektiven, die sich von Schleiermacher aus ergeben. Die Glaubenslehre nicht aus sich selbst heraus sagen zu lassen, was sie zu sagen hat, und sie übereilt „von" der „Dialektik" „her", Schleiermacher überhaupt „von" Plato, Spinoza, Kant „her" verstehen zu wollen – diesen in der Schleiermacher-Literatur nicht selten begegnenden Fehler gilt es zu vermeiden.

8. Auf die Ausführungen, die W. Schultz dem Zeitverständnis Schleiermachers gewidmet hat (Schleiermacher und der Protestantismus, ThF 14, Hamburg 1957, 45ff), werden wir im folgenden zurückkommen.

9. H. Mulert, Schleiermachers geschichtsphilosophische Ansichten in ihrer Bedeutung

merkungen der Glaubenslehre zum Problem sind also nach ihrer
Bedeutung zu befragen, nicht um sie gewaltsam in das System einer Zeit-Theorie zu bringen, aber in der Erwartung eines sich möglicherweise einstellenden Zusammenhangs – und mit der Vermutung, daß es kein Schade sein kann, gerade wegen der besonderen
Problemsituation gezwungen zu sein, auf einzelne Details achtzu-
geben, also Schleiermacher beim Wort zu nehmen[10].

3. Zunächst darin, daß eben „Zeit" in der Glaubenslehre nicht
ausdrücklich Gegenstand der Erörterungen wird, hat die methodische Schwierigkeit dieser Untersuchung ihren Grund. Nur implizit
und in verstreuten Bemerkungen ist dort auf dieses Problem Bezug genommen. Daß sich im Rhythmus, den die Glaubenslehre in
ihrem Untersuchungsgang selbst vollzieht, auch das Verständnis
von „Zeit" entfaltet (so daß mit den einzelnen Gedankenschritten
die Explikation dessen, was für Schleiermacher „Zeit" bedeutet,
gewissermaßen Schritt hielte), kann nicht angenommen werden.
So kommt für uns kein modus procedendi in Betracht, der das
Zeitverständnis Schleiermachers streng parallel zum gedanklichen
Nacheinander der Glaubenslehre zu entwickeln sucht. Der Entfaltung unseres Themas muß vielmehr eine eigene – vom Gang der
Glaubenslehre im ganzen verschiedene – Bewegung zugestanden
werden, die in ihrem Gefälle an dem Sachverhalt, den darzustellen
sie unternimmt, und der ihm eigenen inneren Bewegtheit zu orientieren sein wird: die in der „Zeit" selber (wie Schleiermacher sie
versteht) implizierte hermeneutische „Ordnung", dergemäß „Zeit"
sich im Gedanken darzustellen hat[11], gilt es zu ermitteln.

für seine Theologie, Studien zur Geschichte des neueren Protestantismus 3, Gießen 1907,
91.
    10. Neuere Untersuchungen zur Theologie Schleiermachers (z.B. die Arbeiten von W.
Brandt, Der Heilige Geist und die Kirche bei Schleiermacher, SDGSTh 25, Zürich/Stutt-
gart 1968, oder von D. Offermann, Schleiermachers Einleitung in die Glaubenslehre.
Eine Untersuchung der „Lehnsätze", Theologische Bibliothek Töpelmann 16, Berlin
1969) wenden sich zu Recht dem *besonderen* Problem in einem *besonderen* Text zu. –
Wie sehr Schleiermachers Aufmerksamkeit dem einzelnen Wort noch und den in bezug
darauf möglichen Distinktionen galt, kann man sich an einem der berühmten Rätsel
Schleiermachers verdeutlichen (Räthsel und Charaden, Berlin 1874).
    11. Daß allen Gegenständen unserer Erfahrung und Erkenntnis eine derartige Ord-
nung innewohnt, hat R. Hermann in einem bemerkenswerten Aufsatz, der sich u.a. an
Schleiermacher orientiert, herausgestellt (Das Wissen und seine Welt in der Zeitlichkeit des Seins. Systematische Erörterungen zum Übergang von der Relgionsphilosophie
in die Dogmatik, ZSTh 10, 1932/33, 535–588): „Oder hat nicht in der Tat, was als Erkenntnis oder als Erfahrung vor uns hintritt, um von uns entgegengenommen zu werden, ein charakteristisches *Nacheinander,* wie es zum Verstandenwerden gehört?"
(578; Hervorhebung im Original). Und dies „dadurch, daß das Gegebene sachliche
Stufen seiner selbst sichtbar werden läßt, die zwar keine Bedeutung ,an und für sich'

Aber wie kann das geleistet werden? An welchem Punkt soll die Untersuchung überhaupt ansetzen, um sich Zugang zum Thema zu verschaffen? In besonderer Schärfe stellt sich hier, wo nicht einmal das relative Ganze einer expliziten Erörterung des Problems durch Schleiermacher selbst vorliegt, das grundsätzliche hermeneutische Problem, daß schon der Ansatzpunkt aus einer Kenntnis des Ganzen gewonnen sein will. Selbstverständlich scheidet jede willkürliche Wahl eines bestimmten Ansatzes ebenso aus wie der Versuch, unter Umgehung der Intentionen Schleiermachers selbst mit herangetragenen Fragestellungen sein Zeitverständnis erschließen zu wollen[12]. Der Zugang zum Thema scheint in ungewöhnlicher Weise erschwert.

Diesen Zugang zu gewinnen, scheint uns folgende Möglichkeit am angemessensten: Die Stelle innerhalb der Glaubenslehre, an der Schleiermacher dem Thema „Zeit" die größte Aufmerksamkeit zuwendet, ist seine Behandlung der göttlichen Eigenschaft „Ewigkeit" in § 52[13]. Die vorläufige Interpretation dieses einen Paragraphen kann als eine Art Vorverständnis erarbeitet werden, mit dessen Hilfe sich ein erster Zugang zum Zeitverständnis der Glaubenslehre im ganzen ergeben kann. Manche seiner Züge können hier schon in den Blick kommen − freilich nur, um bestimmte Themen überhaupt erst einmal vorzustellen. Die Erhebung einiger materialer Aussagen zum Zeitproblem wird also Hand in Hand gehen mit dem Versuch, die darin implizierten hermeneutischen Anweisungen sichtbar zu machen. Von vornherein ist somit diese Interpretation darauf abzustellen, mit Hilfe der Vorstellung einiger das Zeitproblem betreffender Themen Fragestellungen an die Hand zu geben, Perspektiven sichtbar zu machen, einige Hinsichten zu gewinnen, mittels derer Orientierung darüber möglich werden kann, *im Hinblick worauf* überhaupt gefragt werden soll − den Untersuchungsgang also in Bewegung zu setzen und ihm bestimmte Richtungen im Sinne einer im Problem selber enthaltenen „Ordnung" anzuweisen. Vom Gesuchten selbst her erfährt auf diese Weise unsere Untersuchung eine leitende Orientierung[14].

haben, ebensowenig aber lediglich von ‚uns' hineingeschlagen, sondern da sind, damit sie *zu ihrer Zeit* gefunden und begangen werden" (579; Hervorhebung im Original) − wobei neben dem „Nacheinander" auch ein „Zugleich" sowie eine „Dauer" (580) zur „zeitlichen Handlichkeit" des Zu-Erfassenden (578) gehört.

12. Auch für unser Thema gilt der Grundsatz, den Brandt für die Glaubenslehre geltend gemacht hat: daß die Anschauungen Schleiermachers von ihren eigenen Prinzipien her zu entwickeln sind (23).

13. I,267.21ff.

14. Wir folgen damit für unsere Darstellung einigen der Hinweise, die Heidegger zur Hermeneutik der Auslegung gegeben hat (vgl. z.B. Sein und Zeit, Tübingen 1967[11], 232

Dabei ist es selbstverständlich, daß im Zuge späterer Überlegungen das Verständnis von „Ewigkeit" noch einmal thematisch werden und die vorher in aller Vorläufigkeit gegebene Darstellung entsprechend korrigiert und ergänzt werden muß.

Jedenfalls ist auf diese Weise ein hermeneutischer Schlüssel gewonnen, der die Glaubenslehre von Anbeginn aus sich selbst heraus zu interpretieren erlaubt und der ihr Zeitverständnis an der Stelle aufzuschließen verspricht, der Schleiermachers eigene Aufmerksamkeit gilt.

§ 2   Bemerkungen zum § 52 der Glaubenslehre als Erschließung eines Zugangs zum Thema

1.   Der Leitsatz

Wir orientieren uns zunächst am Leitsatz des Paragraphen[1]: „Unter der Ewigkeit Gottes verstehen wir die mit allem Zeitlichen auch die Zeit selbst bedingende schlechthin zeitlose Ursächlichkeit Gottes."

Für Schleiermacher ist „Zeit" keine unbedingte Größe; Gott selbst ist ihr Grund. Als die „mit allem Zeitlichen auch die Zeit selbst bedingende schlechthin zeitlose Ursächlichkeit Gottes" steht seine Ewigkeit zur Zeit in einem Verhältnis von Ursache und Wirkung. So ist sie Teil einer sie selbst radikal relativierenden Beziehung. Nach dieser *Relativierung* der Zeit wird zu fragen sein.

Was bedeutet es (a) für Gott, daß er in seiner Ewigkeit die Zeit bedingt? Aus dem Leitsatz ergibt sich zunächst: Für Gottes Relation zur Zeit ist vorerst die einzig positive Bestimmung der rein

zur „hermeneutischen Situation"). – Sieht man darauf, wie die Theologie im ganzen die das Denken Heideggers in Anspruch nehmenden Fragen von „Sein" und „Zeit" aufgenommen und verarbeitet hat, so darf ihr Gespräch mit Heidegger lediglich als kaum begonnen und keineswegs als erledigt gelten. Entgegen der weitgehend herrschenden Meinung halten wir es für geboten, mit neuer Aufmerksamkeit zur Kenntnis zu nehmen, was Heidegger der Theologie zu denken gegeben hat. Denn: „In Wahrheit steht das, was Heidegger philosophisch erarbeitet hat, wie ein Gebirge unbewältigt da" (E. Fuchs, Jesus. Wort und Tat, Vorlesungen zum Neuen Testament 1, Tübingen 1971, 74). Nicht mehr als ein Hinweis auf diese selten noch gesehene Aufgabe der Theologie kann es freilich sein, wenn wir unsere Bemerkungen zum Zeitverständnis Schleiermachers immer wieder an Überlegungen Heideggers orientieren.

1. Die erste Auflage verweist gleich in der Anmerkung zum Leitsatz die *philosophische* Frage nach der Zeit aus dem Zusammenhang der Glaubenslehre (Gl[1], § 66 L Anm.). Als selbstverständlich, so darf man vermuten, ist dieser Hinweis dann in der zweiten Auflage weggefallen.

formal erscheinende Zusammenhang von Ursache und Wirkung. Darüber hinaus kann nur negativ gesagt werden, daß Gott in seiner Ewigkeit seinerseits schlechthin „zeitlos" ist, an dem von ihm Verursachten also keinen Anteil hat. „Ewigkeit" wird demnach von Schleiermacher — via causalitatis — als Zeit-setzende Ursächlichkeit und — via negationis — als schlechthinnige Zeitlosigkeit interpretiert, in beiden Weisen also deutlich von der Zeit her ausgelegt. Von der Zeit wird auf die sie bedingende Ursache zurückgegangen, der Zeit wird auf den *Grund* gegangen. Und von dieser Ursache wird lediglich verneint, was nur für die Wirkung gilt: die Zeitlichkeit. Eine solche Relation Gottes zur Zeit, in der Gott zwar auch die Zeit bedingt, gleichwohl aber nicht „schlechthin zeitlos" ist, in der es eine Gott und nur ihm eigene Zeit gibt, „Zeit" also von Gott her gedacht wird, kommt somit für Schleiermacher zumindest hier nicht in Betracht.

Demgegenüber hat die seinsmäßige Bewegung ihre Richtung umgekehrt von der Ursache zum Bewirkten. „Ewigkeit" meint für Schleiermacher von vornherein nicht einen relationslosen Zustand eines sich selbst genügenden Gottes, welcher Zustand „schlechthin zeitlos" deswegen genannt werden müßte, weil ihm nun auch jedes Verhältnis zur Zeit abginge, sondern „Ewigkeit" ist selber ein Relationsbegriff: der (als Bezeichnung einer göttlichen Eigenschaft) eine Gott eigene Relation zur Zeit — und nur dies — behauptet. Von Gott ausgesagt *erschöpft sich* für Schleiermacher der Begriff „Ewigkeit" in dieser Relation. Denn „Ewigkeit" ist Verursachung der Zeit durch Gott, und nichts weiter.

Ist nun, erstens, für Gott die im Begriff der Ewigkeit behauptete Relation zur Zeit wesentlich? Dann wäre Gott ohne seine Ewigkeit, ohne sein Bedingen der Zeit (und schließlich dann auch ohne die Zeit selbst?) nicht er selbst. Müssen also „Gott" und „Zeit" notwendig zusammen gedacht werden, um beide *als sie selbst* zu verstehen? Und ist, zweitens, von einer *christlichen* Theologie „Ewigkeit", so wie Schleiermacher sie im Leitsatz dieses Paragraphen gefaßt hat, schon aus sich selbst heraus als eine Eigenschaft *Gottes* gedacht? Oder bedarf es dazu weiterer Überlegungen, die „Ewigkeit" etwa von einer anderen göttlichen Eigenschaft und erst von dieser her „Gott" verstehen lassen? Beide Fragen werden im Zusammenhang des später ausführlicher zu behandelnden Problems des Ursprungs der Zeit in Gott aufgenommen werden müssen. —

Die beiden Bestimmungen, die den Begriff der Ewigkeit im Leitsatz näher charakterisieren, sind „Zeitlosigkeit" und „Ursächlichkeit". Angemessene Interpretamente der „Ewigkeit" sind sie offenbar nur zusammengenommen. „Zeitlosigkeit" durch „Ursächlichkeit" interpretiert: das bedeutet die Abweisung eines Verständnisses von „Ewigkeit" im Sinne einer unendlichen Dauer, einer grenzenlosen Zeit. Hier wäre Gott gerade nicht schlechthin zeitlos, sondern grenzenlos zeitlich gedacht; die Ewigkeit wäre der Zeit nicht schlechthin überlegen, sondern selber ganz und gar zeitlich. Via negationis wären in diesem Fall nur zeitliche Grenzen, nicht aber die Zeit selber in bezug auf Gott negiert. Doch meint „Zeitlosigkeit" nach Schleiermacher eine radikale Negation, mithin nichts weniger als „schlechthinnige" Zeitlosigkeit. Der Begriff der die Zeit setzenden Ursächlichkeit schließt eben dieses Verständnis aus, indem er Gott eine der Zeit gegenüber absolute Fremdheit behauptet: wer überhaupt erst die Zeit setzt, kann nach Schleiermacher nicht selber zeitlich sein. Umgekehrt wird „Ursächlichkeit" durch „Zeitlosigkeit" interpretiert. Denn der Zusammenhang von Ursache und Wirkung kann ja an sich schon temporalen Charakter haben, indem er ein Nacheinander voraussetzt und also selber an der Zeit Anteil hat. Wie kann Schleiermacher dennoch von einem Zusammenhang von Ursache und Wirkung reden, in dem die Zeit selber das Bewirkte (und also normalerweise das zeitlich Spätere) sein soll? Wie kann andererseits ein Verursachendes schlechthin zeitlos sein? Offenbar muß „Ursächlichkeit", von *Gott* ausgesagt, in besonderer Weise verstanden werden: ihre Zeitlosigkeit wird eine bestimmte Gleichzeitigkeit und Punktualität im Zusammenhang von Ursache und Wirkung zum Ausdruck bringen, derzufolge Gott in seiner Ewigkeit dem Nacheinander, der Folge von Vorher und Nachher, entnommen ist. Dem, was sich als Ursache und Wirkung zeitlich auseinanderlegen kann, entspricht in Gott eine Art Simultaneität. Und dieses Entsprechungsverhältnis läßt erwarten, daß schon die Explikation des göttlichen „simul" als ein Gegenbild auch die Strukturen von „Zeit" hervortreten lassen wird.

Was bedeutet die im Leitsatz ausgesprochene Verursachung der Zeit durch Gott (b) für das Verständnis von „Zeit"? Ob die Zeit einen Anfang gehabt hat oder ein Ende finden wird, darüber sagt der Begriff der göttlichen „Ursächlichkeit" nichts aus. Ihr „Bedingen" der Zeit *kann* so etwas wie einen Anfang der Zeit meinen – da ihr „Zeitlosigkeit" zugeschrieben werden muß, würde diese Möglichkeit ihr nicht widersprechen. Auch als einen Anfang der Zeit setzend wäre sie, etwa als ein zeitliches Vorher in bezug auf die Wirkung „Zeit", noch nicht in den Bereich der Zeit gezogen. Gottes Ewigkeit als „Ursächlichkeit" *muß* aber nicht mit einem Anfang der Zeit zu tun haben, denn eine anfangslose Zeit ließe sich nicht minder in einer „schlechthin zeitlosen Ursächlichkeit" begründet denken. Entsprechendes aber gilt auch für das Ende der Zeit: so daß der von uns interpretierte Leitsatz von einer Behauptung und von einer Bestreitung jener Begrenzung der Zeit gleich weit entfernt bleibt.

Die Formulierung schließlich, daß die Ewigkeit Gottes „*mit allem Zeitlichen* auch die Zeit selbst" bedingt, weist auf eine, wenn man so will: ontologische, Unselbständigkeit von „Zeit". Allem Anschein nach ist die Zeit lediglich *mit*bedingt, mit dem Zeitlichen *zusammen* gesetzt. Die knappe Formulierung des Leitsatzes gestattet es nicht, diesen Gedanken hier weiter auszuführen, doch läßt sie fragen, ob und gegebenenfalls wie Schleiermacher „Zeit" vom Zeitlichen her, zumindest nicht ohne das Zeitliche versteht, und ob es ein Zeitliches gibt, das vorzüglich dazu instand setzt, „Zeit" selbst zu verstehen.

2. Die Erläuterungen zum Leitsatz[2]

Nicht ausdrücklich zum Thema wird im Leitsatz ein Element, dem im Zusammenhang des Zeitverständnisses Schleiermachers im ganzen wesentliche Bedeutung zuzukommen scheint und dem wir noch vor einer kurzen Paraphrase der Erläuterungen unsere Aufmerksamkeit zuwenden: „Zeit" und „Ewigkeit" müssen im *frommen Selbstbewußtsein* vorkommen[3], um überhaupt Anspruch auf einen Ort in einer christlichen Dogmatik zu haben. Doch was bedeutet „vorkommen"? Kann denn „Ewigkeit" erfahren werden? Wie wird überhaupt „Zeit" im fromen Selbstbewußtsein erfahren? Gibt es in bezug auf diese Erfahrung eine Differenz zwischen Selbstbewußtsein und frommem Selbstbewußtsein? Nur einige Andeutungen zur Lösung dieser Frage lassen sich den Erläuterungen zum Leitsatz entnehmen. „Zeit" und „Ewigkeit" kommen in einer der sprachlichen Äußerung gegenüber ursprünglichen Form im frommen Selbstbewußtsein vor. Als solche bedürfen sie der Deutung, die sich als „Aussage" vollzieht[4] und das Ausgesagte in den Modus der „Vorstellung" überführt[5]. Dabei ist das Kriterium der Sachgemäßheit dieser Vorstellung der Zusammenhang mit dem frommen Bewußtsein; wo dieser Zusammenhang fehlt, bleibt die

---

2. Dem Ziel unserer Interpretation dieses Paragraphen gemäß beschränken wir uns auf einige Züge der Darstellung.
3. Vgl. § 52Z: I,271.24.
4. Vgl. ebd. 271.24f.
5. Vgl. § 52,1: I,267.30.

Vorstellung „leer"[6]. Jede Darstellung des Zeitverständnisses Schleiermachers wird also dem Umstand Rechnung zu tragen haben, daß sich in der Glaubenslehre alle Aussagen über die Zeit als Deutungen des im frommen Selbstbewußtsein Vorhandenen verstehen. Dieser Bezugspunkt aller Überlegungen wird entsprechend in allen Ausführungen über den Begriff von „Zeit" präsent sein müssen, will sich die Darstellung nicht von Schleiermachers eigenen Prinzipien entfernen.

In zwei Abschnitten mit ihrerseits jeweils zwei Gedankenschritten und einem knappen „Zusatz" erläutert nun Schleiermacher den Leitsatz. Dabei dient der erste Abschnitt mehr der Erklärung der eigenen Position, der zweite mehr der Auseinandersetzung mit anderen Meinungen.

Im ersten Abschnitt interpretiert Schleiermacher die Zeitlosigkeit der Ewigkeit[7] vorerst durch den Hinweis auf den Zusammenhang von „Ewigkeit" und „*Allmacht*". Dieser Zusammenhang wehrt dem Mißverständnis, als sei „Ewigkeit" eine sogenannte „ruhende" Eigenschaft, also lediglich zeitliche Unendlichkeit oder Unermeßlichkeit gemeint[8] — eine Vorstellung, die am frommen Bewußtsein keinen Anhalt hat und die Annahme „von einem Sein Gottes abgesehen von den Erweisungen seiner Kraft" begünstigt. Das fromme Bewußtsein tritt aber überhaupt nur in Erscheinung als das Bewußtsein von Gottes ewiger *Kraft,* fordert also das Verständnis von „Ewigkeit" als „Ursächlichkeit" und schließt darum aus, sie „als ein Sein vor allem Zeitlichen" zu begreifen[9]. Nachdem auf diese Weise „Ewigkeit" mittels „Ursächlichkeit" interpretiert worden ist, gibt Schleiermacher einen Hinweis, wie im Bezug darauf „Zeitlosigkeit" gedacht werden kann: „Dieses wird durch Ausdrücke, welche Zeitliches bezeichnen, und also gleichsam bildlich, erreicht, indem man die zeitlichen Gegensätze des Vor und Nach, des Älter und Jünger in Beziehung auf Gott durch Gleichsetzung aufhebt."[10]

6. Vgl. § 52,1: I,267.28—31.

7. Daß der Grund der Zeit selber nicht zeitlich sein kann, „weil auch die Zeit selbst in das Gebiet dieser Abhängigkeit gehört", das — so die erste Auflage (Gl[1], § 66,1) — „versteht sich von selbst".

8. Vgl. § 52,1: I,267.27f. — Vgl. § 50,3: I,258.14ff, wo Schleiermacher die bisherigen Verfahren, zu Aussagen von göttlichen Eigenschaften zu gelangen, kritisiert und dabei auch die Unterscheidung von „wirksamen" und „ruhenden" Eigenschaften verwirft (261.1—29).

9. § 52,1: I,268.6. — Schleiermacher verweist hier auf Ps 90,2.

10. § 52,1: I,268.12—15. — Dabei verweist er auf das berühmte „tota simul" des Boethius (§ 52,1: I,268.27), dem er in einer handschriftlichen Randbemerkung gegen dessen Kritiker in dieser Hinsicht Recht gibt („Diese richtige Erklärung von *Boethius* ist

Wiederum gegen ein Mißverständnis wehrt sich der zweite Teil dieses ersten Abschnittes: Der für den Begriff „Ewigkeit" konstitutive Bezug auf den der „Allmacht" läßt keineswegs Folgerungen in Richtung auf einen Rückgang der Zeit ins Unendliche zu. Interessant ist in Schleiermachers Argumentation erneut, daß wiederum von der Zeit nicht ohne „das Zeitliche", und das heißt: nicht ohne die zeitliche *Welt* geredet werden kann. Durchaus also könnte die zeitliche Welt von Gott zeitlos gewollt und doch „im Anfang der Zeit hervorgetreten sein", wie ja auch alles „jetzt in der Zeit Entstehende" seinen Ursprung in der zeitlosen Allmächtigkeit Gottes hat. Aber auch umgekehrt würde eine anfangs- und endlos gesetzte Zeit Gott und die Welt (Schleiermacher sagt an dieser Stelle: den „Naturzusammenhang") nicht auf eine Stufe stellen, weil jede Steigerung der Länge der Zeit (via eminentiae) doch die *schlechthinnige* Differenz von „Zeit" und „Ewigkeit" nicht verringern könnte. Ob Grenzen des zeitlichen Daseins der Welt anzunehmen sind oder nicht, darüber gibt der Begriff der „Ewigkeit" keine Auskunft.

Erneut wendet sich Schleiermacher im zweiten Abschnitt – jetzt als Abweisung vorliegender anderer Lehrmeinungen – gegen einen Begriff von „Ewigkeit", der de facto nur zu einer „scheinbaren Ewigkeit, nämlich der unendlichen Zeit", gelangt. In bezug auf Gott muß die Zeit *selbst* aufgehoben sein – und das zu leisten vermag weder die via negationis („indem hier in der zeitlichen Dauer nur die Endpunkte geleugnet werden"), noch die via eminentiae (durch „solche Erklärungen..., welche den Begriff der Ewigkeit aus dem der Zeitlichkeit, dessen Gegenteil er doch ist, durch Entschränkung bilden wollen"). Stellen des Alten Testamentes, die dieses Mißverständnis fördern (Hiob 36,26; Ps 102,28), sind vom Neuen her in diesem Sinne zu korrigieren.

Auch dem Einwand, man habe, wenn man die Ewigkeit als reine Zeitlosigkeit verstehe, dann eigentlich *nichts* gesetzt, begegnet Schleiermacher – nun im zweiten Teil dieses Abschnittes – mit dem Hinweis auf die von ihm als allein sachgemäß empfundene via causalitatis, also auf den unlösbaren Zusammenhang von „Ewigkeit" und „Allmacht", der „Ewigkeit" von vornherein als eine göttliche „Wirksamkeit" begreifen läßt. So verstanden gibt es dafür sogar eine Analogie im weltlichen Sein, insofern auch dort in gewisser Hinsicht zeitloses Sein anzutreffen ist, das als sich selber

---

häufig angefochten worden" 268.37; Hervorhebung im Original; vgl. auch § 52,2: I,270. 18f: „... die völlig schriftmäßigen Erklärungen des Augustinus und Boethius...")." – Das „tota simul" des Boethius: Philosophiae Consolatio V, 6.4, CChr Series Latina XCIV.

gleichbleibender Grund in bezug auf ein von ihm Bewirktes (z.B. das „Ich" hinsichtlich der „wechselnden Gemütserscheinungen") „beziehungsweise zu dem Verursachten als zeitlos gesetzt" werden kann, dem also (wenngleich nur relative) Zeitlosigkeit zukommt. Aus alledem folgt, so führt Schleiermacher im Zusatz zum Paragraphen aus, daß schon der Begriff der „Ewigkeit" die Unveränderlichkeit Gottes einschließt. Daß Gott unveränderlich und keinem Wechsel unterworfen ist, ergibt sich aus seiner Zeitlosigkeit von selbst, denn „Veränderung" und „Wechsel" setzen offenbar das gerade Gegenteil von „Zeitlosigkeit": ein mannigfaltiges Nacheinander, voraus.

Im Hinblick auf die uns interessierenden Probleme ergeben sich nun zunächst drei Fragen: Offensichtlich ist (1) für Schleiermacher „Ewigkeit" als göttliche Eigenschaft nicht aus sich selbst heraus zu verstehen. Wenn sie als Attribut der „Allmacht" erscheint („ewige Kraft der Allmacht"[11]), ja mit ihr gleichgesetzt werden kann[12], so ist auch von den anderen Eigenschaften Gottes zu vermuten, daß ihr Zusammenhang untereinander für das Verständnis der einzelnen konstitutiv zu sein hat. Wechselseitige Interpretation scheint die hermeneutische Anweisung zu heißen. Ob sich ein umfassenderer Interpretationszusammenhang im Verhältnis der göttlichen Eigenschaften zueinander ergibt, wird sich erst zeigen müssen. Das Problem jedenfalls wird Aufmerksamkeit beanspruchen: inwiefern für Schleiermacher von einem Ursprung der Zeit in Gott die Rede ist und welche Bedeutung der „Ewigkeit" im Zusammenhang des göttlichen Seins im ganzen zukommt.

In enger Verbindung damit steht nun (2) die Frage, ob notwendig „Zeit" und „Gott" *zusammen* zu denken sind. Unbestreitbar ist ja nach dem Vorausgehenden, daß für Schleiermacher „Zeit" nicht ohne „Gott" gedacht werden kann. In diesen Zusammenhang *gehört* die Zeit ursprünglich; nur dort ist sie sie selbst. Doch gilt auch die Umkehrung? Wäre also gar nicht „Gott" als Gott gedacht, wollte man ihn ohne das von ihm Verursachte, ohne die Zeit, denken? Vorauszusetzen ist ja, daß ein „Sein Gottes abgesehen von den Erweisungen seiner Kraft" für uns eine „völlig leere Vorstellung"[13] bedeuten müßte, davon zu reden also sinnlos sei.

---

11. So in einer Randbemerkung I,268.34.

12. § 52,1: I,268.16f: „Indem wir aber die Ewigkeit Gottes auf seine Allmacht beziehen und sie ihr gleich und mit ihr identisch setzen..."

13. § 52,1: I,267.30ff. – Ebenso lautet in § 52,2: I,270.4ff die Formulierung: in einem Verständnis von „Ewigkeit", das in der bloßen Leugnung der Endpunkte der Zeit besteht, werde „doch *zwischen* diesen das Sein Gottes dem zeitlichen gleichgesetzt, mithin die Zeitlichkeit an sich und die Meßbarkeit des göttlichen Seins und *also auch* Wir-

Zeigt sich also für Schleiermacher Gott in den Erweisungen seiner Kraft als ein solcher, der in ihnen gleichsam aufgeht und über den darum darüber hinaus nichts mehr gesagt werden kann, oder kann das Sein Gottes als den Manifestationen seiner Kraft noch einmal überlegen gedacht werden, ohne die Gott also gleichwohl er selbst wäre? Nicht in Frage zu kommen scheint die Möglichkeit, daß Gott selber *in* den „Erweisungen seiner Kraft" ermöglicht, vielleicht sogar dazu *nötigt,* von ihm als von dem zu reden, der diesen Erweisungen gegenüber schlechthin überlegen bleibt. Wegen der knappen Äußerungen Schleiermachers dazu in diesem Paragraphen können wir zunächst dieses Problem lediglich nennen.

Was nun nähere Bestimmungen von „Zeit" selbst anbetrifft, so werden wir (3) zunächst wieder auf den Zusammenhang zwischen der Zeit und dem Zeitlichen gewiesen. Ohne daß Schleiermacher eigens darauf reflektiert, wird vorausgesetzt, daß der Zeit die zeitliche Welt untrennbar zugehört. So spricht er etwa im Schlußsatz des zweiten Teils des ersten Abschnitts von der unendlichen Länge der *Zeit,* nachdem vorher immer vom zeitlichen Dasein der *Welt* die Rede war[14]. Die Zeit, so scheint es, ist keine abstrakte, prinzipiell „leere" Größe, sondern immer die Zeit *von etwas,* die Zeit eines Zeitlichen, die Zeit der Welt: eine Zeit ohne Welt ist undenkbar.

Einige weitere Kennzeichen können wir den Ausführungen im Zusatz zum Paragraphen entnehmen, wo noch einmal der Begriff der „Zeitlosigkeit" erläutert wird, nun in einer Weise, die Rückschlüsse auf den Zeitbegriff selbst zuläßt. Danach muß die Zeit als der Bereich eines „mannigfaltigen Nacheinander" verstanden werden, innerhalb dessen „Veränderlichkeit" und „Wechsel" herrschen. Was bei Gott „tota *simul*" heißt, legt sich hier als ein Nacheinander von Vor und Nach, von Älter und Jünger auseinander[15]; was bei ihm „*tota* simul" bedeutet, bildet sich hier als Vereinzelung des Mannigfaltigen aus. „Zeit" heißt darum eo ipso: Pluralität des Zeitlichen, heißt aber auch: Differenz im „zuerst" und „danach", heißt Veränderung und Wechsel. All das entnehmen wir e negatione aus Schleiermachers Charakterisierung der „Ewigkeit" Gottes, die als solche „Zeitlosigkeit" und darum „Unveränderlichkeit" impliziert.

Mit diesen kurzen Bemerkungen ist die Fülle der Probleme des Paragraphen natürlich kaum angedeutet. Eine sehr ins Einzelne gehende Erörterung wäre aber kaum dem Interesse unserer einleitenden Interpretation gemäß.

kens durch die Zeit nicht geleugnet, sondern indirekt vielmehr behauptet".
14. Vgl. § 52,1: I,268.18; 269.1.2.5.7.10.
15. Vgl. § 52,1: I,268.12ff.

3. Folgerungen

Fragt man Schleiermacher, in welchen Zusammenhang „Zeit" zu-
allererst gehört, so antwortet er mit dem Hinweis auf die zeitsetzende göttliche Ursächlichkeit „Ewigkeit".

Innerhalb der Glau-
benslehre widmet er dem Thema „Zeit" an dieser Stelle die größte
Aufmerksamkeit; diesen Zusammenhang von Zeit und Ewigkeit
wird also zunächst auch zu bedenken haben, wer Schleiermachers
Zeitverständnis zu erheben versucht. Allem Anschein nach kann
für ihn „Zeit" nur *als sie selbst* verstanden werden, wenn sie in ihrem Beieinander mit der „Ewigkeit" gedacht wird.

Etwas als etwas zu denken, indem man es in dem ihm gemäßen
Zusammenhang versteht: diese Denkbewegung, deren existentialen
Grund Martin Heidegger in der „Vor-Struktur" des „Verstehens"
und in der „Als-Struktur" der „Auslegung" aufgewiesen hat[16],
können wir, unsererseits von der Absicht zu interpretieren geleitet,
für unsere Darstellung in der Weise aufnehmen, daß wir nach den
Zusammenhängen fragen, in denen sich nun *für Schleiermacher*
„Zeit" als sie selbst zu erkennen gibt[17]. Wie gibt Schleiermacher
„Zeit" zu verstehen; in welchen Zusammenhängen bekommt für
ihn „Zeit" ihren Sinn? – so lautet dann die Frage. Sie verlangt, in
der Darstellung den Stoff in eine Bewegung zu versetzen, die jener
Methode, etwas als etwas sichtbar zu machen, entspricht, um sie
als eine Methode der *Interpretation* anzuwenden. Dabei muß sich
ein Gefälle ergeben, das die Äußerungen Schleiermachers zum
Problem im Sinne dieser Bewegung ordnet. So kann eine Ordnung
des Verstandenwerdens zur Geltung kommen[18], die die dem Thema geltenden Bemerkungen der Glaubenslehre darauf zulaufen
läßt, „Zeit" in verschiedenen Hinsichten als sie selbst zutagetreten
zu lassen, so daß sich in ihnen der Sinn von „Zeit", so wie er sich
für Schleiermacher darstellt, zu erkennen gibt.

16. Vgl. Sein und Zeit §§ 32f, 148ff. – Der für den späten Heidegger sachgemäße Zusammenhang besteht zwischen „Sein" und „Zeit": „Sein – eine Sache, vermutlich *die*
Sache des Denkens. Zeit – eine Sache, vermutlich *die* Sache des Denkens, wenn anders
im Sein als Anwesenheit dergleichen wie Zeit spricht. Sein *und* Zeit, Zeit *und* Sein nennen das Ver*hält*nis beider Sachen, den Sach*ver*halt, der beide Sachen zueinander *hält* und
ihr Verhältnis aus*hält*. Diesem Sachverhalt nachzusinnen, ist dem Denken aufgegeben,
gesetzt, daß es gesonnen bleibt, seine Sache auszuharren." (Zeit und Sein, in: Zur Sache
des Denkens, Tübingen 1969, 1–25; das Zitat 4; Hervorhebung im Original).
    17. Die für die phänomenologische Methode Heideggers in bestimmter Weise charak-
teristischen Wendungen wie „sich zu erkennen geben", „zutage treten" etc. meinen dann
für diese Untersuchung jeweils: im Sinne unserer interpretatorischen Absicht „sichtbar
werden" etc.
    18. Vgl. oben § 1 Anm. 11.

Offenbar aber gehört für Schleiermacher die Zeit in den Zusammenhang mit der göttlichen Ewigkeit. So lautet das Problem von vornherein: „Zeit und Ewigkeit"; und zu fragen ist: wie „Zeit" in der Relation mit der Ewigkeit durch „Ewigkeit" *relativiert* wird. „Ewigkeit" nun scheint als göttliche Eigenschaft ihrerseits eines Verstehenszusammenhanges zu bedürfen, der in tiefere Bereiche der Gotteslehre Schleiermachers weist. Dort also wird unsere Untersuchung anzusetzen haben: der *Grund der Zeit in Gott* wird ihr erstes Thema sein. Unsere ganze Darstellung wird den Versuch unternehmen, den Überlegungen Schleiermachers in dieser Hinsicht *von Grund auf* nachzudenken, um auf diese Weise „Zeit" als sie selbst (wie sie sich für Schleiermacher darstellt) zunächst im Zusammenhang mit ihrem göttlichen Grund sichtbar werden zu lassen. Im Vollzug dieser gedanklichen Bewegung verspricht dann zudem die Beschreibung der Ewigkeit (also eines durch Negation von „Zeit" Gekennzeichneten) schon das Negierte selbst zumindest in seinen Hauptzügen Gestalt gewinnen zu lassen[19]. Nun gehört aber offenbar für Schleiermacher die Zeit untrennbar zum „Zeitlichen": der καιρός ist immer καιρός τινός[20]. Auch ohne das Zeitliche mithin wird „Zeit" nicht als sie selbst erfaßt werden können.

Die Weise, wie diese verschiedenen Formen des „Als" zum Zuge gebracht werden können, und den weiteren Fortgang der Darstellung überhaupt werden dann die erzielten Ergebnisse zu leiten haben, zu deren Gewinnung die Rückerinnerung an Momente der einleitenden Interpretation des § 52 je und dann nützlich sein mag.

Doch noch eine letzte Weise des „Als" muß als Ergebnis unserer vorbereitenden Überlegungen namhaft gemacht werden: als sie selbst wird die Zeit theologisch für Schleiermacher im Zusammenhang des christlichen Selbstbewußtseins erkennbar[21]. Dieses „Als"

19. Sinngemäß gilt auch hier, was Schleiermacher in seinen „Monologen" von 1800 (in: Friedrich Schleiermacher. Kleine Schriften und Predigten, Hg. H. Gerdes und E. Hirsch, Bd. I, Berlin 1970, 21–75; dort 38) formuliert: „... nur durch *Entgegensezung* wird das Einzelne erkannt."

20. So könnte man nach Analogie des platonischen Satzes, der λόγος sei immer λόγος τινός, formulieren. Vgl. E. Fuchs, Hermeneutik, Tübingen 1970[4], 156: „Das Wort καιρός kann ohne den Genetiv, der es konkret bestimmt, nicht verstanden werden..."

21. Ein „Als", das freilich – setzt man „Bewußtsein überhaupt" für „christliches Selbstbewußtsein" – für die Zeit generell zu gelten scheint. Vgl. etwa F. Kümmel, Über den Begriff der Zeit, Tübingen 1962, 11: „Daß die Zeit ... nur für ein Bewußtsein von ihr auch als *Zeit* offenbar wird, bedeutet indessen nicht ihre bloß ‚subjektive' Realität im menschlichen Geist" (Hervorhebung im Original). Das Buch Kümmels bemüht sich überhaupt, „im Anschluß an idealistische Gedankengänge den fundamentalen Zusammenhang von Zeit, Freiheit und Bewußtsein aufzuzeigen..." (185).

weist auf die Eigenart der Dogmatik Schleiermachers überhaupt. Sich mit dieser Begründung des Zeitverständnisses Schleiermachers auseinanderzusetzen bedeutet die Diskussion mit dem Grundansatz seiner Dogmatik als ganzer.

Kaum jemand aber hat diese Diskussion so beharrlich und so eindringlich geführt wie *Karl Barth*. Indem wir seine kritische Gegenstimme unsere Interpretation (zumindest streckenweise) begleiten lassen, wird die besondere Gestalt Schleiermacherschen Denkens umso deutlicher hervortreten.

Den Begriff der „Ewigkeit" in die Zusammenhänge der Gotteslehre einzuordnen, so haben wir gesehen, hat Anlaß, wer Schleiermachers Begriff von „Zeit" verstehen will. Darüber, wie diese Ein-
ordnung vonstatten zu gehen hat, ist nun zunächst eine Verständi-
gung notwendig. Zu diesem Zweck soll — ohne daß wir die Grund-
probleme der Gotteslehre auch nur erwähnen wollten — zu Beginn
dieses Abschnittes versucht werden, sich einiger Züge der hermeneutischen Anweisungen zu versichern, die Schleiermacher in bezug auf sein Reden von Gott beachtet wissen will[1].

§ 3   Zur Hermeneutik der Gotteslehre

1.   Die Richtung der von Schleiermacher
selbst vollzogenen dogmatischen Interpretation

Als „Auffassungen der christlich frommen Gemützustände in der
Rede dargestellt"[2] sind für Schleiermacher die Sätze der Dogmatik
Interpretationen eines ursprünglich Nicht-Sprachlichen, das ihnen
in dieser Gestalt *vorausliegt*[3]: was im christlich bestimmten Selbstbewußtsein „vorkommt"[4], ist ihr — sprachlich (theologisch-dogma-

---

1. Es ist selbstverständlich, daß unsere Fragen in diesem ganzen Abschnitt in erster
Linie denjenigen Aspekten des Problems gelten, von denen Aufschluß über unser spe-
zielles Thema erwartet werden kann.
2. § 15L: I,105.11f. — Die besonderen Probleme, die der Begriff des „Gefühls" oder
des „unmittelbaren Selbstbewußtseins" aufgibt, werden uns an späterer Stelle ausführlicher zu beschäftigen haben.
3. Diese Prävenienz hat Brandt mit Recht herausgestellt: „Ausgangspunkt der Glaubenslehre ist kein Prinzip, sondern das (,in protestantischem Geist aufgefaßte') christlich fromme Selbstbewußtsein. Das heißt, daß der eigentliche Gegenstand der Glaubenslehre in ihr selbst unmittelbar nicht vorkommt: Er ist ja selber kein Wissen, keine formu-
lierte Wahrheit, sondern das aller Forschung vorausliegende Gefühl..." (62f). — Vgl. dazu
auch F. Beißer, Schleiermachers Lehre von Gott dargestellt nach seinen Reden und seiner
Glaubenslehre, Forschungen zur systematischen und ökumenischen Theologie 22, Göttingen 1970, 85ff.
4. Vgl. z.B. § 52Z: I,271.24.

tisch) zu erfassender – Gegenstand. Diese Gemütszustände als solche in der Weise der Dogmatik lediglich zu beschreiben, unternimmt die „dogmatische Grundform" der drei Arten dogmatischer Sätze[5]. Ihre Reflexion vollzieht sich als reine Deskription[6]; Unmittelbarkeit ist ihre Besonderheit[7], und als solche bietet sie Gewähr dafür, daß ihre Aussagen „nur aus dem Gebiet der innern Erfahrung"[8] stammen, jeder Verfälschung durch das Eindringen von Metaphysik oder Naturwissenschaft also entgegengewirkt ist. Dieser Gefahr nämlich sind die beiden anderen Formen dogmatischer Sätze, Aussagen über die Welt und über Gott, ausgesetzt, weil „allerdings Aussagen von Beschaffenheiten der Welt naturwissenschaftlich sein können und Begriffe von göttlichen Handlungsweisen rein metaphysisch..."[9]. Ihren Grund hat diese Gefahr in der Besonderheit, in der Aussagen dieser Art gewonnen werden. Denn „Zurückführung" bzw. „Rückgang" heißt dort das Prinzip[10]. „Erklärung" des Zustandes des Selbstbewußtseins ist dort die Absicht[11]. In diesem Zustand selbst ist etwas „mitgesetzt", in ihm ist etwas *präsent* und *anwesend*[12], was ihn in Hinblick auf dieses Mit-

---

5. Vgl. zum folgenden die Paragraphen 30f.

6. Vgl. § 30L: I,163.24f; § 30,2: I,164.20; § 31L: I,165.36. – Vgl. auch die Überschriften zum ersten Abschnitt des Ersten Teils (I,185.2).

7. Vgl. § 31L: I,165.36: „... die unmittelbare Beschreibung der Gemütszustände ..."; vgl. § 35,2: I,183.31.

8. § 30,2: I,164.21.

9. Ebd. 164.23–26.

10. Vgl. etwa § 57,1: I,308.18–20; § 83,2: I,447.15f; § 120,3: II,243.19f; § 164,2: II,442.27 u.ö.

11. Vgl. § 32,2: I,173.15–17; § 50,3: I,260.19–21; 262.14–18.

12. Vgl. etwa § 30,1: I,164.11f, § 32,1: I,171.22, § 32,2: 172.31.34.35; 173.16.17; § 66,1: I,356.1f; Gl[1], § 70,1 („In unserm absoluten Abhängigkeitsgefühl aber ist das höchste Wesen überall angedeutet als *daseyend*..."). – Brunners Satz (131) „Die Gottes*idee* ist im Gefühl der schlechthinigen Abhängigkeit enthalten" trifft den Sachverhalt nicht. – G. Ebeling (Schlechthinniges Abhängigkeitsgefühl als Gottesbewußtsein. Zur Interpretation der Paragraphen 4 bis 6 von Schleiermachers Glaubenslehre, jetzt in: Wort und Glaube. Dritter Band. Beiträge zur Fundamentaltheologie, Soteriologie und Ekklesiologie, Tübingen 1975, 116–136) hat auf einen in bezug auf die Gotteslehre Schleiermachers außerordentlich wichtigen Aspekt dieses Gedankens hingewiesen: „Von dem Woher unseres Dasein sagt er [sc. Schleiermacher], es sei in diesem Selbstbewußtsein, nämlich dem schlechthinnigen Abhängigkeitsgefühl, ‚mitgesetzt'. Wir müssen uns hier offenbar von dem Vorstellungsschema mechanischer Kausalität lösen. Sie läßt aus bestimmten Folgeerscheinungen auf eine nicht selbst präsente Ursache schließen. Wenn auch die Art und Weise noch unbestimmt und offen ist, wie denn das Woher unseres Daseins ... in unserem Selbstbewußtsein mitgesetzt ist, so scheint doch Schleiermachers Meinung die zu sein: Das Woher unseres Daseins ist in unserm Selbstbewußtsein *präsent*" (120f; Hervorhebung im Original). Die Bedeutung dieses Umstandes wird uns im Zusammenhang der Frage nach dem Sinn der göttlichen Ursächlichkeit zu beschäftigen

gesetzte zu erschließen verlangt[13]. Nur so wird das Mitgesetzte selbst zum Thema — das sich als lediglich *mit*gesetzt allerdings an sich „außerhalb des Selbstbewußtseins" befindet[14]. Es ist eben nicht so, daß die Aussagen jetzt über den Zustand des Selbstbewußtseins hinausgehen oder ihn „überfliegen"[15] — sie verstehen sich nach wie vor als „Analyse des christlichen Selbstbewußtseins"[16] — sondern sie suchen auf, vom Selbstbewußtsein selbst ausgehend, was dieses in seinem jeweiligen Zustand weltlich *bestimmt* („Aussagen von Beschaffenheiten der Welt") oder was den konkreten Zustand des frommen Gefühls in seiner weltlichen Bestimmtheit göttlich *begründet* („Begriffe von göttlichen Eigenschaften und Handlungsweisen")[17]. Was immer also über Gott oder die Welt dogmatisch gesagt werden kann — es sind Aussagen über im Selbstbewußtsein vollzogene Relationen[18] und nur insofern auch Aussagen über das Bestimmende und Begründende selbst. Von dem her, was in unserem Selbstbewußtsein als deren *Wirkung* vorhanden ist, begrenzen sich strikt die Sätze über Gott und die Welt. Wegen dieses indirekten Verfahrens[19] müssen alle Sätze die-

---

haben. — Auf keinen Fall also als eine causa instrumentalis darf Gottes Ursächlichkeit verstanden werden: „Denn eine werkzeugliche Ursache gehört gar nicht als ein wesentlicher Bestandteil in den Verlauf der ganzen Tätigkeitsreihe, wobei sie gebraucht wird, sondern wenn sie das Ihrige getan, wird sie beiseite gelegt..." (§ 109,4: II, 182.13—16). Eben dies hat Brunner durchgehend mißverstanden (vgl. 354: „Im kausalen Verhältnis bleibt das Verursachende selbst außerhalb des Verursachten").

13. Daß vor allem der *Zustand* des Selbstbewußtseins *selbst* — auch in den Aussagen der zweiten oder dritten Form — erkannt wird, sagt deutlicher noch als die zweite die erste Auflage (vgl. Gl[1], § 34,1).

14. Vgl. § 30,1: I,164.1f. — Auf dieses extra nos, in Gestalt von Welt und Geschichte vor allem, hinzuweisen, unternimmt die Arbeit von F. Jacob: Geschichte und Welt in Schleiermachers Theologie, ThA XXVI, Berlin 1966.

15. Vgl. § 35,2: I,184,2—6; sowie die Randbemerkung I,307.28f: „Unser frommes Selbstbewußtsein kann auch nichts, ohne sich zu überfliegen, von der Welt an sich aussagen."

16. § 111,2: II,194.26—29: „... wie jeder dogmatische Satz, der sich nicht als Analyse des christlichen Selbstbewußtseins geltend machen kann, gewiß entweder spekulativ oder nur auf ... äußerliche Weise begründet ist."

17. § 30L: I,163.24ff.

18. Unmißverständlich kommt das etwa in der Formulierung zum Ausdruck: „Denn unser christliches Selbstbewußtsein auch in seiner größten Erweiterung kann sich nicht über das hinausversteigen, was mit uns *in Beziehung* steht..." (§ 168,2: II,454.14—16). Im übrigen enthalten denn auch sämtliche entsprechenden Abschnitte der Glaubenslehre in der Überschrift in irgendeiner Form das Wort „Beziehung".

19. Angedeutet ist diese Indirektheit etwa auch in einem Satz wie: „So gefaßt *werden* mithin die dogmatischen Sätze Aussagen über Beschaffenheiten der Welt..." (§ 30,1: I,164.7—9). — Vgl. auch Brandt (267), der betont, daß bei Schleiermacher die Glaubenslehre zur Gotteslehre erst *wird*.

ser Art an der dogmatischen „Grundform" verifiziert werden können[20], damit sichergestellt ist, daß die Dogmatik nicht nur vom frommen Gefühl ausgegangen ist, sondern sich auch bei ihm gehalten hat und so Verfälschungen der genannten Art ausgeschlossen bleiben.

Ratio cognoscendi und ratio essendi fallen somit bei Schleiermacher zusammen: im frommen Selbstbewußtsein kommen sie vollkommen überein. Zu Recht hat Karl Barth formuliert: „Das große *Formal*prinzip ist zugleich das Materialprinzip der Schleiermacherschen Theologie. Das christlich fromme Selbstbewußtsein betrachtet und beschreibt sich selbst: das ist grundsätzlich das Eins und Alles dieser Theologie."[21] Auch Schleiermachers Gotteslehre, und sie vielleicht am augenfälligsten, ist von diesem Übereinkommen zutiefst bestimmt. Nur insofern Gott im frommen Gefühl „mitgesetzt" ist, kann er für die Dogmatik überhaupt Thema sein — damit hat sich das dogmatische Denken zu bescheiden. Aber gerade seiner rigorosen Bescheidung — in der sich Schleiermacher in seiner Theologie zweifellos von *Kant* bestimmen läßt[22] — verdankt dieses Denken seine Strenge und seine Konsequenz.

Für die Aussagen über göttliche „Eigenschaften und Handlungsweisen" hat dabei nun im Einzelnen dies zu gelten: Auf eine „schlechthinnige Ursächlichkeit" kommt, wer das Gefühl schlechthinniger Abhängigkeit zu erklären unternimmt[23]: mich *bedingend* geht Gott mich unbedingt an. Doch diese Ursächlichkeit, als das dort „Vorkommende"[24], bringt sich zunächst nicht in sprachlicher

---

20. „Daher müssen wir die Beschreibung menschlicher Zustände für die dogmatische Grundform erklären, Sätze aber von der zweiten und dritten Form nur für zulässig, sofern sie sich aus Sätzen der ersten Form entwickeln lassen..." § 30,2: I,164.33—36. Vgl. auch den Leitsatz zu § 31.

21. Prot.Theol. 409 (Hervorhebung im Original). — Das hat Jacob (121 Anm. 33) zu Unrecht bestritten, zumal Barth gar nicht vom bloßen „Abhängigkeitsgefühl" (so nach Jacob), sondern vom „christlich frommen Selbstbewußtsein" spricht.

22. Wohl am ausführlichsten hat *Dilthey* in seinem großen Werk über Schleiermacher (Leben Schleiermachers, I. Band, in 3. Auflage auf Grund des Textes der 1. Auflage von 1870 und der Zusätze aus dem Nachlaß, Hg. M. Redeker, Erster Halbband, Berlin 1970) den Einfluß Kants auf Schleiermacher dargestellt (vgl. vor allem das IX. und X. Kapitel des Ersten Buches). Zu klären, inwieweit zum Verständnis der Glaubenslehre (auch hinsichtlich ihres Zeitverständnisses) beigetragen werden könnte, wenn man sie in einem Gespräch mit Kant befindlich dächte, erforderte eine eigene Untersuchung. Wir werden uns im folgenden darauf beschränken, an einigen Stellen auf Überlegungen Kants, die den Ausführungen Schleiermachers anscheinend entsprechen, hinzuweisen.

23. Vgl. § 50,3: I,260.19—22; 259.13—15; § 51L: I,263.26f.

24. Daß Gott in unserem frommen Selbstbewußtsein „vorkommt", sagt z.B. § 54,4: I,287.3. Vgl. auch § 52Z: I,271.24.

Form, sondern eben als unmittelbares Selbstbewußtsein zur Geltung und wird als „Gott" zur Sprache erst gebracht[25]. Nun erscheint überdies dieses Gefühl immer nur in je verschiedenen Zuständen, bleibt also in seiner Wirklichkeit notwendig weltlich bestimmt — und entsprechend muß allem Reden über Gott etwas „Menschenähnliches" anhaften[26]. „Spricht die Seele, so spricht, ach!, schon die Seele nicht mehr", so könnte auch Schleiermacher sagen[27]. Daß in dieser Weise die Sprache hinter dem Gemeinten grundsätzlich zurückbleibt, ist unvermeidlich, doch „sind die Frommen sich bewußt, daß sie nur im Sprechen das Menschenähnliche nicht vermeiden können, in ihrem unmittelbaren Bewußtsein aber den Gegenstand von der Darstellungsweise gesondert festhalten..."[28] Die von Schleiermacher zugestandene Unangemessenheit alles Redens von Gott bedeutet also keineswegs nun auch eine Unzulänglichkeit des frommen Gefühls[29]. Gewiß

---

25. Vgl. § 4,4: I,29.24ff. — Das fromme Selbstbewußtsein überhaupt hat ja keine sprachliche Gestalt (die der Frömmigkeit zukäme, wäre sie etwa — was Schleiermacher bestreitet — ein Wissen), sondern die Form des „Gefühls". — Vgl. dazu G. Ebeling, Schleiermachers Lehre von den göttlichen Eigenschaften (jetzt in: Wort ünd Glaube. Zweiter Band. Beiträge zur Fundamentaltheologie und zur Lehre von Gott, Tübingen 1969, 305—342): „Indem er [sc. Schleiermacher] in die Sprachlosigkeit des Gefühls zurückweist, geht es ihm gerade darum, in den Vorgang des Ursprungs von Sprache einzuweisen." (325f). An anderer Stelle (Gottesbewußtsein, 132ff) zeigt Ebeling, wie dann für Schleiermacher das Gefühl schlechthinniger Abhängigkeit durch die Sprache zum „Gottesbewußtsein", d.h. zu klarem Selbstbewußtsein, wird, wie hier also eine „Bewegung in die Sprachlichkeit hinein" vorliegt. Vgl. auch G. Ebeling, Einführung in theologische Sprachlehre, Tübingen 1971, 50. — Bei Barth (Prot.Theol. 406) liegt demgegenüber der Ton darauf, daß ursprünglich das „Gefühl" Schleiermachers eben nicht sprachlich ist und sein soll.

26. § 5Z: I,40.15—25: „Wenn nun das unmittelbare innere Aussprechen des schlechthinnigen Abhängigkeitsgefühls das Gottesbewußtsein ist, und jenes Gefühl, jedesmal wenn es zu einer gewissen Klarheit gelangt, von einem solchen Aussprechen begleitet wird...: so wird auch das auf diesem Wege entstandene Gottesbewußtsein in allen seinen besonderen Gestaltungen solche Bestimmungen an sich tragen, welche dem Gebiet des Gegensatzes angehören...; und dies ist die Quelle alles Menschenähnlichen, welches in den Aussagen über Gott auf diesem Gebiet unvermeidlich ist..." Vgl. auch § 97,5: II,74.26—28. Ähnlich formuliert auch die „Dialektik" (Hg. R. Odebrecht, Leipzig 1942, 296f): „Daher herrscht in jeder Glaubenslehre eine durchgehende Vermenschlichung des transzendenten Grundes und eine Analogie mit dem menschlichen Bewußtsein vor... Diese Anthropoisierung hat ihren Grund im Bewußtsein des Endlichen, womit immer das Selbstbewußtsein vermischt ist." Vgl. 310 und 314 („Er [sc. der transzendente Grund] gehört unter die ἄρρητα...").

27. F. Schiller, Sämtliche Werke, Bd. I, München 1965⁴, Tabulae votivae „Sprache", 313 (Hervorhebung im Original).

28. § 5Z: I,41.9—12.

29. „Das Gefühl hat den ewigen, unveränderlichen Gott selbst", formuliert zu Recht Beißer (87, vgl. 238).

sein kann man Gottes im frommen Gefühl, auch ohne angemessen von ihm *reden* zu können[30].

Aber noch eine andere Konsequenz ergibt sich aus der weltlichen Bestimmtheit des jeweiligen frommen Gefühls: Mit sich zugleich läßt das so bestimmte unmittelbare Selbstbewußtsein die ganze Welt unter die Abhängigkeit von Gott befaßt sein. Wenn es aber auf diese Weise die Welt im ganzen repräsentiert[31], so meinen Aussagen über Gott nicht nur den Grund des jeweiligen Zustands des frommen Selbstbewußtseins, sondern letztlich den Grund der Welt als ganzer[32].

Da nun diese Modifikationen des schlechthinnigen Abhängigkeitsgefühls erklärt werden wollen[33], so bleibt nichts, als eine begriffliche Differenzierung des göttlichen Seins in mehrere Ursächlichkeiten zu vollziehen, die eine Erklärung des *Gesamt*zustandes (eben mit seiner weltlichen Bestimmung) zu leisten vermögen[34]. Als solche — und das heißt als (die Modifikationen des Gefühls schlechthinniger *Abhängigkeit* erklärenden) ,,Modalitäten der göttlichen *Ursächlichkeit*"[35] — sind die ,,Eigenschaften und Hand-

---

30. Vgl. den Fortgang des eben angeführten Zitates § 5Z: I,41.13—17. — Insofern ist für Schleiermacher das fromme Gefühl durchaus capax infiniti (vgl. K. Barth, Schleiermacher, in: Die Theologie und die Kirche. Gesammelte Vorträge 2. Band, München 1928, 136—189: ,,In der Religion sieht er [sc. Schleiermacher] Gott gesetzt im Menschen. Sie ist *das* finitum, welches capax ist infiniti." 160; Hervorhebung im Original).

31. Vgl. dazu den ganzen zweiten Abschnitt des § 8 (I,52.24ff) und etwa den Leitsatz zum § 33: ,,Die Anerkennung, daß dieses schlechthinnige Abhängigkeitsgefühl, indem darin unser Selbstbewußtsein die Endlichkeit des Seins im allgemeinen vertritt..." (I,174. 24—26), aber auch den ganzen § 46 (I,224.7ff) sowie § 51,1: I,264.2—5; § 57,1: I, 308.1—5.

32. Keineswegs begründet Gott also für Schleiermacher lediglich das *Gefühl* schlechthinniger Abhängigkeit, nirgendwo bezeichnet er ihn darum auch als das ,,Woher des schlechthinnigen Abhängigkeitsgefühls" — die Formulierung an der entsprechenden Stelle lautet vielmehr, ,,daß eben das in diesem Selbstbewußtsein mitgesetzte *Woher* unseres empfänglichen und selbsttätigen *Daseins* durch den Ausdruck Gott bezeichnet werden soll..."(§ 4,4: I,28.35—29.1; ,,Woher" im Original hervorgehoben). Ebeling hat nachdrücklich auf diesen Umstand hingewiesen (Gottesbewußtsein, 119). — Treffend formuliert Brandt: ,,Gott ist das Woher der *Welt*, die, im unmittelbaren Selbstbewußtsein des weltlichen Menschen repräsentiert, auf ursprüngliche Weise als nicht-von-sich-selbst-her, als schlechthin abhängig erfahren wird." (223).

33. Vgl. § 50,3: I,260.19—21; 262.14—18.

34. Vgl. § 30,1: I,164.10—18: ,,Endlich aber da nicht nur das schlechthinnige Abhängigkeitsgefühl an und für sich ein Mitgesetztsein Gottes im Selbstbewußtsein ist, sondern auch das Gesamtsein, von welchem nach Maßgabe der Stellung des Subjekts alle Bestimmtheiten des Selbstbewußtseins ausgehen, unter jenem Abhängigkeitsgefühl befaßt ist: so können alle Modifikationen des höheren Selbstbewußtseins auch dargestellt werden, indem Gott bezeichnet wird als der dies Zusammensein in seinen verschiedenen Verteilungen Begründende."

35. § 82Z: I,444.2.

lungsweisen Gottes" zu verstehen[36]. Freilich ist sich dabei die Dogmatik der Mißverständlichkeit dieses Verfahrens bewußt. Allzuleicht kommt es zu dem Irrtum, die Pluralität der göttlichen Eigenschaften bezeichne Differentes in Gott selbst, Gott sei also etwas (und sei es nur den „Funktionen" nach) Zusammengesetztes[37] — das Mißverständnis, als sei die Vielheit der göttlichen Eigenschaften in spekulativem Sinne gemeint. Dem tritt Schleiermacher mit dem Leitsatz des § 50 entgegen: „Alle Eigenschaften, welche wir Gott beilegen, sollen nicht etwas Besonderes in Gott bezeichnen, sondern nur etwas Besonderes in der Art, das schlechthinnige Abhängigkeitsgefühl auf ihn zu beziehen."[38] Zur Aufstellung einer Mannigfaltigkeit göttlicher Eigenschaften nötigen also die verschiedenen Bestimmtheiten des frommen Selbstbewußtseins, nicht Gott selber. Er ist der Eine, Undifferenzierbare, schlechthin Einfache[39], und „nichts Reelles" in ihm entspricht den verschiedenen Eigenschaften[40].

Um jene Modifikationen zu erklären, ist nun aber in der Tat notwendig, von mehreren göttlichen Eigenschaften zu sprechen: Der *bestimmte* Zustand — auf Gott zurückgeführt — führt zu einer *bestimmten*, ihm entsprechenden göttlichen Eigenschaft. Sie gilt es aufzusuchen[41]. Sind auf diese Weise göttliche Eigenschaften als göttliche „Handlungsweisen" und so als „Ursächlichkeiten" zu verstehen, dann bringen sie den (schöpferischen) *Vollzug von Relationen* zum Ausdruck. Als „Verhältnisbegriffe" müssen sie gelten[42].

Nicht „eine untermenschliche Unwissenheit über Gott, sondern das Wesen der menschlichen Beschränktheit in Beziehung auf ihn", so formuliert Schleiermacher gegen Hegel[43], ist der Grund, daß Gott, „wie er an und für sich ist", nicht Gegenstand der Dogmatik sein kann[44]. Denn eine Kundmachung Gottes, „wie er an und für

36. Vgl. § 50,3: I,259.13—15; 260.19—22; § 51L: I,263.26f.
37. Vgl. zum folgenden § 50,2: I,257.12ff.
38. § 50L: I,255.6—9.
39. Vgl. z.B. § 56,2: I,304.27ff (bes. 305.21f).
40. Vgl. § 50,3: I,260.13ff (ebenso 262.1; § 51,1: I,265.7f; § 51,2: I,266.32—35; 267.4; § 49,2: I,252.31ff). — Karl Barth, Die kirchliche Dogmatik (der erste Band, KD I/1, München 1932, der letzte KD IV/4, Zollikon/Zürich 1967) II/1, 368, sieht für diesen Zusammenhang Schleiermacher als Fortsetzer nominalistischer Tradition.
41. Von „zurückführen" spricht § 79,1: I,424.15; § 164L: II,441.6; zum Verhältnis der „Entsprechung" vgl. § 50,3: I,258.32; 260.9; § 79,1: I,424.12. Daß die göttlichen Eigenschaften „aufzusuchen" sind, sagt etwa § 50,3: I,258.33.
42. Vgl. § 37,1: I,188.30.
43. Vgl. den Exkurs am Ende des Abschnitts.
44. § 10Z: I,74.2ff.

sich ist", könnte weder überhaupt an eine menschliche Seele gelangen, noch von ihr aufgefaßt werden, und könnte also in ihr auch nicht wirksam sein. Darum wird Gott immer nur „in seinem Verhältnis zu uns"[45] zur Sprache gebracht — nicht mehr als das vermag die dogmatische Sprache. Denn nicht mehr als Gottes Verhältnis zu uns kann im christlichen Selbstbewußtsein als dem Material- und Formalprinzip der Dogmatik „aufgefaßt" werden. Von dem Gott „an und für sich" zu reden bedeutete Verstiegenheit[46]. Angesichts des Unaussprechbaren muß die Sprache versagen[47]. Der Gott „an und für sich" *kann* überhaupt nicht „vorkommen"; er geht uns nichts an.

Stellt mithin die Dogmatik eine Lehre von göttlichen „Eigenschaften" auf, so ist ihr von vornherein die Unmöglichkeit bewußt, eine Vollständigkeit der Erkenntnis Gottes in dem Sinne zu erreichen, daß ihre Begriffe das Wesen Gottes an sich zum Ausdruck bringen[48] — „wie denn niemals aus der *Wirkung* das *Wesen* dessen selbst, was eingewirkt hat, erkannt werden kann...."[49] So hat sich die Dogmatik strikt an das zu halten, was ihr zu sagen erlaubt ist[50].

Worauf es uns jedoch zunächst ankommt, ist die Richtung der von Schleiermacher vollzogenen dogmatischen Reflexion: Das Bewirkte (ein bestimmter, zunächst noch nicht zur Sprache gebrachter Zustand des Selbstbewußtseins) wird gedeutet, indem es auf

---

45. § 10Z: I,74.10.

46. Vgl. die oben § 3 Anm. 18 zitierte Formulierung.

47. Eben den Gott „an sich" meint Schleiermacher, wenn er § 50,3: I,258.25f die „Unaussprechlichkeit des göttlichen Wesens" behauptet. Vgl. dazu Gl[1], § 64,1. — Man kann sich fragen, ob in dieser Gestalt des „deus definiri nequit" nicht einer der tiefsten Gründe für Schleiermachers dogmatische Methode überhaupt liegt. Barth hat in diese Richtung gewiesen: „Hier, bei *Schleiermacher*, ist nicht verstanden, daß der Satz von der Unbegreiflichkeit Gottes uns nicht von Gott weg an den Menschen verweisen, sondern gerade bei Gott, aber eben bei der Gnade Gottes in seiner Offenbarung festhalten will." (KD II/1, 217; Hervorhebung im Original). Daß indes in diesem Zusammenhang der Verweis auf die Gnade Gottes (so wie er sie versteht) auch Schleiermacher nicht fremd ist, zeigt eine Stelle seiner Predigten (WW II, Neue Ausgabe, Bd. 2, Berlin 1843; 246; wir zitieren im folgenden aus dieser neuen Ausgabe der Predigten), nach der es bestimmte „Tiefen der Gottheit" gibt, „welche uns der Geist Gottes nicht offenbart", und nach der wir zufrieden sein müssen, „in die Tiefen und den Reichthum der göttlichen *Gnade* hineinzuschauen, ohne zu begehren, daß unser Unvermögen die Tiefen des göttlichen Wesens zu ergründen möge von uns genommen werden."

48. Nach § 50,3: I,258.24 ist eine „vollständige Erkenntnis Gottes aus Begriffen" nicht möglich (vgl. auch § 50,1: I,256.36f).

49. § 50,3: I,260.17—19.

50. Im übrigen kann auch von der Welt „an sich" nichts ausgesagt werden (vgl. die oben § 3 Anm. 15 zitierte Bemerkung, aber auch etwa § 75,1: I,411.8—10: „Daß von der Welt in einer Glaubenslehre überhaupt nicht anders die Rede sein kann, als sofern sie sich auf den Menschen *bezieht*, versteht sich von selbst.").

sprachliche (hier nun: theologisch-dogmatische) Weise auf das Bewirkende[51] als auf seinen *Grund*[52] zurückgebracht wird. „Nur in
dem Gefühl seiner *Wirkung* ist uns Gott als Ursache gegeben, nicht
anderswie", so hat Barth zu Recht interpretiert[53]. Immer wenn
von göttlichen Eigenschaften die Rede ist, ist der dogmatische Gedanke seiner Sache, dem christlichen Selbstbewußtsein, *auf den
Grund* gegangen.
Wir haben gesehen, daß Schleiermacher im Begriff der „Ewigkeit" die *Zeit* auf ihren göttlichen Grund zurückführt. Im Zusammenhang damit ergibt sich nun das Problem des Verhältnisses der
Ewigkeit zu den anderen göttlichen Eigenschaften. Wie setzt sich
demnach die von Schleiermacher vollzogene hermeneutische Bewegung fort? Wenn sie zunächst ihre Richtung vom frommen
Selbstbewußtsein zu Gott als dem Grund der dort vorkommen-
den „Zeit" nimmt, wenn sie also von „Ewigkeit" spricht, wenn
andererseits aber offenbar Gott mehrere Eigenschaften zuzuschrei-
ben sind − wie verhalten sich dann diese Eigenschaften zueinander
in bezug auf die Frage nach dem Grund der Zeit in Gott? Daß
„Ewigkeit" sowenig wie die anderen göttlichen Eigenschaften
„etwas Besonderes in Gott" bezeichnet, daß sie also keinen bestimmten Bereich im Sein Gottes meint, der seinerseits in einem
anderen Bereich etwa begründet wäre, so daß im Sein Gottes
selbst Begründetes von Begründendem zu unterscheiden wäre, ist
von vornherein deutlich. Nur bedeutet das nicht, daß der Zusammenhang der die göttlichen Eigenschaften bezeichnenden Begriffe
nicht in sich durch ein bestimmtes hermeneutisches Gefälle gekennzeichnet wäre. Welche Eigenschaft von welcher anderen her
zu verstehen ist, in welchem Verstehensprozeß sich der Sinn jeder
einzelnen erschließt − dieses Problem hat nichts zu tun mit dem
Irrtum, der Stufen im göttlichen Sein selbst behauptet. Der Satz,
daß Gott sich *verhält,* bedarf der Präzisierung: Welchen Charakter
hat denn diese Relation? In welchem Interpretationszusammenhang die einzelnen göttlichen Eigenschaften auf diese Frage eine
Antwort geben, müssen wir im folgenden Abschnitt zu klären
suchen. Wenn wir also „Ewigkeit" als den Grund der Zeit in Gott
verstehen wollen, ist die Vergewisserung unumgänglich, wie

---

51. Vgl. § 50,3: I,260.17−19; vgl. auch § 14,1: I,95.14−16: „Der Ausdruck Glaube
an Christum ist hier aber, so wie dort Glaube an Gott, die Beziehung des Zustandes als
Wirkung auf Christum als Ursache."
52. Vgl. § 30,1: I,164.17f; § 51,1: I,264.12; § 117,2: II,221.20; § 117,4: II,222.32;
223.17.22. − Für Gott selbst hingegen kann es keinen „Grund" mehr geben (vgl. § 54Z:
I,288.9f).
53. Prot. Theol. 418; Hervorhebung im Original. − Vgl. oben bei Anm. 49.

Schleiermacher angesichts dieses Problems seine Lehre von den göttlichen Eigenschaften verstanden wissen will.

Exkurs: Zur Kritik Hegels an Schleiermacher

In § 10Z: I,74,2ff weist Schleiermacher die Kritik *Hegels* zurück, die dieser — zwar ohne Schleiermacher zu nennen, aber deutlich genug ihn meinend — in der Vorrede zur „Religionsphilosophie" von H.F.W. Hinrichs („Die Religion im inneren Verhältnis zur Wissenschaft" 1821) zum Ausdruck gebracht hatte (ThW 11,42—67; die Hervorhebungen der folgenden Zitate im Original). Dort hatte Hegel von dem „Vorurteil" gesprochen, „daß das Göttliche nicht *begriffen* werden könne", hatte dem die „Unendlichkeit des Begriffs" und den alten Satz, daß Gott nicht neidisch sein könne, gegenübergestellt, um dann die Sinnlosigkeit gerade einer christlichen (sich doch auf Offenbarung berufenden) Theologie „ohne Erkenntnis Gottes" zu behaupten und um geradezu eine „*tierische Unwissenheit von Gott*" als Grund dafür verantwortlich zu machen. — Schleiermacher ist auf diese fundamentale Kritik nicht direkt eingegangen (in der ja das berühmte „argumentum a cane" vorkam: „Gründet sich die Religion im Menschen nur auf ein Gefühl, so hat solches richtig keine weitere Bestimmung, als das *Gefühl seiner Abhängigkeit* zu sein, und so wäre der Hund der beste Christ, denn er trägt dieses am stärksten in sich und lebt vornehmlich in diesem Gefühle. Auch Erlösungsgefühle hat der Hund, wenn seinem Hunger durch einen Knochen Befriedigung wird." (58; Hervorhebung im Original). Schleiermachers Entgegnung beschränkt sich auf einige kurze Bemerkungen. An dieser Stelle ist es der Satz: „Eine Kundmachung Gottes, die an und in uns wirksam sein soll, kann nur Gott in seinem Verhältnis zu uns aussagen; und dies ist nicht eine untermenschliche Unwissenheit über Gott, sondern das Wesen der menschlichen Beschränktheit in Beziehung auf ihn." (Vgl. auch § 3,2: I,16.15ff, wo Schleiermacher betont, daß er „Gefühl" als besondere Form menschlichen Bewußtseins verstanden wissen will.) — Daß die Religion ursprünglich und wesentlich im „Gefühl" ihren Ort habe, hat Hegel an verschiedenen Stellen auch seiner „Enzyklopädie" bestritten. So heißt es in der Vorrede zur zweiten Ausgabe: „In der neuesten Zeit hat die Religion immer mehr die gebildete Ausdehnung ihres Inhalts zusammengezogen und sich in das Intensive der Frömmigkeit oder des Gefühls, und zwar oft eines solchen, das einen sehr dürftigen und kahlen Gehalt manifestiert, zurückgezogen." „Die kontrakte, auf das Herz sich punktualisierende Religiosität", die „bei ihrer expansions- und damit geistlosen Intensität" verharrt, widerspricht der „wahrhaften Religion", denn diese „muß ein ... Credo, einen Inhalt haben; der Geist ist wesentlich Bewußtsein, somit von dem gegenständlich gemachten Inhalt; als Gefühl ist er der ungegenständliche Inhalt selbst (*qualiert* nur, um einen J. Böhmeschen Ausdruck zu gebrauchen) und nur die niedrigste Stufe des Bewußtseins, ja in der mit dem Tiere gemeinschaftlichen Form der Seele." (ThW 8,24f; Hervorhebung im Original). Daran, „daß der Mensch vom Tiere sich durchs Denken unterscheide", ist gegenüber dem „Vorurteil jetziger Zeit" zu erinnern, „welches *Gefühl* und *Denken* so voneinander trennt, daß sie sich entgegengesetzt, selbst so feindselig sein sollen, daß das

Gefühl, insbesondere das religiöse, durch das Denken verunreinigt, verkehrt, ja etwa gar vernichtet werde und die Religion und Religiosität wesentlich nicht im Denken ihre Wurzel und Stelle habe." (ThW 8, § 2,42; Hervorhebung im Original).

Konsequenzen für die Lehre von Gott zeigt etwa die Formulierung im Zusatz zum § 418 (ThW 10, 207f; Hervorhebung im Original): „Wenn man daher in neueren Zeiten bloß ein *unmittelbares* Wissen von Gott hat zugestehen wollen, so hat man sich auf ein Wissen borniert, welches von Gott nur dies auszusagen vermag, daß er *ist,* daß er *außer* uns existiert und daß er der Empfindung diese und diese Eigenschaften zu besitzen scheint. Solches Bewußtsein bringt es zu weiter nichts als zu einem sich für religiös haltenden Pochen und Dicktun mit seinen zufälligen Versicherungen in betreff der Natur des ihm jenseitigen Göttlichen." Ähnlich auch § 554 (ThW 10, 366): „Daß heutigentags so wenig von Gott gewußt und bei seinem objektiven Wesen sich aufgehalten, desto mehr aber von Religion, d.i. dem Inwohnen desselben in der subjektiven Seite, gesprochen und sie, nicht die Wahrheit als solche gefordert wird...". Daß die Behauptung, bzw. „Versicherung", man könne Gott nicht eigentlich erkennen, innerhalb einer Religion, die sich ausdrücklich als die „geoffenbarte" versteht, besonders inkonsequent ist, betont Hegel (wie schon in der Vorrede zu Hinrichs Buch) in § 564 (ThW 10, 373). Vgl. außerdem § 19 Zusatz 2 (ThW 8, 69f); § 447 (ThW 10, 247f) und Hegels Konzept der Rede beim Antritt des philosophischen Lehramts in Berlin (Einleitung zur Enzyklopädie-Vorlesung) vom 22. Okt. 1818 (ThW 10, 399—417; dort 409f). − Zum Problem der Kritik Hegels an Schleiermacher vgl. auch G. Ebeling, „Was heißt ein Gott haben oder was ist Gott?" Bemerkungen zu Luthers Auslegung des ersten Gebots im Großen Katechismus, in: Wort und Glaube. Zweiter Band. Beiträge zur Fundamentaltheologie und zur Lehre von Gott, Tübingen 1969, 287−304. Dabei geht Ebeling von der doppelgestaltigen Frage Luthers aus, die in der Überschrift des Aufsatzes erscheint, um anhand ihrer Hegels Einwände gegen Schleiermacher zu verdeutlichen (289ff). − Sehr umsichtig behandelt das Problem: H. Dembowski, Hegel und Schleiermacher. Ein Gegensatz, in: Neues Testament und christliche Existenz. Festschrift für Herbert Braun zum 70. Geburtstag am 4. Mai 1973, Hg. H.D. Betz / L. Schottroff, Tübingen 1973, 115−141.

2.   Die Richtung der nach Schleiermacher
       zu vollziehenden Interpretation der Gotteslehre

Es gilt grundsätzlich für die Glaubenslehre im ganzen: Gegenüber dem Interpretationsprozeß, der dem von Schleiermacher selber im Nacheinander der einzelnen Themen vollzogenen Gedankengang folgt, kann in bestimmter Hinsicht die umgekehrte Bewegung das größere Recht beanspruchen: die vom zweiten Abschnitt („Des Gegensatzes andere Seite: Entwicklung des Bewußtseins der Gnade") des Zweiten Teils („Entwicklung der Tatsachen des frommen Selbstbewußtseins, wie sie durch den Gegensatz bestimmt sind") ausgehende Interpretation *nach rückwärts.* Denn dort, in der Gnadenlehre, wird ja „das eigentümlich Christliche" zum Thema — die „Erlösung"[54], die mit ihren Voraussetzungen (Teil I der Glaubenslehre) und mit dem in ihrem Begriff implizierten Gegensatz (Abschnitte 1 und 2 des II. Teils) auch die Gliederung der Glaubenslehre im ganzen bestimmt[55]. Auf dieses Thema als auf seinen Höhepunkt bewegt sich der Gedankengang zu. Von dort als von dem Ziel der Überlegungen her erschließen sich aber auch erst eigentlich Sinn und Absicht des Voraufgehenden.

Schleiermacher selber hat ja — seine Sendschreiben über seine Glaubenslehre an Lücke berichten davon[56] — eine vollständige Umstellung der Hauptteile ernsthaft erwogen, dergemäß zuerst von der Gnade, dann von der Sünde und erst abschließend von den im frommen Selbstbewußtsein als solchem liegenden Voraussetzungen von Sünde und Gnade die Rede sein sollte. Diese Disposition, so meint er, hätte ihm schwerwiegende Mißverständnisse seiner Kritiker erspart, die z.T. — über den Unterschied eines wissenschaftlichen Werkes und eines Gastmahles, „wobei man auf einen gewissen Rausch durch das vorangeschickte trefflichste Getränk rechnet, um dann geringeres Gewächs noch leidlich anzubringen"[57] in Unkenntnis — die Einleitung und den Ersten Teil als eigentliche Hauptsache des Ganzen angesehen hätten[58]: „Diese Art der Behandlung des Buches wäre nun bei der umgekehrten Stellung nicht möglich gewesen. Keiner hätte dann verkennen können, daß die Darstellung des eigentümlich *christlichen* Bewußtseins wahrhaft und wirklich der eigentliche Zweck des

---

54. Vgl. § 11: I,74.26ff.

55. § 29L: I,161.7ff. — Die Prinzipien der Gliederung der Glaubenslehre sollen hier nicht erörtert werden. Man vgl. dazu etwa Brandt (60ff) oder Ebeling (Eigenschaften, 327ff; vgl. dort das graphisch dargestellte systematische Gerüst der Glaubenslehre, 330f).

56. WW I/2, 575–653; jetzt auch in: Schleiermacher-Auswahl, Hg. H. Bolli, Siebenstern-Taschenbuch 113/114, München/Hamburg 1968, 120ff. Wir zitieren im folgenden unter der Abkürzung „Auswahl" aus dieser Ausgabe, die den Text der modernen Orthographie und Interpunktion angepaßt hat. Die Seitenangaben der WW fügen wir in Klammern bei. — Diese Sendschreiben an Lücke dürfen als unmittelbarer und darum für jede Interpretation unentbehrlicher Kommentar zur Glaubenslehre gelten. Für die geschichtliche Sensibilität Schleiermachers sind sie das vielleicht eindrücklichste Beispiel.

57. Auswahl 141 (WW, 607).

58. „... meine Kritiker sind größtenteils von der Voraussetzung ausgegangen, ein solches Werk müßte in einem Antiklimax fortschreiten. Oder ist etwa nicht die Einleitung, mit der ich doch nichts anderes beabsichtigte als eine vorläufige Orientierung, die, genaugenommen, ganz außerhalb unserer Disziplin selbst liegt, als die eigentliche Hauptsache, als der rechte Kern des Ganzen angesehen worden? Und nächstdem offenbar der erste Teil!" (ebd.). — Zum „Antiklimax" vgl. auch § 58,3: I,313.10–12.

Buches sei"[59]. Bei einer Umstellung wäre diese grundlegende Intention unmißverständlicher herausgetreten; der Einsatz mit der „Darstellung des *vollen* christlichen Bewußtseins"[60] hätte von vornherein klargemacht, „daß Christen ihr gesamtes Gottesbewußtsein nur als ein durch Christum in ihnen zustande gebrachtes in sich tragen..."[61], hätte also den letzten Abschnitt der Glaubenslehre als den eigentlichen Hauptteil des Ganzen noch deutlicher als in der nun tatsächlich vollzogenen Anordnung des Stoffes herausgestellt[62].

Über die sachliche Priorität dieses letzten Abschnittes, auf die Schleiermacher deutlich genug hingewiesen hat, kann es also keinen Zweifel geben[63]. Diesem Umstand nun sucht unsere Interpretation durchgehend Rechnung zu tragen.

In den eben erwähnten Überlegungen über eine mögliche Umdisponierung wird gerade am Problem der göttlichen Eigenschaften gewissermaßen die Hermeneutik dieses Lehrstücks expliziert. Danach sind die Sätze etwa des Ersten Teils „eigentlich nur unausgefüllte Rahmen" und bekommen „ihren wahren Gehalt nur durch die Beziehung auf das, was erst hernach vorgetragen" wird[64]. Dabei vollzieht sich die positive Füllung dieses Rahmens nicht eigentlich anhand jener göttlichen Eigenschaften, die sich aus dem Bewußtsein der Sünde ergeben, sondern vermittels derer, die im Zusammenhang des Bewußtseins der Gnade zu erwähnen sind: „Gewiß ist doch, daß eine Allmacht, von der ich nicht weiß, welches ihr Ziel ist und wodurch sie in Bewegung gesetzt wird, eine Allwissenheit, von der ich nicht weiß, wie sie die Gegenstände ihres Wissens stellt und schätzt, eine Allgegenwart, von der ich nicht weiß, was sie ausstrahlt und was sie an sich zieht, nur unbestimmte und wenig lebendige Vorstellungen sind; ganz anders aber, wenn in dem Bewußtsein der neuen geistigen Schöpfung die Allmacht, in der Wirksamkeit des göttliches Geistes die Allgegenwart, im Bewußtsein göttlicher Gnade und Wohlgefallens die Allwissenheit

---

59. Auswahl 142 (WW, 609).

60. Ebd. (WW, 608).

61. AaO. 140 (WW, 606).

62. Über die Gründe, warum es dann doch bei der jetzt vorliegenden Gliederung geblieben ist, gibt Schleiermacher ausführlich Rechenschaft (aaO. 144ff; WW, 610ff). Sie haben vor allem mit der geistigen Situation der Zeit und den damit verbundenen Bedürfnissen der Kirche zu tun, lassen also die sachlichen Prioritäten, deren Herausarbeitung Motiv für eine Umstellung hätte sein können, unberührt. – Vgl. dazu Ebeling, Eigenschaften, 336f.

63. Schon der äußere Umfang ist ein gewisses Indiz dafür: 30 §§ des I. Teils und 21 des ersten Abschnitts des II. Teils stehen 83 im zweiten Abschnitt des II. Teils gegenüber.

64. Auswahl 141 (WW, 608); vgl. § 64,2: I,351.12–21.

sich kund gibt."[65] Erst die göttlichen Eigenschaften des letzten
Teils der Glaubenslehre entscheiden somit definitiv über den Sinn
aller vorhergehenden Eigenschaften[66].

Die in bezug auf die Darstellung Schleiermachers sachgemäße
hermeneutische Bewegung soll also eindeutig — im Ganzen und
speziell auch für die Lehre von den göttlichen Eigenschaften — von
den Ausführungen des zweiten Abschnitts des Zweiten Teils nach
rückwärts zu dessen erstem Abschnitt sowie zum Ersten Teil ver-
laufen[67]. Nur der Vollzug dieser Bewegung vermag das Mißverständnis auszuschließen, als sei die Darstellung des besonderen
christlichen Bewußtseins nicht Schleiermachers eigentliche Intention — so daß von Anfang an also kein Zweifel darüber bestehen
kann, daß, wer die Glaubenslehre nicht von den Begriffen der
„Erlösung" und des „Reiches Gottes" her interpretiert, sich damit in Widerspruch zu Schleiermachers eigenen Absichten setzt.
Eines ist das Gesetz der Darstellung, ein anderes das der Interpretation: jene bewegt sich auf das Ziel des Ganzen zu, diese muß —
in ihrer wesentlichen Phase[68] — immer schon von ihm herkommen.

---

65. AaO. 142 (WW, 608). — „Eine Liebe, die nicht allmächtig wäre, [ergänze: wäre]
nicht die ewige und unvergängliche Kraft, gehörte auch nicht der göttlichen Natur; und
die Allmacht, die etwas Anderes wäre, als Liebe in ihrem ganzen Wesen, eine solche wäre
auch gewiß nicht jene ewige segensreiche Quelle, welcher lauter gute Gaben entströmen",
so heißt es in einer Predigt (WW II, Neue Ausgabe Bd. 4, 526). Oder an einer anderen
Stelle: „Würden wir aber wankend in der Ueberzeugung, daß Gott die Liebe ist: so müßte
sogleich die Furcht vor einer Allmacht, über deren Gesinnung es keine Sicherheit gäbe,
die leergewordene Stelle des Herzens einnehmen." (WW II, Neue Ausgabe Bd. 2, 243;
vgl. 245).

66. Vgl. § 90,2: II,28.21—28 (wo sich ebenso dieses Verhältnis von Eigenschaften des
Teils I zu solchen des zweiten Abschnitts von Teil II findet): „... da wir uns erst jetzt auf
dem Gebiet eines kräftigen Gottesbewußtseins befinden, so müssen auch alle im ersten
Teil nur unbestimmt zu beschreiben gewesenen Regungen des absoluten Abhängigkeitsgefühls hier ihren vollen Gehalt bekommen, indem es im Christentum kein anderes Bewußtsein der göttlichen Allmacht und Ewigkeit und der daran hangenden Eigenschaften
gibt, als nur in bezug auf das Reich Gottes." Vgl. auch § 169,3: II,457.10—12.

67. Vgl. dazu besonders auch § 167,2: II,449.31—451.6. — So auch Brandt, 269:
„Und doch entscheidet sich nach Schleiermacher der Sinn der ganzen über die Glaubenslehre verteilten Gotteslehre nicht in ihrem allgemeinen ersten, sondern in diesem
speziellen letzten Teil: nämlich ihr Sinn als dem christlichen Glauben eigene Gotteslehre, die man auf keine Weise mit einem spekulativen Pantheismus verwechseln kann."
Auf S. 224 nennt Brandt die Gnadenlehre den „wichtigsten Teil der Glaubenslehre",
und auf S. 272 heißt es: „Nur dann, wenn man nicht, wie es Schleiermacher verlangt,
die Glaubenslehre von ihrem konkreten Ende, sondern wenn man sie von ihrem allgemeinen Anfang aus liest..."

68. Als selbstverständlich kann angenommen werden, daß Schleiermacher den gedanklichen Nachvollzug, der dem Nacheinander der Darstellung selbst folgt, für jede Interpretation voraussetzt. Freilich scheint dies — will man verstehen, worauf es Schleier-

Methodisch bedeutet das: Die Eigenschaften Gottes der ersten beiden großen Abschnitte der Glaubenslehre sind in diejenigen der Gnadenlehre „hineinzudenken"[69]. Eben diese Aufgabe weist Schleiermacher dem Ausleger seiner Gotteslehre zu.

In diesem „Hineindenken" der ersten beiden in den dritten Teil der Glaubenslehre dürfte aber auch überhaupt die Interpretation dieses Werkes ihre Aufgabe zu finden haben. Auch unsere Untersuchung wird sich grundsätzlich von dieser Anweisung Schleiermachers bestimmen lassen[70].

3. Die Richtung der dem Verständnis von „Ewigkeit" geltenden Interpretation

Die Einsicht in die Notwendigkeit, die interpretierende Bewegung unserer Darstellung (die sich an der inneren Ordnung des Darzustellenden zu orientieren sucht) nicht in Gang zu setzen, ohne sie dem von Schleiermacher selber gewiesenen hermeneutischen Gefälle seiner Glaubenslehre anzumessen, veranlaßte die in den letzten beiden Abschnitten vollzogenen Erörterungen. Wer verstehen will, so können wir als Ergebnis jetzt festhalten, was für Schleiermacher „Ewigkeit" heißt, hat diese göttliche Eigenschaft von jenem Abschnitt der Gotteslehre her auszulegen, der der Gnadenlehre zugehört. Erst dieser Hintergrund (es handelt sich dabei um die §§ 164 bis 169) vermag dem Begriff seinen vollen Sinn zu verleihen. Ihm hat darum der nächste Schritt unserer Erörterung zu gelten. Sind jedoch die Eigenschaften dieser Paragraphen in ihrer Funktion, den Sinn von „Ewigkeit" bereitzustellen, die erste Station des Weges, auf den unsere Interpretation sich geschickt sieht, dann hält sich die Erörterung offenbar zu Beginn an die begrifflichen Verhältnisse der göttlichen Eigenschaften *zueinander* und

---

macher im Grunde ankommt − in seiner Glaubenslehre nicht die Hauptphase der Interpretationsbewegung.

69. § 167,2: II,450.19.

70. Diese hermeneutische Richtung der Glaubenslehre ist von der Forschung zwar gesehen, aber eine entsprechende Interpretation, soweit wir sehen, bisher kaum konsequent *durchgeführt* worden. − Auch die geläufige Rede vom „Ansatz" der Glaubenslehre müßte von diesem Gefälle her einmal überprüft werden. − Wenn Brunner (132f) meint, mit dem Leitsatz des § 88, also mit dem ersten Satz der Gnadenlehre beginne „nicht etwa der zweite Teil der Dogmatik, sondern eine ganz neue Glaubenslehre, die sich in die andere hineinschiebt" und diese zweite „Religionslehre" sei „nicht nur jener anderen fremd, sondern mit ihr absolut unvereinbar", so interpretiert er von vornherein *gegen* Schleiermachers eigene Intention. Schleiermacher will den ersten in den zweiten, nicht diesen in jenen „hineingedacht" wissen.

braucht darum vorerst dem Aspekt, daß ja für Schleiermacher alle Eigenschaften Gottes Relationen *zur Welt* bezeichnen, nicht ausdrückliche Beachtung zu schenken. Bevor dieser Sachverhalt dann eigens zum Thema werden kann, soll eine Zwischenüberlegung die spezifische „Zeitlosigkeit" der Ewigkeit zu klären suchen, nachdem in einer kurzen Erörterung noch einmal nach der Stellung der „Ewigkeit" im Gefüge der Eigenschaften Gottes gefragt worden ist. Schließlich soll ein letzter Paragraph in diesem Abschnitt dessen Thema („Der Grund der Zeit") noch einmal grundsätzlich in den Blick fassen.

§ 4   Der Sinn der Ewigkeit: Liebe

1.   Die Liebe Gottes und ihr Ziel; die göttliche Weisheit

Wie im Menschen die „Gesinnung" „das Innerste des selbsttätig ursächlichen Wesens in seiner Einheit" darstellt[1], so ist die Gesinnung der „Liebe" innerste Eigenschaft Gottes und mit der fundamentalsten Relation Gottes zur Welt gleichzusetzen. Formal bleibt freilich auch die Liebe − „Ursächlichkeit"[2]. Als einzige der göttlichen Eigenschaften bezeichnet sie das göttliche *Wesen selbst:* „Gott *ist* die Liebe"[3]. Da die in den §§ 170ff anschließenden

---

1. § 165,1: II,445.5ff; vgl. zum folgenden Beißer, 221ff.
2. Was aus dem Ausdruck „Gesinnung" nicht ohne weiteres hervorgeht. − Vgl. § 165L: II,444.34; § 165,1: II,444.36. − Daß auch die *Liebe* Gottes von Schleiermacher konsequent als „Ursächlichkeit" verstanden wird, ist einer der Ansatzpunkte der Kritik G. Auléns (Das christliche Gottesbild in Vergangenheit und Gegenwart. Eine Umrißzeichnung, Gütersloh 1930). Unter der Überschrift „Die naturalisierte Liebe" (307) wird diese Auseinandersetzung vorgetragen. Vorher schon (284) hatte es geheißen, eben wegen des „Kausalitätsgedankens" trete bei Schleiermacher „der Mensch nicht in Berührung mit dem lebendigen und in der Geschichte wirkenden Gott". So bleibe für Schleiermacher auch die göttliche Gnade „im Blickfeld des Kraftschemas, nicht in dem des klar persönlich gefaßten Gottesverhältnisses" (317). − Unrichtig ist die Formulierung Brunners, bei Schleiermacher werde „die bloße Allursächlichkeit *ergänzt* durch den Gedanken der göttlichen Liebe" (338 Anm. 5).
3. § 167L: II,449.5. − Zu Recht sagt Brandt (264 Anm. 126), daß die Liebe die Bestimmung des *Verhältnisses* von Gott und Mensch, nicht aber „des Seins Gottes an und für sich" sei. Das „Wesen des Verhältnisses" ist darum wohl zu unterscheiden von dem „Wesen Gottes an sich". Nur um ersteres kann es sich im folgenden handeln. − Richtig bei M. Miller (Der Übergang. Schleiermachers Theologie des Reiches Gottes im Zusammenhang seines Gesamtdenkens, Studien zur evangelischen Ethik 6, Gütersloh 1970): „Wie kann Schleiermacher die Liebe dem ‚Sein oder Wesen Gottes' gleichsetzen, wenn

Überlegungen in diesem Zusammenhang deutlich peripheren Charakter haben[4] und keinen weiteren Rückgang in dem uns interessierenden hermeneutischen Prozeß darstellen[5], hat Schleiermacher also mit dem Begriff der „Liebe" im Zuge seiner Gotteslehre den Punkt erreicht, über den hinaus inhaltlich Grundlegenderes von Gott nicht mehr gesagt˙werden kann. Mit diesem Begriff wird offenbar der umfassendste Grund namhaft gemacht, den die Dogmatik in bezug auf Gott überhaupt in Worte zu fassen imstande ist.

Den Überlegungen Schleiermachers *von Grund auf* nachzudenken, heißt also offenbar, sie von der göttlichen Liebe her zu verstehen[6]. Das Recht, von ihr zu sprechen, aber nimmt sich die Dogmatik aus dem christlichen Bewußtsein der Erlösung[7]. Führt man dieses Bewußtsein auf seinen göttlichen Grund zurück, so kommt man auf die Liebe Gottes, die, als in diesem Bewußtsein mitgesetzt, mit dem von ihr Begründeten unmittelbar beisammen ist[8]. Als Ursache dieser Wirkung wird die Liebe Gottes bezeichnet als

keine Aussagen über Gott *an sich* möglich sind? Darauf ist zunächst zu antworten, daß man zwischen dem ‚Wesen Gottes' und ‚Gott an sich' unterscheiden muß. Von Gott ‚an sich' in dem Sinne, daß er außer dieser Zusammengehörigkeit verstanden werden könnte, läßt sich keine Aussage aufstellen. Aber gerade auf Grund dieser Zusammengehörigkeit kann die Liebe als Ausdruck des göttlichen Lebens gebraucht werden. Denn die Liebe bezeichnet das Wesen Gottes, wie es in der Zusammengehörigkeit von Gott und Welt ist." (177; Hervorhebung im Original). Millers Buch unternimmt den Versuch, die Theologie Schleiermachers als ganze als eine „Theologie des Reiches Gottes" (133) zu erweisen − ein Unternehmen, das, obwohl es uns wie alle Versuche, Schleiermachers „Gesamtdenken" mit einem Stichwort zu erfassen, problematisch erscheint, im Einzelnen auch bestimmte Aspekte der Glaubenslehre neu zu sehen lehrt.

4. Vgl. dazu Brandt, 223ff; Beißer, 234ff.

5. „Der eigentliche Schluß der Glaubenslehre Schleiermachers ist die Gotteslehre, aber nicht in der Gestalt der Trinitätslehre, sondern in der Gestalt der Lehre von der Liebe Gottes" − so mit Recht Brandt, 265. Zugespitzter formuliert E. Hirsch (Geschichte der neuern evangelischen Theologie im Zusammenhang mit den allgemeinen Bewegungen des europäischen Denkens, Bd. V, Gütersloh 1975[5], 324), daß „die Dreieinigkeitslehre ... aus dem neungeteilten Hauptgebäude der Dogmatik verwiesen und in einem angehängten Schluß gleichsam wie in einer Notbaracke untergebracht worden ist."

6. Formuliert im Blick auf die Gotteslehre, richtig bei Miller, 182: „So erweist es sich, daß eine sachgemäße Würdigung der Schleiermacherschen Gotteslehre nicht besonders vom ersten Teil der Glaubenslehre, sondern vor allem von seiner Definition der göttlichen Liebe auszugehen hat. Alle anderen göttlichen Eigenschaften erhalten erst ihren Sinn von ihr her und zu ihr hin."

7. Das entspricht dem Ort dieser Aussagen im Ganzen der Glaubenslehre, wird aber auch gleich im ersten Leitsatz der entsprechenden Paragraphen noch einmal gesagt (vgl. § 164L: II,441.4ff).

8. Vgl. § 167,2: II,451.11−13.

„Gesinnung"[9], als „Richtung"[10], als „Motiv"[11] — gerichtet auf die
Erlösung des Menschen. Die Liebe ist also gleichsam terminus a
quo, die Erlösung terminus ad quem[12].
Aussagen über die Liebe Gottes aber sind nicht Sätze der Grund-
form, sondern einer der Nebenformen dogmatischer Sätze. Wollte
man also die Dogmatik mit der Beschreibung der göttlichen Liebe
eröffnen, so bedürfte diese Erörterung zunächst der Bewahrhei-
tung an der dogmatischen Grundform, die die Beschreibung des
Zustandes des erlösten Selbstbewußtseins zum Inhalt hat (in der
Glaubenslehre: der erste Abschnitt des zweiten Aspektes des
Zweiten Teils). Sie ihrerseits aber kann nicht ohne Behandlung des
Problems der Sünde (in der Glaubenslehre: die Abschnitte des ersten Aspektes des Zweiten Teils) deutlich werden; und in der Erörterung des Ganzen müßten die allem zugrundeliegenden Voraussetzungen (in der Glaubenslehre: die Abschnitte des Ersten Teils) immer schon mitbedacht sein. Soll mithin das Mitgesetztsein der Liebe im Erlösungsbewußtsein dogmatisch wirklich *verstanden* werden, so ist dazu die Glaubenslehre nahezu als ganze aufzubieten.
Der Weg, den sie als ganze geht, ist hier im Grunde impliziert. De
facto aber verläuft dieser Weg auch bei Schleiermacher in der traditionellen heilsgeschichtlichen Folge[13]. Dies in unserer Darstellung geltend zu machen bedeutet: von der Liebe Gottes als dem
terminus a quo auszugehen und die Interpretation auf den von ihr
angewiesenen Weg zum Problem „Erlösung des Menschen" zu
schicken, nicht ohne die heilsgeschichtliche Folge mitzubedenken.
Wir werden also im Sinne dieser Folge und im Hinblick auf unser
Problem zunächst die Gotteslehre erörtern, um dann nach der
Weltgeschichte als ganzer und besonders nach der Geschichte Jesu
Christi und der der Kirche zu fragen. In Letzterer hat dann unser
Erlösungsbewußtsein, der terminus ad quem der göttlichen Liebe,
seinen Ort[14].

9. § 165,1: II,445.18.29. — Vgl. auch das oben § 3 Anm. 65 vermerkte Zitat aus einer Predigt Schleiermachers.
10. § 165,1: II,445.13; vgl. § 64,2: I,351.12—21.
11. § 167,2: II,450.4.
12. Die Ausdrücke terminus a quo und ad quem gebraucht in diesem Zusammenhang
an verschiedenen Stellen auch Miller. Vgl. z.B. „Diese Eigenschaften [sc. Liebe und Weisheit Gottes] bringen das Motiv und Ziel der göttlichen Ursächlichkeit zum Ausdruck,
d.h. deren terminus ad quem" (174).
13. Vgl. Ebeling, Eigenschaften, 327f.
14. Wir folgen mit diesem Weg auf bestimmte Weise einer Bewegung, die Barth als für
die systematischen Konzeptionen Schleiermachers charakteristisch behauptet hat. Barth
fragt, „ob es nicht noch näher liegt, seine systematischen Konzeptionen statt mit Kunst-
werken mit natürlichen Organismen zu vergleichen". Und „Denkt man bei so vielen Dis-

Als auf die Erlösung des Menschen gerichtet ist nun die Liebe Gottes nichts anderes als sein schlechthinniger Wille zur Selbstmitteilung, sein Wille[15], *in anderem zu sein:* „Denn Liebe ist doch die Richtung, sich mit anderem vereinigen und in anderem sein zu wollen..."[16] Dieses zunächst abstrakt erscheinende In-sein meint letztlich: die „Vereinigung des göttlichen Wesens mit der menschlichen Natur"[17], die im Gottesbewußtsein ihren Ort hat[18]. Dort will Gott *anwesend* sein. Gottes Liebe ist sein Wille zur Anwesenheit im menschlichen *Selbstbewußtsein.* Die Anwesenheit gerade an diesem Ort deutet auf ein *Innewerden* dieser Anwesenheit hin. Gott teilt gleichsam dem menschlichen Selbstbewußtsein seine Anwesenheit mit; darin besteht seine „Selbstmitteilung"[19]. Das so verstandene sich-mitteilende In-sein Gottes[20] zeigt vollends Gottes *Wesen:* es gilt einem bestimmten, nämlich einem solchen Anwesendsein, dessen der Mensch auch innewird. Nicht auf eine *Geschichte* Gottes mit uns also zielt für Schleiermacher die göttliche Liebe, sondern auf ein *Sein* Gottes in uns richtet sie sich[21]. Und keineswegs gründet dieses sich-mitteilende Sein in uns in einem Mit-uns-sein Gottes als Ereignis im Sinne einer sich selbst nicht schonenden Weggabe des Eigensten. Ist doch für Schleiermacher (anders als für Röm 8,32 oder Joh 3,16) das *Kreuz Jesu Christi* für den Begriff der göttlichen Liebe ohne Bedeutung[22].

---

positionen, wo es sich irgendwie zuerst um das Ausgehen von der religiösen Unmittelbarkeit in die Reflexion, dann um die Rückkehr aus der Reflexion in die Unmittelbarkeit handelt, nicht unwillkürlich an ein aus- und einatmendes animalisches Lebewesen oder an Systole und Diastole seines Herzschlags?" (Barth, Schleiermacher, 166). Denn in dieser „religiösen Unmittelbarkeit" liegen die beiden von uns als terminus a quo und terminus ad quem bezeichneten Punkte ja durchaus nebeneinander. Nur in der Reflexion kann von dem einen ausgegangen werden, um schließlich zu dem anderen zu gelangen.

15. Insofern ist Gottes Wesen mit seinem Willen identisch.

16. § 165,1: II,445.13f. — Vgl. § 166L: II,446.8f; § 166,1: II,446.15; 447.15. — Vom „Willen" muß hier gesprochen werden, weil ohne „Vermenschlichung" (§ 165,1: II,444.37; vgl. § 97,5: II,75.19f; und grundsätzlich: § 5Z: I,40.15ff) dogmatisch von Gott überhaupt nicht geredet werden kann, im Menschen aber die „Gesinnung" eine Bestimmung des Willens darstellt (§ 165,1: II,445.4—8.18).

17. § 165,1: II,445.16f.

18. Vgl. § 166,1: II,447.10—15. — In der ersten Auflage hieß es, „der Begnadigte" sei „sich seiner selbst bewußt als eines Gegenstandes jener göttlichen Gesinnung [sc. der Liebe], indem seine Seele gleichsam der Ort einer göttlichen Mittheilung ist." (Gl1, § 183,3).

19. Vgl. § 166L: II,446.8f; § 166,1: II,446.15f; 447.15. u.ö.

20. Dieses „In-sein" wird an späterer Stelle noch einmal zum Thema werden.

21. Vgl. Brandt, 281f.

22. Als selbstlose Weggabe des Eigensten hat H. Mühlen in einer meisterhaften Studie (Die Veränderlichkeit Gottes als Horizont einer zukünftigen Christologie. Auf dem Wege zu einer Kreuzestheologie in Auseinandersetzung mit der altkirchlichen Christologie,

Wenn alle göttlichen Eigenschaften als „Handlungsweisen" zu
verstehen sind, „Liebe" aber das Wesen Gottes bezeichnet, wenn
„alles Sein in Gott nur als das durch seine Liebe vermittelte gesetzt"[23] werden kann, dann sind — will man sie im Blick auf das
Wesen Gottes selbst bestimmen — alle göttlichen Eigenschaften
Tätigkeits- oder Vollzugsweisen seiner Liebe: Gottes Wesen vollzieht sich auf — z.b. „weisheitliche" (oder dann auch: „ewige")
Weise. Als Handlungsweisen sind so alle Eigenschaften gewissermaßen adverbial: sie bezeichnen die Weisen, in denen sich Gottes
Ursächlichkeit als Liebe vollzieht.

Doch die Dogmatik hätte die Liebe nicht als *göttliche* Eigenschaft gedacht, wollte sie die dem Willen der Liebe innewohnende
wirksame Tendenz zur Realisierung nicht sofort mitbedenken[24].
Der Wille *Gottes* enthält seine Verwirklichung schon in sich. Nur
die Analogie des menschlichen Willens nötigt dazu, der Liebe Gottes seine *„Weisheit"*, „als die Kunst, gleichsam die göttliche Liebe
vollkommen zu realisieren"[25], an die Seite zu stellen — weil ja in
jeder menschlichen Ursächlichkeit die grundlegende Gesinnung
von der Weise der Ausführung zu unterscheiden ist[26].

Im Begriff der Weisheit Gottes wird ausdrücklich auf das Moment der Verwirklichung der göttlichen Gesinnung „Liebe" reflektiert. „Realisierung" heißt aber weltliche Realisierung, und
entsprechend wird „Weisheit" bestimmt als „das die Welt für die
in der Erlösung sich betätigende göttliche Selbstmitteilung ord-
nende und bestimmende Prinzip"[27].

Im Zusammenhang unserer Überlegungen, die den Beziehungen
der göttlichen Eigenschaften zueinander gelten, ist der Schritt von
der Liebe zur Weisheit Gottes Teil eines Verstehens-, nicht eines
Begründungsprozesses[28]. „Weisheit" heißt mithin der erste Schritt
zur begrifflichen Explikation von „Liebe"[29]. Beider Begriffe Differenz steht unter dem Zeichen *„Verwirklichung"*: Um zu verdeutlichen, daß die göttliche Liebe als göttliche ohne ihre Verwirklichung gar nicht gedacht werden kann[30] — nur darum wird

---

Münster 1969, 30ff) das neutestamentliche Verständnis der Liebe Gottes interpretiert
und von daher die Frage nach der Unveränderlichkeit Gottes neu gestellt.

  23. § 168,1: II,452.10f.
  24. Vgl. § 167,2: II,451.19f.
  25. § 165,1: II,445.24f; vgl. § 165,2: II,445.35—446.2.
  26. Vgl. § 165,1: II,445.4ff.
  27. § 168L: II,451.27—29.
  28. Auch Brandt (65) nennt diese Alternative, meint damit freilich den von Schleiermacher im Nacheinander seiner Gedankenführung vollzogenen Prozeß.
  29. Vgl. § 169,3: II,457.12f: „... die göttliche Weisheit als Entfaltung der Liebe..."
  30. Darum sind „Weisheit" und „Liebe" im Grunde eins (vgl. § 165,2: II,445.33—35).

überhaupt so etwas wie göttliche „Weisheit" genannt. Findet die Liebe Gottes aber ihre Verwirklichung in der Erlösung des Menschen, so spricht das Stichwort „Verwirklichung" an, was überhaupt die begriffliche Verbindung herstellt zwischen der göttlichen Liebe als dem umfassendsten Grund einerseits und der Erlösung bzw. dem Reich Gottes als dem letzten Ziel andererseits[31]. Sprechen wir also von einer gedanklichen Bewegung, in der unsere Interpretation dem hermeneutischen Zug der hier zu behandelnden dogmatischen Themen Schleiermachers zu folgen sucht, so ist „Verwirklichung" der ihr zugehörige Begriff[32], gleichsam ihr Bewegungsgesetz und die göttliche Liebe ihr letzter Beweggrund. Für Schleiermachers Lehre von den göttlichen Eigenschaften heißt das zunächst, daß wir den Sinn der einzelnen Eigenschaften aus ihrem Bezug zur Verwirklichung der göttlichen Liebe bestimmen können. Von Gottes Weisheit hätte dann zu gelten: Auf weisheitliche Weise verursacht Gott die Verwirklichung seiner Liebe.

Daß alle Eigenschaften Gottes für Schleiermacher „Verhältnisbegriffe" sind und Gottes Sein als ganz und gar bezogen gedacht

---

31. Vgl. Barth, Schleiermacher, 153f: „... das Verhältnis der beiden entferntesten und zugleich nächsten Punkte des Schleiermacher'schen Systems, ... das Verhältnis zwischen Gott und dem frommen Selbstbewußtsein..."

32. Von einem „Verwirklichungsprozeß" spricht auch C. Walther (Typen des Reich-Gottes-Verständnisses. Studien zur Eschatologie und Ethik im 19. Jahrhundert, FGLP 10. Reihe Bd. XX, München 1961, 95; ähnliche Formulierungen auch öfter). Wie wir meinen, leidet diese Darstellung darunter, daß im Abschnitt über Schleiermacher die spezifischen Differenzen, die etwa in der Darstellung des „unmittelbaren Selbstbewußtseins" zwischen der „Dialektik" und der „Glaubenslehre" bestehen, nicht zur Geltung gebracht bzw. überhaupt nicht gesehen werden. Weil die Darstellung Walthers die „Glaubenslehre", die „Christliche Sittenlehre", die „Philosophische Sittenlehre", die „Reden", die „Dialektik" ... gleichermaßen zu verarbeiten sucht und − gemäß der Absicht des Buches − dem Typischen den Vorrang vor der differenzierenden Untersuchung des Details gibt, ist diese Arbeit im Einzelnen immer wieder unzutreffend und bedarf oft zumindest der Präzisierungen. Daß die Arbeit Flückigers (Philosophie und Theologie bei Schleiermacher, Zollikon/Zürich 1947) eine „gründliche Untersuchung" sei (89 Anm. 8), so muß spätestens nach dem Buch D. Offermanns bezweifelt werden. −Mit Walter setzt sich durchgehend Miller auseinander. − In seiner Studie „Was ist das: Theologie? Eine Skizze" (Stuttgart 1973, 16ff) weist O. Bayer auf eine formale Gemeinsamkeit so verschiedener Denker wie Hegel, Marx, Feuerbach und Kierkegaard hin: danach unterwerfen sich die Genannten je auf ihre Weise einem „Verwirklichungsschema", das Bayer modifiziert auch bei Rudolf Bultmann (vgl. 42 Anm. 10) und in Trutz Rendtorffs „Theorie des neuzeitlichen Christentums" wiederfindet, für Schleiermacher aber nicht geltend macht. Die spezifische Gestalt deutlicher vor Augen zu führen, in der gerade Schleiermachers Glaubenslehre vom Gedanken der Verwirklichung bestimmt ist, soll demgegenüber diese Arbeit unternehmen, wobei unsere Aufmerksamkeit mehr der Besonderheit der Schleiermacherschen Gedankenführung in bezug auf dieses Problem als ihrer Zugehörigkeit zu einem Schema gelten soll.

werden muß, hat sich uns also in der Weise präzisiert, daß diese
Relation als göttliche Ursächlichkeit durch den Begriff der *Ver-*
wirklichung zu interpretieren ist.

Wenn nun diese Realisierung *weltliche* Verwirklichung bedeutet
und die Welt als die „Gesamtheit des *zeitlichen* Seins" bezeichnet
werden kann[33], dann ist dem Begriff der Weisheit Gottes offenbar
die Richtung auf die göttliche *Ewigkeit*[34] eigen[35]: geht es doch
dort um den Ursprung der Zeit, also um einen Sachverhalt, dem im
Zuge einer Verwirklichung der göttlichen Liebe erhebliche Bedeutung zukommen dürfte. Man kann darum formulieren: Die Eigenschaft der „Ewigkeit", „hineingedacht" in die Eigenschaften des
letzten Teils der Glaubenslehre, ordnet sich der weltlichen „Verwirklichung der göttlichen Liebe" zu, die als weltliche offenbar
auf „Zeit" angewiesen ist.

2.   Die Weltregierung Gottes

Im Begriff der göttlichen „Weltregierung" sind für Schleiermacher
„Liebe" und „Weisheit" inbegriffen[36]. Entsprechend ist ihnen

33. Vgl. § 4,4: I,29.3f; § 36,2: I,187.1f und Gl[1], § 65,3 („Der Naturzusammenhang
nämlich, der sich uns überall als zeitlich darstellt..."). — Daß auch von Schleiermachers
philosophischer Ethik her (als der Lehre von den Prinzipien der Geschichte) die Welt als
Weltgeschichte zu gelten hat, zeigt Jacob, 27ff („Welt und Geschichte sind letztlich identisch: die Geschichte ist die Welt in ihrem Werden, die Welt die Geschichte in ihrem
Sein." 29).
34. Was an sich naheliegt: die Erörterung den Weg von „Liebe" und „Weisheit" zu
denjenigen Eigenschaften Gottes nehmen zu lassen, die zur Lehre von der *Sünde* gehören — halten wir deswegen für entbehrlich, weil diese Eigenschaften zwar, um verstanden
zu werden, der Erklärung durch jene bedürfen, jene aber von Schleiermacher selbst mit
den Eigenschaften des Ersten Teils der Glaubenslehre in Zusammenhang gebracht werden
(vgl. oben § 3 Anm. 66). Da es uns hier nur auf die Hauptlinien der entsprechenden Darstellung Schleiermachers ankommt, können wir diese mögliche Station des hermeneutischen Prozesses außer acht lassen. Daß es diese Station freilich gibt, zeigt ein (in der
zweiten Auflage gestrichener) Zusatz zum § 185 der ersten Auflage, in dem Schleiermacher darauf hinweist, wie die Eigenschaften des zweiten Abschnitts der Gotteslehre in denen des dritten aufgehoben sind. Vgl. dazu § 167,2: II,450.23—451.6.
35. In einem etwas anderen Zusammenhang spricht Beißer (222) davon, daß die göttliche Liebe — von Schleiermacher als eine „Richtung" bezeichnet — auf die Ewigkeit
zielt.
36. Vgl. § 164f (II,441.4ff). — Auch der Begriff des göttlichen „Wohlgefallens" gehört in diesen Bereich des tiefsten göttlichen Grundes. Schleiermacher gebraucht ihn
vorwiegend im Zusammenhang seiner Erwählungslehre (§§ 117—120; besonders in
§ 120), um den Grund im göttlichen Sein (vgl. § 117,4: II,222.30ff: „Wenn wir nun
diese Ordnung mit dem Ausdruck göttliche Erwählung deshalb bezeichnen, weil wir bei
einem göttlichen Wohlgefallen als *letzten Grunde* dazu stehenbleiben...") zu bezeichnen.

auch das zugrundeliegende fromme Selbstbewußtsein gemeinsam: das „Bewußtsein von der durch die Wirksamkeit der Erlösung wiederhergestellten Gemeinschaft mit Gott"[37]. Die dort mitgesetzte Weltregierung (wir können auch sagen: das dort mitgesetzte göttliche „Wohlgefallen"[38]) richtet sich nun zunächst gar nicht auf die Welt, sondern auf die Kirche, genauer: auf Entstehung und Verbreitung der christlichen Kirche[39]. Sie als das Reich Gottes ist der eine und einzige Gegenstand der göttlichen Weltregierung[40]. Der Begriff „Weltregierung" schließt also zunächst in dem, worauf sie gerichtet ist, jede Differenzierung und Vereinzelung aus[41].

Daß dieses *eine* für Schleiermacher das Zentrum der Weltregierung ist[42], bedeutet freilich für das christliche Selbstbewußtsein, daß die Welt *als ganze* der Regierung Gottes unterliegt[43]. Ist nämlich die Erlösung Erlösung des Menschen, der Mensch aber Mensch in der Welt, hat die vollzogene Erlösung in der Geschichte Jesu ihren Ort und ist die Pflanzung und Verbreitung der christlichen Kirche ein Prozeß in der Zeit, so ist das Grund genug, in bezug auf die Erlösung die Welt als ganze, die gesamte Weltgeschichte[44], in die göttliche Weltregierung hineingenommen zu sehen: „Denn für unser christliches Selbstbewußtsein ist *alles andere* nur in bezug auf die Wirksamkeit der Erlösung vorhanden..."[45]

Der göttliche Wille in der Weltregierung richtet sich also auf *eines* (die Erlösung und das Reich Gottes), darum auf *alles* (auf die Weltgeschichte als ganze) und befaßt so dann auch alles *Ein-*

---

bei dem das dogmatische Denken wie auch der Glaube „stehenzubleiben" (vgl. auch § 120,3: II,243.15) genötigt ist. Offenbar meint also „Wohlgefallen" Gottes denselben letzten Grund wie die „Liebe" und „Weisheit" implizierende göttliche „Weltregierung". – Dasselbe gilt für den Begriff der göttlichen „Vorherbestimmung" und besonders auch für den des „Ratschlusses" Gottes (mit diesem wird sich noch einmal ausdrücklich ein folgender Abschnitt beschäftigen). – Die entsprechenden Ausführungen der Erwählungslehre können für unseren Zusammenhang darum jetzt herangezogen werden.

37. § 164L: II,441.4–6.
38. § 120,3: II,244.21f.
39. Vgl. § 164L: II,441.7.
40. Vgl. § 164,3: II,443.12–17; vgl. 444.32; § 120,3: II,244.19.
41. Vgl. nur § 120,4: II,245.35ff; § 109,3: II,177.32ff.
42. Vgl. § 165,1: II,445.15f.
43. Schleiermacher formuliert etwa in bezug auf die göttliche Weisheit: „Darum muß *alles* in der Welt grade insofern, als es der göttlichen Weisheit zugeschrieben wird, auch auf die erlösende und neuschaffende Offenbarung Gottes bezogen werden." (§ 168,2: II,454.37–455.1).
44. Das „Geschichtliche" ist für Schleiermacher im „Naturzusammenhang" inbegriffen (vgl. § 79,1: I,424.24f), ein Umstand, auf den vor allem Jacob aufmerksam macht.
45. § 164,1: II,441.10–12.

zelne in sich. Dies gilt zunächst für das Einzelne der ganzen „natürlichen Welt"[46], doch auch für alles Einzelne des „Reichs der Gnade"[47], für „Schöpfung" und „Erlösung" — wenn auch für jene nur in bezug auf diese. Zwar kann Schleiermacher bei Gelegenheit das an sich Eine terminologisch differenzieren, indem er etwa von „Heilsordnung" und „Weltordnung" oder „Naturordnung" spricht, das aber doch nur, um sofort Einheit und Widerspruchslosigkeit zu betonen[48]. So empfängt die „Schöpfung" für das christliche Selbstbewußtsein nicht nur ihre theologische Relevanz, sondern ineins damit überhaupt erst gleichsam ihr *Sein* von der Erlösung (insofern sie nämlich abgesehen von ihr gar nicht für das fromme Selbstbewußtsein „vorhanden" wäre); so ist die „natürliche Welt" nichts ohne das „Reich der Gnade". Liegt doch im christlichen Glauben, „daß *alles* zu dem Erlöser geschaffen ist" und „daß schon durch die Schöpfung alles vorbereitend und rückwirkend eingerichtet ist in bezug auf die Offenbarung Gottes im Fleisch und zu der möglich vollständigsten Übertragung derselben auf die ganze menschliche Natur zur Gestaltung des Reiches Gottes[49]." Besonders deutlich in diese Richtung (dergemäß gewissermaßen nicht nur das Ontische, sondern auch das Ontologische in einem letzten Bezug steht) zeigt auch die folgende Formulierung: „Wir können daher sagen, ... sowohl das *Wesen* der Dinge in ihrer Beziehung aufeinander, als auch die *Ordnung* ihrer gegenseitigen Einwirkungen aufeinander, besteht durch Gott, so wie es besteht, mit Bezug auf die erlösende und den Geist zur Vollendung entwickelnde Offenbarung Gottes in Christo. *Alles* in unserer Welt nämlich, zunächst die menschliche Natur und dann alles andere um desto gewisser, je inniger es mit ihr zusammenhängt, würde anders sein eingerichtet gewesen, und so auch der ganze Verlauf der menschlichen Begebenheiten und der natürlichen Ereignisse ein anderer, wenn nicht die Vereinigung des göttlichen Wesens mit der menschlichen Natur in der Person Christi, und infolge

---

46. Vgl. § 54,4: I,284.34—285.6: „Allein dasjenige, wodurch anderes bedingt wird, ist selbst durch den göttlichen Willen bedingt; und zwar so, daß der göttliche Wille, auf dem das Bedingende beruht, nicht jeder ein anderer ist, sondern es ist nur ein und derselbe das ganze Gebiet des sich untereinander bedingenden endlichen Seins umfassende göttliche Wille, und dieser ist gewiß der schlechthinnige, weil nichts ihn bedingt."

47. § 164,1: II,441.31; vgl. auch § 117,4: II,223.23f: daß die „Naturordnung" von Gott abhängig ist, sei uns ebenso gewiß wie sein „Ratschluß der Erlösung durch Christus".

48. Vgl. § 119,3: II,236.4f; § 117,4: II,223.27f („Naturordnung" und „Heilsordnung"). — Vgl. auch Brandt, 93: „Welt- oder Naturordnung und Heilsordnung sind im Grunde, d.h. in Gott, identisch." Verstanden werden freilich muß jene von dieser her.

49. § 164,1: II,441.22—27.

dieser auch die mit der Gemeinschaft der Gläubigen durch den Heiligen Geist, der göttliche Ratschluß gewesen wäre."[50] So sind denn auch alle Einzelheiten der göttlichen „Heilsordnung" in dem einen „ewigen Ratschluß Gottes über die Erlösung" impliziert[51]: die „Sendung Christi"[52], die „Erwählung"[53], die „Rechtfertigung des Menschen"[54] und seine „Seligkeit"[55], die „Gemeinschaft der Gläubigen durch den Heiligen Geist"...[56] Ausgeschlossen ist kein Bereich von Welt und Geschichte: „Vielmehr gibt es nur *einen* ewigen und allgemeinen Ratschluß der Rechtfertigung der Menschen um Christi willen. Dieser Ratschluß wiederum ist derselbe mit dem der Sendung Christi, sonst müßte diese ohne ihren Erfolg in Gott gedacht und beschlossen sein, und dieser wiederum ist nur *einer* auch mit dem der Schöpfung des menschlichen Geschlechts, sofern erst in Christo die menschliche Natur vollendet ist."[57] *Alles,* die Weltgeschichte im ganzen, in ihrer ontischen Tatsächlichkeit *und* in ihren ontologischen Strukturen, ist in dem einen Ratschluß Gottes befaßt[58].

„Liebe" und „Weisheit" in sich begreifend, interpretiert offenbar der Begriff der göttlichen „Weltregierung" das In-sein Gottes hinsichtlich seines *Worin.* Dieses Worin ist letztlich eines, doch leitet gleichsam ein Bezugs-Zusammenhang zu ihm als zu dem letzten *Worumwillen* hin. Die göttliche Ursächlichkeit, gefaßt als „Weltregierung" ist auf etwas Bestimmtes *gerichtet.* Das von Gott Bewirkte ist darum immer schon das im Sinne dieser Richtung

50. § 164,2: II,442.30—443.6.
51. § 55,3: I,300.20; vgl. § 117,4: II,223.24.
52. Vgl. § 97,2: II,62.26—30 und § 94,3: II,48.10—19.
53. Davon sprechen die §§ 117ff.
54. Vgl. § 109, besonders Abschnitt 3 (II,176.14ff).
55. Vgl. § 118,1: II,224.6f; 224.16.
56. Vgl. oben bei Anm. 50.
57. § 109,3: II,178.18—24; Hervorhebung im Original; vgl. auch das dort Vorangehende.
58. Vgl. noch § 120,3: II,244.19; § 120,4: II,246.6; § 54,4: I,287.10: „... der *eine* alles umfassende göttliche Wille..." (Hervorhebung im Original). – In seiner Abhandlung „Ueber die Lehre von der Erwählung, besonders in Beziehung auf Herrn Dr. Bretschneiders Aphorismen" (WW I/2, 393ff) stimmt Schleiermacher der strengen augustinischen und calvinischen Fassung dieser Lehre u.a. auch deswegen zu, weil sie nach zwei Seiten notwendige Abgrenzungen vollzieht: Neben dem antipelagianischen Moment sei ihr eine antimanichäische Seite wesentlich, „welche nicht so bestimmt und allgemein anerkannt wird, darauf beruhend, daß es kein reines und freudiges Gefühl der göttlichen Allmacht giebt, wenn nicht alles auf gleiche Weise in dem einen und untheilbaren, ewigen und tadellosen Willen und Rathschluß Gottes gegründet ist, und daß, so wie der Mensch irgend etwas auf irgend eine Weise hievon ausnimmt, er sich trostloser Weise unter die Macht dellosen Willen und Rathschluß Gottes gegründet ist, und daß, so wie der Mensch irgend und in die Gemeinschaft noch eines andern und zwar Gott widerstrebenden Willens versezt fühlt." (449).

Verwirklichte. Um der Erlösung willen ist die Schöpfung, die „Naturordnung", überhaupt nur „vorhanden" (– „vorhanden" für unser christliches Selbstbewußtsein; aber nichts anderes ist für die Dogmatik von Bedeutung). Wäre nicht die „Vereinigung des göttlichen Wesens mit der menschlichen Natur" das letzte Worumwillen – alles wäre anders eingerichtet. „Darum muß *alles* in der Welt grade insofern, als es der göttlichen Weisheit zugeschrieben wird, auch auf die erlösende oder neuschaffende Offenbarung Gottes *bezogen* werden."[59] Alles also ist auf jene Vereinigung hin ausgerichtet; sie ist für das christliche Selbstbewußtsein das endgültige Worumwillen alles anderen; in ihr hat alles – nicht nur der tatsächliche Gang der Weltgeschichte, offenbar auch ihre ontologischen Strukturen – seine letzte Bewandtnis.

Der Weg des theologischen Denkens, dessen Anfang „Liebe Gottes" und dessen Ziel „Erlösung des Menschen" heißt, beginnt ohne das Thema „Zeit": Gott ist schlechthin zeitlos, seine Liebe von der Zeit soweit entfernt wie seine Weisheit, seine Weltregierung ewig. Innerhalb eines Interpretationsganges, wie wir ihn unternommen haben, der sich gewissermaßen noch im Raum Gottes bewegt, hat das Problem der Zeit keinen Ort. Wenn sich mit dem Stichwort „Verwirklichung" auch eine gewisse Richtung auf die Zeit hin insofern andeutet, als der göttlichen Weisheit eine bestimmte Tendenz zur „Ewigkeit" und so auch zur Zeit eigen scheint – die Zeit selber bleibt doch aus diesem ganzen Bereich ausdrücklich ausgeschlossen.

Eins darf nach allem Bisherigen jedenfalls als sicher gelten: Ihrem Bezug zur Erlösung oder zum Reich Gottes wird für das fromme Selbstbewußtsein – und von ihm her für die Dogmatik – auch die Zeit verdanken, was ihr überhaupt in der Glaubenslehre an Bedeutung zukommt. Ihren Sinn *als* Zeit wird sie von dorther gewinnen, kann es doch für die Dogmatik nichts geben, das irgendeinen Anspruch auf Selbständigkeit in dem Sinne erheben dürfte, daß es von der Erlösung und vom Reich Gottes unabhängig sein könnte: wie jeder andere Gegenstand dogmatischer Reflexion wird auch die Zeit erst von der göttlichen Liebe und ihrem Ziel her vollends als sie selbst erkennbar.

Denn ohne die göttliche Liebe bleibt unklar, „*als was* eigentlich das Endliche", d.h. die zeitliche Welt und mit ihr auch die Zeit selbst, „durch Gott ist und er es will und setzt"[60].

59. § 168,2: II,454.37–455.1.
60. § 167,2: II,450.10f.

Ging es im vorigen Paragraphen um die göttlichen Eigenschaften, in die — um der Ewigkeit ihren vollen Sinn zu verleihen — dieser Begriff hineinzudenken ist, so soll nun kurz die Stellung dieser Eigenschaft im Zusammenhang der ihr parallel geordneten Begriffe zum Thema werden. Warum wird für Schleiermacher der „Ewigkeit" die „Allgegenwart" an die Seite und beiden zusammen die „Allmacht" und die „Allwissenheit" gegenübergestellt?

Alle im Ersten Teil der Glaubenslehre aufgeführten göttlichen Eigenschaften sind im Blick auf die endliche Ursächlichkeit definiert: „Die schlechthinnige Ursächlichkeit, auf welche das schlechthinnige Abhängigkeitsgefühl zurückweiset, kann nur so beschrieben werden, daß sie auf der einen Seite von der innerhalb des Naturzusammenhanges enthaltenen unterschieden, ihr also entgegengesetzt, auf der andern Seite aber dem Umfange nach ihr gleichgesetzt wird."[1] Dabei bezeichnen in bezug auf das Verhältnis von göttlicher und endlicher Ursächlichkeit „Allmacht" und „Allwissenheit" die Gleichheit des „Umfangs", „Ewigkeit" und „Allgegenwart" die Differenz der „Art".

„Ewigkeit" und „Allgegenwart", jene auf die Zeit und diese auf den Raum bezogen[2], gehören also zunächst zusammen. „Ewigkeit" allein, so meint Schleiermacher, würde die spezifische Eigenart der göttlichen Ursächlichkeit nicht erschöpfend beschreiben, die „Allgegenwart" ist ihr darum, als „Ergänzung", an die Seite zu stellen[3], ist doch die endliche Ursächlichkeit zeitlich *und* räumlich bedingt — was in den Begriffen göttlicher Eigenschaften, die ja als Entgegensetzungen zu verstehen sind, seinen Ausdruck finden muß. Wir können formulieren: „Ewigkeit" und „Allgegenwart" bezeichnen die spezifischen „Weisen" Gottes[4] — „Zeit" und „Raum" dementsprechend die „Weisen" der Welt.

Ist aber die Welt als ganze durch Ursächlichkeit *konstituiert*[5], so

---

1. § 51L: I,263.26−31.
2. § 52: I,267.20ff; § 53: I,272.1ff.
3. Vgl. § 51,2: I,266.7ff sowie die handschriftlichen Notizen I,266.38 und I,272. 34ff.
4. Vgl. oben § 3 bei Anm. 35 und § 4 den Absatz bei Anm. 23. − Die Formulierung „auf ewige *Weise*" ist dementsprechend häufig anzutreffen (vgl. nur I,265.35f; § 52,1: I,269.3f; § 55,2: I,297.12; § 55,3: I,299.29; § 81,3: I,439.7; § 104,6: II,135.19; § 170, 2: II,460.1; § 171,2: II,464.9); entsprechend bezeichnet Schleiermacher die göttlichen Eigenschaften als „Handlungsweisen".
5. „Da der Naturzusammenhang *nichts anderes* ist als die zwiefache durch einander

müssen „Zeit" und „Raum" geradezu als die *konstitutiven Weisen der Welt* gelten.

Als konstitutive Regionen der Welt kann man demgegenüber „Natur" und „Geist" als die der göttlichen „Allmacht" und „Allwissenheit" zugehörigen Begriffe benennen[6]. In ihnen ist der Umfang der Welt umgrenzt; sie umschreiben das für die weltliche wie für die göttliche Ursächlichkeit gleichermaßen geltende Gebiet, über das hinaus auch göttliche Tätigkeit nicht wirkt. Etwas Besonderes in Gott können — davon geht Schleiermacher aus — die genannten Eigenschaften nicht bezeichnen. So wird, „um die *Identität* aller dieser Eigenschaften auf die kürzeste Weise auszudrücken"[7], ihr Inhalt noch einmal in zwei Begriffen konzentriert: „Wenn nämlich Zeit und Raum überall die Äußerlichkeit darstellen, und wir dabei immer ein Etwas voraussetzen, das erst in Zeit und Raum sich verbreitend ein Äußerliches wird: so läßt sich auch der Gegensatz zu Zeit und Raum bezeichnen als das schlechthin Innerliche. Ebenso, wenn durch den Ausdruck Allwissenheit vorzüglich bevorwortet werden soll, daß die Allmacht nicht als eine tote Kraft gedacht werde, so würde dasselbe erreicht durch den Ausdruck schlechthinnige Lebendigkeit, und dieses beides, Innerlichkeit und Lebendigkeit, wäre also eine ebenso erschöpfende und vielleicht noch mehr gegen alle fremdartige Einmischung sicherstellende Darstellungsweise."

Auf den Begriff der „*Innerlichkeit*" ist also gebracht, was als die Besonderheit der göttlichen Ursächlichkeit der endlichen gegenüber zu gelten hat („Ewigkeit" gehört zur „Innerlichkeit"; „Zeit" ist „Äußerlichkeit"). Und „Lebendigkeit" begreift die göttliche Ursächlichkeit, die als der endlichen dem Umfange nach gleich darzustellen ist.

---

gegenseitig bedingte Gesamtheit des endlich Verursachenden und des endlich Verursachten..." § 54,1: I,279.7—9.
  6. Dabei hat die „Allwissenheit" lediglich die Funktion einer Kautel (vgl. die Bemerkung I,266.39): die Möglichkeit auszuschließen, daß die „Allmacht" „nach der Analogie der toten Kräfte" (§ 51,2: I,266.30) gedacht werde, ist ihr Sinn. Entsprechend wird sie denn von der „Allmacht" her definiert: „Unter der göttlichen Allwissenheit ist zu denken die schlechthinnige Geistigkeit der göttlichen Allmacht." § 55L: I,289.8f; vgl. auch § 51,2: I,267.13—15.
  7. § 51,2: I,267.7f. Das folgende Zitat ebd. 267.9—19. — Schleiermachers „Bemühen, die Interpretation in eine Tiefe voranzutreiben, in der verschiedene Eigenschaften sich letztlich als identisch herausstellen", erörtert Ebeling, Eigenschaften, 338f.

Unsere Aufmerksamkeit galt bislang dem hermeneutischen Zusammenhang, der sich für Schleiermacher in den Verhältnissen der göttlichen Eigenschaften zueinander ergibt. Daß alle Eigenschaftsbegriffe Relationen Gottes zur Welt zum Ausdruck bringen sollen, haben wir in unseren Überlegungen bisher weitgehend außer acht gelassen, um zunächst jenen Verstehensprozeß zu verfolgen, der sich in den Beziehungen im Raum des Gottesbegriffs zu vollziehen hat. Angesichts der Veränderung der Perspektive, die eintreten muß, wenn jetzt das Verhältnis Gottes zur Welt, bzw. der „Ewigkeit" zur „Zeit" (und damit auch die Zeit selbst), zum Thema wird, scheint in der Interpretationsbewegung an dieser Stelle ein Aufenthalt angebracht. Im folgenden Paragraphen soll eine Zwischenüberlegung den Übergang vermitteln suchen.

Unsere Vermutung ging ja dahin, daß die Explikation der Gott eigenen Zeitlosigkeit eine Art Gegenbild abgeben und so einige Bestimmungen von „Zeit" selbst erkennbar machen könnte[1]. Sich ihrer zu versichern war eines der Ziele, die in diesem ganzen Abschnitt verfolgt werden sollten. So wendet sich der folgende Paragraph noch einmal dem Problem zu, aus welchem Grunde und auf welche Weise der von Schleiermacher in bezug auf unsere Frage gewiesene Weg ausdrücklich *ohne* das Thema „Zeit" beginnt. Wie wird hier „*Zeitlosigkeit*" verstanden, und was nötigt dazu, sie der Ewigkeit als Bestimmung beizulegen?

1. Schleiermachers einführender Hinweis

Wie „Zeitlosigkeit" für die Dogmatik zur Sprache zu bringen ist, hat Schleiermacher selber angedeutet: es „wird durch Ausdrücke, welche Zeitliches bezeichnen, und also gleichsam bildlich, erreicht, indem man die zeitlichen Gegensätze des Vor und Nach, des Älter und Jünger in Beziehung auf Gott durch Gleichsetzung aufhebt"[2]. Sprachlich ist selbstverständlich dieser Bereich der Zeitlosigkeit auf den der Zeit unmittelbar angewiesen[3]. Wer die Zeitlosigkeit Gottes zu denken hat, kommt also nicht eigentlich über das Gebiet der Zeit hinaus. Dessen Sprache hält ihn dort fest. Darum kann

---

1. Vgl. oben § 2,3.
2. § 52,1: I,268.12–15.
3. Wie ja auch generell „alle göttliche Eigenschaften von menschlichen hergenommen sind" (§ 97,5: II,75.19f).

Gottes Zeitlosigkeit nur „gleichsam bildlich" beschrieben werden, indem man „Ausdrücke, welche Zeitliches bezeichnen", so verwandelt, daß sie die Bezeichnung ihres eigenen *Gegenteils* erlauben.

Soll dies aber geschehen, soll gerade so *schlechthinnige* Zeitlosigkeit, die Ewigkeit als Gegenteil der Zeit[4], gedacht werden, so ist zu verneinen, was wesentlich „Zeit" ausmacht. Für Schleiermacher sind das zunächst die „zeitlichen Gegensätze des Vor und Nach, des Älter und Jünger". Formal haben beide Gegensatzpaare dies gemeinsam, daß sie grundsätzlich Pluralität, Differenzierung, Vergleichbarkeit, Bestimmbarkeit ... bedeuten. Wo es ein „Vor" und „Nach" gibt, da gibt es Einzelnes, da sagt man „dies und dies nicht". Bestimmung ist dort möglich, das Eine tritt einem Anderen gegenüber, und „Nacheinander" heißt das Gesetz. Dies ebenso bei „Älter" und „Jünger": dort tritt im Besonderen das Moment der Komparation und damit der Relation hervor; das Ältere wird mit dem Alten, das Ältere und das Jüngere möglicherweise mit einem Dritten in eine Beziehung gebracht. Als Gegensatz tritt auseinander, was bei Gott „durch Gleichsetzung" aufzuheben ist[5]. Bei ihm gilt offenbar kein Gegenüber, sondern Identität und Einheit, kein Komparativ, sondern der Positiv.

Wenn „Vor" und „Nach", „Älter" und „Jünger" in Gott „gleich" sind, dann besagt das: Gott bleibt, was er ist. Gott ist und bleibt sich selbst gleich. Was bedeutet von daher Gottes Zeitlosigkeit?

2. Einfachheit

Wenngleich die Dogmatik keinen Anlaß hat, „Einfachheit" als eine besondere Eigenschaft Gottes aufzustellen[6], gilt ihr Gott als der schlechthin Einfache[7]. Zunächst gibt es statt des „Werdens" für den ewigen Gott nach Schleiermacher in jeder Beziehung ein

---

4. Vgl. § 52,2: I,270.11f; § 52,1: I,269.11f; § 51,1: I,264.21f.25f.33f. – Insofern gilt auch für Schleiermacher der Satz des Thomas: „... in cognitionem aeternitatis oportet nos venire per tempus" (Summa theologiae I q. 10 a.1 c; zitiert auch bei Barth, KD II/1, 689); nur daß Schleiermacher „Ewigkeit" als „Zeitlosigkeit" denkt, indem er sie als zeitlose „Ursächlichkeit" versteht.

5. Vgl. auch § 55,2: I,294.9–11: „... wie wir schon öfter durch Zusammenfassen der Gegensätze uns das göttliche über den Gegensatz Gestelltsein haben darzustellen versucht..." – „Identifikation dessen, was in uns different ist" nennt es Schleiermacher in einer handschriftlichen Randbemerkung (I,294.39).

6. Vgl. dazu den § 56 (I,301.14ff; besonders 304.27ff).

7. § 96,1: II,52.15f. – Die von Schleiermacher behauptete „Einfachheit" interessiert uns hier nur im Hinblick auf ihre „Zeitlosigkeit".

„Immerschon", ein *prinzipielles Voraus*[8]. Sind göttliche Eigenschaften nichts anderes als „Handlungsweisen", dann vollziehen sie sich in einem prinzipiellen Perfektum, dem jedes Imperfekt fremd bleiben muß. Weder beginnt also Gottes Tätigkeit irgendwann, noch gar — dem Werden entspricht ein Vergehen — wird sie irgendwann beendet[9], denn das Sein Gottes kennt kein „irgendwann", kein „Zeitliches mit entstehender und vergehender Tätigkeit"[10]. Sind aber auf der anderen Seite die göttlichen Handlungsweisen nichts anderes als Relationen zur Welt, denen die Welt ihr Sein verdankt, dann ist alles weltliche Geschehen in Gott immer schon perfekt[11]: die Welt in ihrer Geschichte in bezug auf das göttliche Sein immer schon überholt.

Als prinzipiell wird dieses Immer-schon von Schleiermacher gedacht, indem er für Gottes Sein ein Zusammenfallen der Zeitdimensionen Vergangenheit, Gegenwart und Zukunft annimmt, jedes Nacheinander ausgeschlossen sein läßt und damit eine nur noch gewissermaßen als Punkt zu verstehende „Gegenwart" Gottes behauptet[12]. Gleichermaßen das „*tota simul*" des Boethius[13] (1) wie das ebenso bei Boethius vertretene „*nunc stans*" (2) stehen hier in Geltung[14].

(1) *tota simul:* Die Gottheit Gottes hätte für Schleiermacher nicht ernstgenommen, wer in Gottes Sein Besonderes setzten wollte.

8. Das Setzen des Weltlichen durch Gott erfolgt überhaupt „immer schon": „Ferner indem die göttliche Allmacht nur ewig und allgegenwärtig gedacht werden kann, so ist einesteils unstatthaft, daß zu irgendeiner Zeit etwas durch dieselbe erst *werden* soll, sondern durch sie ist *immer alles schon* gesetzt, was durch die endliche Ursächlichkeit freilich in Zeit und Raum erst werden soll." (§ 54,1: I,279.31—280.4). Am Rande hat Schleiermacher zu diesem Satz handschriftlich bemerkt: „Nichts ist ein durch göttliche Allmacht erst werden Sollendes." (I,280.34; vgl. auch 290.37). — Ebenso hat Gottes Gnade etwa an unseren guten Werken immer schon mitgewirkt (§ 112,2: II,201.36ff).
9. Vgl. § 41,2: I,202.28ff und etwa § 38,2: I,192.18f.
10. § 97,3: II,71.1—7.
11. Im Zusatz zum § 46 (I,232.22ff) sagt Schleiermacher, „daß vermittels aller in die Welt verteilten und in derselben erhaltenen Kräfte alles nur so geschieht und geschehen kann, wie es Gott *ursprünglich* und *immer* gewollt *hat*..." Nur das entspricht auch der göttlichen Weltregierung (ebd. 232.23). So „gibt es nirgend und niemals etwas, was ein Gegenstand für die göttliche Ursächlichkeit erst *würde*" (§ 54,1: I,279.20f). — Vgl. auch Beißer, 155.
12. Von der „Punktualität" Gottes spricht auch Beißer (250; 153).
13. Wir haben auf Schleiermachers Bezug darauf bereits hingewiesen: vgl. § 2 Anm. 10.
14. Barth (KD II/1, 688f) kritisiert die von Boethius vollzogene Entgegensetzung von „nunc stans" und „nunc fluens", gerade nachdem er das „tota simul" positiv aufnimmt. Das Verhältnis beider Stichworte zueinander ist durchaus ein eigenes Problem, ihr Zusammenhang nicht notwendig gegeben. Vgl. Boethius, De trinitate IV, MPL LXIV, 1247—1256.

In diesem Sinne zitiert er ein Wort Augustins, demzufolge die An-
nahme einer Besonderung in Gott diesen geradezu mit dem *Tod* in
Berührung bringen müßte: „Non est Deus mutabilis spiritus...
Nam ubi invenis aliter et aliter, ibi facta est quaedam mors."[15] Tod und
Vergehen müssen aber dem schlechthin lebendigen Gott schlecht-
hin fremd bleiben[16]; nicht einmal als vom Vergehen *bedroht* darf
Gott gedacht werden, soll im Sinne Schleiermachers noch Gott als
Gott verstanden sein.

Denn, so heißt es in einer seiner Homilien über das Johannes-
Evangelium: „... *das unsterbliche ist in keiner Gefahr, dem ewigen
droht nichts, das unvergängliche bleibt.* "[17]

Eben ein „aliter et aliter" in Gott hätte gedacht, wer in bezug
auf Gott ein zeitliches Nacheinander geltend machen wollte. Denn
jedes „Nacheinander"[18], jede „Aufeinanderfolge"[19] bedeutete
Pluralität und „Mannigfaltigkeit"[20] und müßte als solche den Gedanken der absoluten Einfachheit Gottes aufheben[21]. Das Sein
Gottes wäre — für Schleiermacher undenkbar — zu einem Bereich
des Relativen erklärt, die dem Sein Gottes einzig angemessene Vorstellung einer „absoluten ungeteilten Einheit"[22] aufgegeben. Mithin muß als gleichzeitig verstanden werden, was in eine Zeitfolge

---

15. Bei Schleiermacher zitiert § 56,2: I,305.30f. Dieses Wort (das bei Redeker nicht
nachgewiesen wird) findet sich, anders als Schleiermacher angibt, in Tract. in Joan.
XXIII, 9.

16. Vgl. § 51,2: I,267.16ff.

17. WW II/9, 534.

18. Vgl. Schleiermachers Randbemerkung I,431.33f: „In dem ‚uns' liegt, daß die
Sünde für Gott nicht ist, aber nur wie dies auch von allem Außereinander und Nacheinander gilt." Vgl. ebenso § 96,1: II,54.26ff, wo das göttliche dem menschlichen Wissen
gegenübergestellt und gesagt wird, „daß ein göttlicher Verstand, der als Allwissenheit
alles *miteinander* schaut", streng zu unterscheiden sei von einem menschlichen, „der nur
einzeln eines nach dem andern und aus dem andern weiß..." — An all das, was wir über
die Einfachheit und Einzigkeit des göttlichen Ratschlusses gesagt haben (vgl. oben § 4,
2), ist in diesem Zusammenhang zu erinnern. Das folgende Zitat etwa mag das verdeutlichen: Nach Schleiermacher knüpft der Anfang des Prologs des Johannesevangeliums die
dann später berichtete Erlösung an den göttlichen „Rathschluß der Erlösung in dem göttlichen Wesen selbst" an, er will also die in der Erlösung geschehene neue Schöpfung
„nicht als etwas Späteres, sondern als etwas ebenso Uranfängliches, wie die erste Schöpfung, darstellen" (Einleitung ins Neue Testament, WW I/8, 335).

19. § 55,1: I,291.1f.

20. Vgl. § 52Z: I,271.19.

21. „Zeit ist das, was sich wandelt und mannigfaltigt, Ewigkeit hält sich einfach", so
hatte es schon bei Meister Eckhart geheißen, und noch Martin Heidegger hat eben dieses
Wort seinem Habilitationsvortrag „Der Zeitbegriff in der Geschichtswissenschaft" voran-
gestellt (jetzt in: Frühe Schriften, Frankfurt a.M. 1972, 357–375).

22. § 32,2: I,173.17f.

und -sukzession zu bringen dem dogmatischen Denken strikt verboten ist[23].
Freilich ist dieses Zugleich lediglich das Mittel, um Gottes
schlechthinnige Zeit*losigkeit* denken zu können. Deshalb enthält
Gottes Ewigkeit die Zeitdimensionen nicht eigentlich in sich, sondern ihre Gleichsetzung dient vielmehr gerade dazu, Gott als denjenigen zu denken, der ihnen unendlich fern steht. So soll der Gedanke des „tota simul" für Schleiermacher nicht eine Gott eigene
Weise des Verhältnisses der Zeitdimensionen zueinander behaupten, die die Alternative von „Zeit" und „Zeitlosigkeit" göttlich
aufhöbe, um beides in Gottes Ewigkeit als *Zeitfülle* integriert sein
zu lassen[24], sondern soll die Alternative gerade zum Zuge bringen
und die Negation „schlechthinnige Zeitlosigkeit" *als* Negation von
„Zeit" denkbar machen.

(2) *nunc stans:* Schleiermacher selbst spricht nicht ausdrücklich
von einem „nunc stans", es kann aber kein Zweifel sein, daß diese
Vorstellung seinem Verständnis entspricht, scheint doch ein
„nunc" die angemessenste Weise, mit Hilfe von Begriffen, die Zeitliches bezeichnen, Zeitlosigkeit zu verdeutlichen. Daß dieses
„nunc" beharrlich stillsteht, widerspricht keineswegs der Tatsache,
daß „Ewigkeit" eine *Tätigkeit* Gottes bezeichnet. Dieser Stillstand
bezieht sich ja auf ein „fluere" der *Zeit* (darum ist der Gegenbe-
griff ein im Zusammenhang der Zeit gedachtes „nunc fluens") —
die göttliche Tätigkeit, und das heißt: der Vollzug der Relation
Gottes zur Welt, nimmt aber keinerlei Zeit ein und ist darum jeder
Sukzession enthoben: „Denn ist Gott in seinem ihre schlechthinnige Abhängigkeit bedingenden Verhältnis zur Welt völlig zeitlos:
so gibt es darin auch kein mannigfaltiges Nacheinander."[25] Und

---

23. Vgl. in § 41,1: I,200 die Zeile 33 mit Zeile 34 (dort: „Zeitfolge" — hier: „Zeitgleichheit"). — Am ausführlichsten beschäftigt sich Schleiermacher mit dieser Frage im
Zusammenhang der Erörterung der „Allwissenheit" Gottes (§ 55). Vgl. I,294.38f; I,300.
39; § 119,2: II,234.13—15.
24. Barths Überlegungen (KD II/1, 685ff) sind von der Absicht bestimmt, die Ewigkeit von Gott her und damit von seiner Freiheit und Herrlichkeit her zu denken. Sie ist
darum für ihn nur insofern „*Nicht-*Zeitlichkeit" (686), als sie die Zeit mit einschließt,
und gerade insofern „das Prinzip der göttlichen *Einheit,* Einzigkeit und Einfachheit"
(687), als sie „*der* Anfang, *die* Folge, *das* Ende" (688) ist. Konkret ist Gottes Ewigkeit
nur verstanden, wenn bedacht wird, daß in ihr die Gegensätzlichkeiten der Zeit im Frie-
den gleichzeitig sind, denn „*das* unterscheidet die Ewigkeit von der Zeit. Nicht aber das,
daß in der Ewigkeit alles jenes Unterschiedene *nicht* wäre!" (690). „Aus der babyloni-
schen Gefangenschaft des abstrakten Gegensatzes zum Zeitbegriff muß der theologische
Ewigkeitsbegriff *befreit* werden" (689). So konnte es schon in KD I/2 (73) heißen:
„Nicht vor Gott dem Zeitlosen, sondern vor ihm, dem gar sehr zeitlich Offenbaren sind
tausend Jahre wie ein Tag..." (Hervorhebungen im Original).
25. § 52Z: I,271.17—19; vgl. auch etwa § 41,2: I,201.21f.

die Beharrlichkeit ist gerade eines der charakteristischen Kennzeichen der göttlichen Zeitlosigkeit. Gott ist und bleibt sich selbst gleich — so haben wir gesagt, und eben *so*: als „nunc *stans*", kann diese Beharrlichkeit beschrieben werden[26].

3. Unveränderlichkeit; Bleiben

Als der schlechthin Innerliche und Lebendige ist Gott für Schleiermacher unverminderte, *schlechthinnige Tätigkeit*[27], Tätigkeit gewissermaßen „nach außen" — ohne jede „Leidentlichkeit". Nichts anderes kann dem Gefühl — eben auch: unverminderter, schlechthinniger — Abhängigkeit entsprechen, als daß Gottes Tätigkeit keiner „wenn auch noch so geringen Gegenwirkung"[28] ausgesetzt sein darf, „denn was leidenschaftsfähig vorgestellt wird, davon kann es keine schlechthinnige Abhängigkeit geben, weil eine selbsttätige Einwirkung darauf möglich ist"[29]. Wäre aber auf Gott einzuwirken möglich — unser „Grundgefühl" würde „ganz aufgehoben"[30]. Das Woher verminderter Abhängigkeit verdiente nicht „Gott" genannt zu werden. Nicht zuletzt deswegen auch kann „Barmherzigkeit" als eine göttliche Eigenschaft nicht aufgestellt werden, scheint in diesem Begriff doch die Rede „von einem durch

---

26. Der geistesgeschichtliche Ursprung dieser Vorstellungen liegt in dem Wort des Parmenides, das von dem Einen Seienden sagt: οὐδέ ποτ'ἦν οὐδ᾽ ἔσται, ἐπεὶ νῦν ἐστιν ὁμοῦ πᾶν, ἕν, συνεχές (H. Diels / W. Kranz Hg., Die Fragmente der Vorsokratiker, Bd. 1, 12. veränderte Auflage Zürich/Berlin 1966, 235, Fragm. 8,5f). Was später bei Boethius als „tota simul" und als „nunc stans" gedacht, bei Thomas (Summa theologiae I q.10 a.1 und a.2) aufgenommen wird und für den Ewigkeits-Begriff des gesamten Mittelalters konstitutiv ist (vgl. Barth, KD II/1, 688; sowie H. Conrad-Martius, Die Zeit, München 1954, 130) — hier hat es seine Wurzel. Schon bei Parmenides sind beisammen: sich einfach halten; die Ablehnung zeitlicher Sukzession; Gleichzeitigkeit als Zusammenfallen der Zeitdimensionen; Punktualität des νῦν... — Zur theologischen Kritik dieses Denkens vgl. die — Überlegungen G. Pichts aufnehmenden — Ausführungen J. Moltmanns (Theologie der Hoffnung. Untersuchungen zur Begründung und zu den Konsequenzen einer christlichen Eschatologie, BEvTh 38, München 1968[8], 23f).
27. Vgl. § 37,1: I,188.30ff; § 64,2: I,351.3f; § 97,5: II,75.10f. Offenbar meint für Schleiermacher „Leben" wesentlich — *Tätig*sein (vgl. § 49,1: I,251.24−27; § 50,3: I,261.4f; § 111,1: II,189.27).
28. § 4,4: I,30.28f.
29. § 33,2: I,176.26−29.
30. § 47,1: I,235.20f. − Vgl. § 55,3: I,299.20−22: „... wobei sich nur gar zu leicht ein das Grundverhältnis der schlechthinnigen Abhängigkeit zerstörendes Affiziertsein des höchsten Wesens einschleicht." − Vgl. auch § 55,1: I,290.13−15. − Besonders auch in der Schöpfungslehre kommt dieser Gedanke zum Zuge (vgl. § 38L: I,190.18; § 38,2: I,192.31−33; 193.5−7) und im Lehrstück „Vom Gebet im Namen Jesu" (§ 146f: II, 376.6ff) wird er bedeutsam: Gott wirkt auf alles, nichts wirkt auf ihn.

fremdes Leiden besonders aufgeregten und in Hülfleistung überge-
henden Empfindungszustande"[31].

So sind also bei Gott „Ursächlichkeit" und „Leidentlichkeit"
nicht beieinander – die Welt ist gänzlich von ihm abhängig, er (in
vollständiger Independenz) einer Gegenwirkung nicht ausgesetzt.
Einem Wechsel oder einer Veränderung kann darum für Schleiermacher das göttliche Sein nicht unterliegen, „indem *aller* Wechsel
und *alle* Veränderung auf diesen Gegensatz", nämlich den von
„Ursächlichkeit" und „Leidentlichkeit", „zurückgeführt werden
kann"[32]. Der alle Veränderungen bewirkt, kann selber nicht veränderlich sein[33]; und der als der Schöpfer „die allen Wechsel bedingende Zeiterfüllung" setzt, gehört selber in das „Gebiet des Wechsels" gerade nicht hinein[34]. Veränderung hieße hier *Minderung*
und würde Gott herabsetzen.

Daß Gott die schlechthinnige, also keine Gegenwirkung zulas-
sende Abhängigkeit der Welt bedingt, daß er in diesem Verhältnis
zur Welt völlig zeitlos ist, daß darum weder „Mannigfaltigkeit"
noch „Nacheinander" für ihn gelten – all dies hängt für Schleiermacher mit dem Begriff der Ewigkeit Gottes aufs engste zusammen, und läßt so die „Unveränderlichkeit" als eine selbstverständ-
liche Implikation von „Ewigkeit" erscheinen[35].

„Unveränderlichkeit", positiv gewendet[36], bedeutet in bezug auf
Gott für Schleiermacher – *Bleiben*. Und wie in „Ewigkeit" „Un-

---

31. § 85,1: I,458.19f. – Barth hat hier entschieden widersprochen (KD II/1, 416):
„Das Woher des Gefühls schlechthinniger Abhängigkeit hat kein Herz. Der persönliche
Gott aber hat ein Herz. Er kann fühlen, empfinden, affiziert sein. Er ist nicht unberühr-
bar." Freilich meint Barth eine Bewegung innerhalb des göttlichen Seins selber – auch
für ihn wird Gott nicht „von außen, sozus. durch fremde Macht, berührt" –, aber eben
diese Bewegung kommt für Schleiermacher nicht in Betracht.

32. § 51,1: I,264.30f. – Für das Problem der Gebetserhörung spielt diese Unveränderlichkeit Gottes natürlich eine wesentliche Rolle (vgl. § 146f: II,376.6ff; bes. § 147,2:
II,381.16ff). Vgl. dazu auch etwa WW II, Neue Ausgabe Bd. 1, 30: „Tragen wir einen
Wunsch, daß dieses oder jenes sich in der Welt so ereignen möge, wie es für uns das beste
zu sein scheint, Gott im Gebet vor: so müssen wir doch denken, daß wir ihn vorgetragen
dem *unveränderlichen* Wesen, in welchem kein neuer Gedanke, kein neuer Entschluß
entstehen kann, seitdem es zu sich selbst sprach: es ist alles gut, was ich gemacht habe."
(Hervorhebung im Original).

33. Vgl. § 46,2: I,229.7–9; § 172,3: II,472.37f.

34. § 41L: I,198.28f. – Vgl. § 41,2: I,203.2f; § 49,2: I,253.1 u.ö.

35. Vgl. § 52Z: I,271.14–19; zu beachten ist dort das „Denn".

36. Barth hat im Hinblick auf „das verdächtig negative Wort ,Unveränderlichkeit‘ "
(KD II/1, 557) lieber von Gottes „Beständigkeit" gesprochen. Auch er redet in diesem
Zusammenhang von „Bleiben" (552 u.ö.), freilich in charakteristisch anderer Weise: Daß
Gott auch ohne die Welt beständig er selbst bleibt (vgl. 564), könnte Schleiermacher nie
sagen.

veränderlichkeit" schon immer mitgesagt ist, so eben auch „Bleiben"[37]. Wenn das Gefühl schlechthinniger Abhängigkeit an sich immer und überall sich selbst gleich bleibt[38] — einer der fundamentalsten Grundsätze Schleiermachers — so muß für seinen göttlichen Grund dasselbe gelten[39]. Eben diese logische Verbindung ist charakteristisch: Zeitlos sich selbst gleich bleibt Gott *als* der Grund des schlechthinnigen Abhängigkeitsgefühls, *als* Ursächlichkeit[40], in seinem *Verhältnis* zur Welt[41].

Schon in unseren einleitenden Erörterungen zum § 52 ist uns dieser Grundsatz Schleiermachers begegnet: desto zeitloser ist etwas und desto mehr bleibt es sich gleich, je mehr es als Verursachendes zu gelten hat und sich auf ein Verursachtes bezieht[42].

37. Vgl. § 105Z: II,145.19f: „Allein dem schlechthin Höchsten und Ewigen, *mithin notwendig* sich selbst Gleichen, läßt sich doch keine Erniedrigung zuschreiben." — In einer Osterpredigt (WW II, Neue Ausgabe Bd. 2, 464) ist von dem lebendigmachenden göttlichen Geist die Rede, „der unter allem Wechsel immer derselbe *bleibt*."

38. Vgl. § 5,3: I,35.6; 34.21; § 5,4: I,38.3f; § 163,2: II,436.16.

39. „Denn auch das schlechthinnige Abhängigkeitsgefühl könnte nicht an und für sich betrachtet sich selbst immer und überall gleich sein, wenn in Gott selbst Differentes gesetzt wäre..." § 50,2: I,258.3—5 (das im Text zwischen den Wörtern „betrachtet" und „sich" stehende „und" ist zu streichen). Ist aber in Gott nichts Differentes gesetzt und ist auch die „Verschiedenheit der Eigenschaften nichts Reelles in Gott", „so ist dann jede nur ein anderer Ausdruck des ganzen sich immer gleichen göttlichen Wesens..." (§ 51,3: I,262.1—3). — Läßt man beide Zitate einander ergänzen, so ist der Zusammenhang des Sichgleichbleibens: des schlechthinnigen Abhängigkeitsgefühls und Gottes selbst, deutlich. Ausdrücklich redet von diesem Zusammenhang auch § 53Z: I,278.26—32. — Im übrigen bedeutet, sich selbst immer gleich zu sein, ja in bestimmter Weise einen Zustand der Ruhe (vgl. etwa § 16,2: I,109.3ff). Und auch insofern entspricht Schleiermachers Vorstellung von Gottes zeitloser Ewigkeit der eines „nunc stans".

40. Vgl. etwa § 53,2: I,274.19f („Sich-überall-gleich-Sein der göttlichen Ursächlichkeit") oder § 84,2: I,452.24f („sich immer gleichbleibende göttliche Ursächlichkeit").

41. So ist das „Sein Gottes in Christo" sich selbst gleichbleibend und unveränderlich (vgl. § 97,3: II,71.24); und so bleibt „die Art des Göttlichen, in dem Menschlichen zu sein, immer dieselbe" (§ 126,1: II,275.12f).

42. „Ja auch für die Anschaulichkeit des Begriffes [sc. der „Ewigkeit" als Zeitlosigkeit] bietet uns das endliche Sein eine Hilfe dar, indem auch diesem die Zeit überwiegend nur anhängt, sofern es verursacht ist, minder aber sofern verursachend; vielmehr sofern es erfüllte Zeitreihen als dasselbige hervorbringt, und also als sich selbst gleichbleibend — wie z.b. das Ich als beharrlicher Grund aller wechselnden Gemütserscheinungen, namentlich aller Entschlüsse, deren jeder wieder als Moment eine erfüllte Zeitreihe hervorbringt — das beharrliche Verursachende ist zu dem wechselnden Verursachten, wird es auch beziehungsweise zu dem Verursachten als zeitlos gesetzt." (§ 52,2: I,271.2—12). Dabei hat die zweite Auflage eingeschränkt: nach ihr ist das Verursachende „minder" zeitlich — in der ersten Auflage hieß es noch uneingeschränkt „*nicht*" (Gl[1], § 66,2). — Auch von hierher wird noch einmal deutlich, daß „Ewigkeit" für Schleiermacher nicht zunächst Zeitlosigkeit und dann auch Verursachung von „Zeit" meint, sondern *als* Ursächlichkeit auch zeitlos ist.

Darum ist Gott *als* schlechthinnige Ursächlichkeit schlechthin zeitlos sich selbst gleichbleibend.

Am umfassendsten verstanden aber ist für Schleiermacher diese Relation Gottes zur Welt, wenn man sie als „Liebe" begreift. Bezogen auf den Aspekt der Zeitlosigkeit der Ewigkeit kann also nun gesagt werden: Letztlich wesentlich ist das „Bleiben" für Gott insofern, als es ein *Bleiben seiner Liebe* ist. Gottes Liebe bleibt zeitlos und unveränderlich sich selbst gleich; sie hält sich einfach und hält sich gerade so als Ewigkeit beharrlich durch; überholt ist die Welt immer schon von ihrem unzeitlichen Perfektum[43]. Die Liebe Gottes aber erfüllt sich für Schleiermacher in seinem *Sein* Gottes *in* uns[44]. Darum ist ihr Bleiben Anwesenheit, gedacht als ständige. „Zeitlosigkeit" könnte Schleiermacher einer solchen Liebe nicht mehr zuschreiben, die sich als Ankunft[45] und Anwesen Gottes in der *Fülle* der Zeit *ereignete*.

4. Bleiben ohne Bedrohung

„... das unsterbliche ist in keiner Gefahr, dem ewigen droht nichts, das unvergängliche bleibt", diese Formulierung Schleiermachers schien uns einen wesentlichen Aspekt seiner Gotteslehre zu interpretieren. Gefahr und Drohung sind dem göttlichen Bleiben offenbar aufs äußerste fremd. Nicht erst der Tod, schon die Zeit vermag aber eine solche Bedrohung darzustellen. *Darum* beginnt der von uns auf Anweisung Schleiermachers beschrittene Weg ohne das Thema „Zeit". Nur wenn die Zeit ausdrücklich ausgeschlossen ist, kann Gottes Liebe als bleibend verstanden werden; nur wenn sie als solche begriffen wird, ist das dogmatische Denken seiner Aufgabe nachgekommen, das Gefühl schlechthinniger Abhängigkeit zu erklären. Dieses Gefühl nämlich − das ist die Prämisse − bleibt immer und überall sich selbst gleich, „da es gar nicht von äußerlich zu gebenden Gegenständen..., die uns jetzt berühren können und dann wieder nicht", sondern von Gott abhängt[46]. Diese Liebe Gottes setzt sich keiner Gefahr aus. Daß sie sich durchhält, heißt nicht, daß sie sich einer Drohung gegenüber be-

---

43. Zum Problem der bei Gott immer schon „fertigen" Welt vgl. J.A. Dorner, Ueber die richtige Fassung des dogmatischen Begriffs der Unveränderlichkeit Gottes, in: Gesammelte Schriften, Berlin 1883, 188−377; dort 293ff.

44. Vgl. oben § 4 bei Anm. 21.

45. Vgl. Fuchs, Hermeneutik, 251: „Die ‚Fülle' der Zeit ist nicht weniger als die Zeit, sondern als das Ende der Vergangenheit unter dem Gesetz die Zeit der Ankunft Gottes..."

46. § 5,3: I,34.17−19.

hauptet und durchsetzt[47]. Sie hat das nicht nötig; von alledem ist sie um eine Unendlichkeit entfernt[48]. Ihr Bleiben drückt sich als unüberbrückbare Distanz gegenüber der Zeit aus. Die Zeit wird von ihr nicht aufgenommen, sondern tief unter sich gelassen. Denn „Zeit" bedeutet ein Stück Verzicht[49]. Es würde für Schleiermacher den Begriff der „Liebe" sprengen, wollte man sagen, daß sie etwas „erträgt", gar *alles* erträgt (vgl. 1Kor 13), oder auf etwas verzichtet (sich ihrer Gewalt entäußert)[50]. Durch nichts bedroht hält diese Liebe gleichsam nichts aus. Ihr Begriff ist gegenüber jeder Form von Negativität höchst empfindlich[51]. Nicht einmal ihre Drohung vermag der Begriff reiner Bejahung zu ertragen, geschweige denn eine Negation selbst. Der Ernst, der Schmerz, die Geduld und die Arbeit des Negativen fehlen in ihr völlig[52]. „Unsterblichkeit" heißt hier, daß die Gefahr des Sterbens gar nicht auftaucht: Gott *vermag* nicht zu sterben; „Unvergänglichkeit" meint: das Bleibende *kann* nicht vergehen; und „Ewigkeit" bedeutet: es droht nichts, denn schon die Drohung von irgendetwas höbe den Begriff „Gott" auf[53].

47. Vgl. Aulén: „Wir finden [sc. bei Schleiermacher] nichts von der göttlichen Liebe, die kämpft, sich opfert, leidet und siegt..." (323). „Von einer göttlichen Liebe, die sich selbst opfert, die sich selbst aufgibt und eben dadurch ihre souveräne Majestät entschleiert, weiß man [sc. bei Schleiermacher] nicht viel." (349).

48. Vgl. § 105Z: II,146.6f („Denn da der Abstand zwischen Gott und jedem endlichen Wesen unendlich ist...").

49. Vgl. Hermann, 567.

50. „Allein dem schlechthin Höchsten und Ewigen, mithin notwendig sich selbst Gleichen, läßt sich doch keine Erniedrigung zuschreiben" (§ 105Z: II,145.19f).

51. Das Beieinander von Bejahung und Verneinung ist für Schleiermacher Kennzeichen gerade des von Gott unterschiedenen Endlichen (vgl. § 81,3: I,439.4f mit § 81,1: I,432.10f). – Nach W. Schultz (Die Transformierung der theologia crucis bei Hegel und Schleiermacher, NZSTh 6, 1964, 290–317) ist Schleiermacher „fast ängstlich bemüht, das letzte Eine, Absolute von einer Berührung mit der Gegensätzlichkeit freizuhalten" (316).

52. Nirgendwo scheinen Schleiermacher und Hegel weiter auseinander als hier. Nach der „Phänomenologie" sinkt die Idee des göttlichen Lebens „zur Erbaulichkeit und selbst zur Fadheit herab, wenn der Ernst, der Schmerz, die Geduld und Arbeit des Negativen darin fehlt." (ThW 3, 24). Denn: „Der Tod ... ist das Furchtbarste, und das Tote festzuhalten das, was die größte Kraft erfordert. Die kraftlose Schönheit haßt den Verstand, weil er ihr dies zumutet, was sie nicht vermag. Aber nicht das Leben, das sich vor dem Tode scheut und von der Verwüstung rein bewahrt, sondern das ihn erträgt und in ihm sich erhält, ist das Leben des Geistes. Er gewinnt seine Wahrheit nur, indem er in der absoluten Zerrissenheit sich selbst findet. Diese Macht ist er nicht als das Positive, welches von dem Negativen wegsieht, ... sondern er ist diese Macht nur, indem er dem Negativen ins Angesicht schaut, bei ihm verweilt." (36).

53. Den Gottesbegriff als erfreulichen Begriff durch die Drohung, der sich Gott am Kreuz Jesu ausgesetzt hat und die er ausgehalten hat, konstituiert sein zu lassen, gilt die theologische Arbeit E. Jüngels (vgl. etwa: Vom Tod des lebendigen Gottes. Ein Plakat, jetzt in: Unterwegs zur Sache. Theologische Bemerkungen, BEvTh 61, München 1972,

Daß der göttlichen Liebe nicht nur nicht „nichts", sondern geradezu die radikalste Negation des *Nichts* drohen könnte — dieser Gedanke ist für Schleiermacher unvollziehbar. Das Nichts kommt in seiner Glaubenslehre nicht vor, schon gar nicht in Verbindung mit dem Gottesbegriff[54]. Denn das zeitlose Bleiben seiner Liebe bedeutet nach Schleiermacher für Gott eines jedenfalls nicht: eine Treue, die in einem Ereignis gründet und in sich Entäußerung und Verzicht enthält, und eine Beständigkeit, die sich einem Sieg über den Tod und das Nichts verdankt[55]. Wir werden sehen, daß dies weitreichende Folgen auch für das Zeitverständnis Schleiermachers hat. In der Sündenlehre etwa wird er die Zeit des Sünders keineswegs als vom Nichts gekennzeichnete, als verwirkte: als *Unzeit* verstehen können. Gleichsam ontologisch fugenlos, ohne daß das Nichts dazwischenträte, wird sich für Schleiermacher der Übergang von der Zeit des Sünders zur Zeit des Gerechtfertigten vollziehen. Die Unzeit wird als Gegenüber zur Zeit nicht in den Blick kommen.

§ 7 *Der Vollzug der Ewigkeit: Verwirklichung*

Daß für Schleiermacher Gottes „Ursächlichkeit" in sich vollkommen einfach ist und als geradezu punktuell gedacht werden muß, die Dogmatik dem aber nur durch eine komplexe und differenzierte Begrifflichkeit zu entsprechen vermag, war eines der Probleme, die uns bisher beschäftigt haben. Nachdem dabei zunächst der Problemaspekt, daß von Gott zu reden für Schleiermacher grund-

105—125). Dementsprechend wird von ihm die göttliche Liebe verstanden: „In der Selbstunterscheidung und Selbstbezogenheit von Vater, Sohn und Geist ist Gottes Sein so im Kommen, daß das göttliche *Wesen* als das je besondere *Ereignis* der — den größten aller denkbaren Gegensätze, nämlich den Gegensatz von ewigem Leben und zeitlichem Tod (bzw. von vollkommener Seinshabe und nichtigem Nichts) in sich begreifenden und zugunsten des Lebens entscheidenden — Liebe erfahrbar wird." (Das Verhältnis von „ökonomischer" und „immanenter" Trinität, ZThK 72, 1975, 353—364; das Zitat 364; Hervorhebung im Original). Die sachliche Nähe dieser Überlegungen Jüngels zur Studie Mühlens dürfte in dem beiden gemeinsamen Bemühen gründen, Theologie konsequent als theologia crucifixi begründet sein zu lassen.

54. Wenn irgendwo, dann dürfte Schleiermacher an dieser Stelle Spinoza folgen. Vorzüglich der Gott des Spinoza ist gekennzeichnet durch „*absoluta* affirmatio" (Ethik, Pars I, Prop. VIII, Schol. I): „negationem *nullam* involvit" (Pars I, Def. VI, Expl.).

55. Vgl. Mühlen, 30: „Der Tod des Sohnes Gottes, der Erweis der Allmacht Gottes in der Ohnmacht des Kreuzes, ist der völlig unerwartbare, in keinem Vorentwurf a priori einzuholende Ausdruck der freien Treue Gottes zu seinen Verheißungen."

sätzlich bedeutet, von seiner Relation zur Welt zu reden, nicht eigens bedacht worden war, sich diese Frage in der Zwischenüberlegung des vorigen Paragraphen dann aber doch gemeldet hat (etwa in den Bemerkungen über eine mögliche Gegenwirkung der Welt auf Gott), soll nun ausdrücklich die Beziehung zwischen Gott und Welt — hier vor allem in Hinsicht auf das Verhältnis von „Ewigkeit" und „Zeit" — in Betracht kommen. Haben wir „*Verwirklichung*" als den Begriff bezeichnet, dem im Rahmen des uns interessierenden Problems und des ihm eigenen hermeneutischen Prozesses die größte Bedeutung zuzukommen scheint, so ist jetzt der Ort, Schleiermachers eigenem Sprachgebrauch in bezug auf diesen Begriff Aufmerksamkeit zu schenken. Wie kann mit seiner Hilfe — und kann auch noch in anderer Weise die gemeinte Relation von Gott und Welt, von Ewigkeit und Zeit von Schleiermacher zum Zuge gebracht werden?

Es ist nicht ohne Grund, daß wir uns an dieser Stelle noch einmal dem Begriff des „Ratschlusses" Gottes zuwenden. Nicht nur, daß er, der ja schon am Ende des Paragraphen 4 eine Rolle spielte, uns den Übergang zum nun zu Behandelnden leichter macht — nirgendwo auch (es sei denn im Zusammenhang mit dem Begriff „Ewigkeit") richtet sich Schleiermachers Blick intensiver gerade auf den Prozeß der „Verwirklichung" des von Gott Beschlossenen.

Offenbar, so haben wir gesehen, meint dieser Ausdruck gar nichts anderes als den göttlichen Willen, seine „Gesinnung" der Liebe, und gleichwie diese hat er „Motiv" *und* „Ziel" zum Inhalt: wie sie bezeichnet er den auf die „Erlösung" und das „Reich Gottes" gerichteten göttlichen Grund, dem im Bezug auf dieses Ziel als dem letzten Worumwillen die Welt als ganze, in „Schöpfung" und „Erlösung", ihr Sein verdankt[1].

---

1. Mit einer Formulierung, die überhaupt jeder dogmatischen Rede von einem „Ratschluß" Gottes das Recht abzusprechen scheint, bestreitet Schleiermacher zwar die Notwendigkeit, der Lehre von den göttlichen Eigenschaften Ausführungen über einen „Inbegriff göttlicher Ratschlüsse" an die Seite zu stellen (§ 90,2: II,28.31f. — Wir zitieren im folgenden aus dem in 28.28 begonnenen Abschnitt): „Denn ein Satz, der einen göttlichen Ratschluß ausspricht, ist nicht ein Ausdruck des unmittelbaren Selbstbewußtseins." Da er aber selber, wie wir gesehen haben und wofür weitere Belege beigebracht werden sollen, in der Glaubenslehre immer wieder unbefangen von einem göttlichen „Ratschluß" sprechen kann, haben wir Grund, diese scharfe Abweisung in bestimmter Hinsicht abzuschwächen. Offenbar hat Schleiermacher die in anderen Dogmatiken seiner Zeit vorgetragene Lehre von göttlichen Ratschlüssen im Auge und behauptet nur, daß nach dem dort geübten Sprachgebrauch das Reden von einem „Ratschluß" Gottes keine legitime dogmatische Aussage, weil kein „Ausdruck des unmittelbaren Selbstbewußtseins", sein könne; das ganze Problem entstehe, so sagt er ausdrücklich, ja überhaupt nur „durch das Hinübersehen auf andere Behandlungen der Glaubenslehre". Auf jeden

Wir orientieren unsere Überlegungen zunächst an einer für das Problem charakteristischen Stelle der Glaubenslehre, die im Zusammenhang der Christologie die „unitio" (die „Vereinigung der göttlichen Natur mit der menschlichen" in der Person Jesu Christi[2]) zum Gegenstand hat. Den beiden „Abwegen"[3], entweder „die Darstellung der eigentümlichen Würde Christi dadurch zu bedingen, daß er doch, wie jede andere Person, als ein Erzeugnis der menschlichen Natur müsse angesehen werden können" oder — „um für eine unmittelbare göttliche Tätigkeit ... desto gewisser Raum zu gewinnen" — zu behaupten, „daß auch die Menschheit Christi nicht erst irgendwann angefangen habe", stellt Schleiermacher die Auffassung gegenüber, „die vereinigende göttliche Tätigkeit sei auch eine ewige, aber nur wie in Gott kein Unterschied ist zwischen Beschluß und Tätigkeit, das heißt, für uns nur noch als Ratschluß, und als solcher auch schon mit dem Ratschluß der Schöpfung des Menschen identisch und in demselben mit enthalten, zeitlich aber sei die uns als Tätigkeit zugekehrte Seite dieses Ratschlusses oder die Erscheinung desselben in dem wirklichen Lebensanfang des Erlösers, durch welchen jener ewige Ratschluß sich wie in *einem* Punkte des Raumes, so auch in *einem* Moment der Zeit verwirklicht hat."

Uns an dieser Formulierung orientierend, aber ohne Beschränkung auf ihre Interpretation versuchen wir eine Klärung des angezeigten Problems.

Wie hier so begleitet auch sonst sehr häufig den Begriff des Ratschlusses Gottes das Attribut „ewig"[4], und durchgehend ist das in dem strengen Sinne gemeint, nach dem „Ewigkeit" nicht als unendliche Zeit, sondern als zeitsetzende Ursächlichkeit zu gelten hat. Der ewige göttliche Grund und der Bereich der Zeit sind in

---

Fall aber wäre eine explizite Lehre von göttlichen „Ratschlüssen" überflüssig, weil ihr „Inbegriff" schon gegeben ist, wenn nur „richtig und vollständig zum Bewußtsein gebracht wird, was in der Welt durch die Erlösung gesetzt ist". Gegen eine *spekulative* Lehre ist also offenbar Schleiermachers Einwand gerichtet — generelle Bedenken, den Ausdruck zu gebrauchen, enthält diese Stelle, wie das Schleiermachers eigener Sprachgebrauch auch zeigt, nicht. — Am Beispiel von J. Wolleb erörtert Barth (KD II/1, 583ff) einige Züge der besonders in der reformierten Tradition ausgebildeten Lehre vom göttlichen Dekret. Es kann kein Zweifel sein, daß Schleiermacher von dieser Tradition wesentlich beeinflußt ist. — Vgl. dazu H. Heppe / E. Bizer, Die Dogmatik der evangelisch-reformierten Kirche, 2. vermehrte Auflage Neukirchen 1958, 107—120.

2. § 97L: II,58.30f. Mit der „unitio" beschäftigt sich der zweite (60.1ff), mit der „unio" der dritte Abschnitt des Paragraphen (69.7ff).

3. § 97,2: II,62.14 — die folgenden Zitate auf den folgenden Zeilen (Hervorhebungen im Original).

4. So in § 55,3: I,300.20; § 94,3: II,48.17; § 109,3: II,178.18.

diesem Begriff „Ratschluß" miteinander gemeint. Gottes ewiger Ratschluß „*verwirklicht*" sich — so wird die Relation des Bereichs Gottes zum Bereich der Welt in den letzten Worten des Zitats beschrieben. Wird dort auch nur auf den „*einen* Moment" des „wirklichen Lebensanfangs des Erlösers" gesehen, so berechtigen doch unsere vorangehenden Überlegungen, *jeden* Moment des Ablaufs der Zeit als Moment dieser Verwirklichung zu verstehen: befaßt doch der göttliche Ratschluß alles in sich. Und als der „*eine* alles umfassende göttliche Wille" ist er „immer wirksam, weil jeder Zeitteil nur in der Erfüllung desselben verläuft"[5]. Dies freilich nur — und wir haben erneut darauf hinzuweisen — um der Beziehung zu dem von Gott zutiefst Gewollten willen, also im Zusammenhang mit der Liebe Gottes, die auf die vollkommene Erlösung des Menschen als auf ein letztes Worumwillen zielt. Sie in erster Linie soll sich verwirklichen (und in ihr die göttliche Liebe zum Ziel kommen) — um ihretwillen erst alles andere. Dem entspricht es, daß Schleiermacher den Ausdruck „verwirklichen" in den meisten Fällen eben in bezug auf „Erlösung" (aber auch z.B. „Rechtfertigung"[6]) und auf „Liebe Gottes" verwendet: Von der „Frage, wie sich die Erlösung an den menschlichen Seelen realisiert"[7], von der „Ordnung, in welcher sich an jedem die Erlösung verwirklicht"[8] oder von der „Art wie die Erlösung sich verwirklicht"[9], ist die Rede; die „fortschreitende Verwirklichung der Erlösung in der Welt" wird erwähnt[10]; aber entsprechend führt Schleiermacher auch aus, die göttliche Liebe werde „wirksam", habe „angefangen" oder „verwirkliche" sich[11].

Notwendig meint „Verwirklichung" dabei *zeitliche* Verwirklichung: sie ist gleichsam das Gesetz, unter dem die Weltgeschichte angetreten. Nach wie vor hat unsere Aufmerksamkeit also der Ewigkeit als der Eigenschaft Gottes zu gelten, die „Zeit" in Beziehung auf Gott thematisch macht und die in diesem Zusammen-

---

5. § 54,4: I,287.10ff (Hervorhebung im Original).

6. Vgl. § 109,3: II,176.14ff — im Grunde beschäftigt sich der ganze Abschnitt mit diesem Thema; vgl. aber besonders 178.17f.30.

7. § 124,1: II,265.1f.

8. § 119,1: II,232.19f; vgl. auch § 120,3: II,243.32ff: „... die Ordnung, nach welcher sich die Beziehung auf Christum an den Einzelnen verwirklicht..."

9. § 120,4: II,246.21; dieselbe Formulierung in § 122,3: II,257.14f.

10. § 127,3: II,283.5; vgl. aber auch § 129,2: II,289.6f („Soll sich aber in der geschichtlichen Entwicklung der christlichen Kirche die Erlösung immer mehr zeitlich verwirklichen..."); § 141,2: II,360.14—16 („... die Erlösung — nicht nur, was ihre Verwirklichung in den Menschen betrifft, also von ihrer zeitlichen Seite angesehen..."); § 149,1: II,388.16f („... denn daß sich an einem die Erlösung realisiert...") etc.

11. § 156,1: II,405.27ff. — § 156,3: II,407.18ff. — § 166,2: II,448.10ff.

hang in Orientierung am Begriff der „Verwirklichung" zu bestimmen angebracht erscheint. Haben wir von der Weisheit Gottes gesagt: „Auf weisheitliche Weise verursacht Gott die Verwirklichung seiner Liebe", so können wir jetzt formulieren: Auf ewige Weise verursacht Gott die *zeitliche* Verwirklichung seiner Liebe.

Daß in diesem Sinne von *zeitlicher* Verwirklichung gesprochen werden muß, verdeutlichen wir noch einmal, indem wir diejenigen Begriffe namhaft machen, die nach Schleiermacher dem der „Verwirklichung" bzw. der „Realisierung" gleichkommen: Da ist z.B. vom „zeitlichen Hervortreten" eines „göttlichen, also ewigen Aktes" die Rede[12], oder die Notwendigkeit, eine „göttliche Ursächlichkeit zu denken", wird behauptet, „wenn die Wirksamkeit der Erlösung eintritt"[13]; da bedient sich Schleiermacher an mehreren Stellen des Begriffs der „Erfüllung" eines göttlichen Ratschlusses[14]; als „Offenbarung"[15] oder „Manifestation"[16] kann er dasselbe bezeichnen; oder die „zeitliche Wirkung eines göttlichen Aktes oder Ratschlusses"[17] wird erwähnt. Schließlich sind auch „Deklaration des allgemeinen göttlichen Ratschlusses"[18], „Anwendung des göttlichen Ratschlusses der Erlösung"[19] oder „zeitliche Kundgebung" des „göttlichen Aktes"[20] entsprechende Formulierungen.

Mit Hilfe des Begriffes der „Erscheinung" soll nun noch eine Frage gestellt werden, um deren Beantwortung sich dann der folgende Paragraph zu bemühen haben wird.

Das „Gebiet der Erscheinung"[21] ist für Schleiermacher − die Welt. Dementsprechend bedeutet „Verwirklichung des göttlichen Ratschlusses in der Welt" ganz dasselbe wie „zeitliche Erscheinung der göttlichen Tätigkeit"[22], das wiederum dasselbe wie

---

12. Vgl. § 13,1: I,89.30ff.

13. § 81,2: I,436.25f. − In § 129,2: II,289.6f heißt es, „in der geschichtlichen Entwicklung der christlichen Kirche" solle sich „die Erlösung immer mehr *zeitlich* verwirklichen". Und § 109,3: II,179.17ff sagt: „Daher wir nur *einen* allgemeinen göttlichen Rechtfertigungsakt in bezug auf die Erlösung anzunehmen haben, welcher sich zeitlicherweise allmählich realisiert." (Hervorhebung im Original).

14. Vgl. § 46Z: I,232.23f; § 89,3: II,26.18f; § 172,3: II,473.4. − Von der „Erfüllung" der göttlichen „Vorherbestimmung" ist die Rede § 119,3: II,235.18.30.

15. § 118,1: II,224.16; § 119,2: II,233.30.

16. § 119,1: II,232.34; vgl. § 118,2: II,228.30f.

17. § 109,3: II,178.4f.

18. Ebd. 180.15.

19. § 136,2: II,321.12f.

20. § 109,3: II,178.30; vgl. § 118,2: II,228.30.

21. § 47,1: I,236.31; § 97,3: II,71.12.

22. Vgl. neben der oben (bei Anm. 3) zur Orientierung zitierten Formulierung auch: § 97,3: II,71.12f; § 98,2: II,81.7; § 101,4: II,104.1f.

„zeitliche Erscheinung der Liebe Gottes"[23]. Im göttlichen Ratschluß aber ist die Welt als ganze beschlossen; und als Moment dieser Verwirklichung — im vorigen Abschnitt wurde das gezeigt —
ist *jeder* Moment des Ablaufs der Zeit zu verstehen. Zwischen dem
Ratschluß und der Tätigkeit Gottes, „zwischen dem Beschließen
und dem Ausführen des Beschlossenen" kann es aber für Gott
ebensowenig eine Differenz geben[24], wie es nicht erlaubt sein
kann, zwischen Gott und seiner Liebe noch einmal zu unterscheiden. Ist also von der „zeitlichen Erscheinung der Liebe Gottes"
die Rede — sind dann nicht Welt und Gott Korrelate? Ist die Welt
für Schleiermacher „Darstellung" Gottes[25]?

23. Vgl. § 156,3: II,407.17—21.
24. § 55,1: I,291.4f; vgl. auch unser obiges Zitat bei Anm. 3, sowie Gl[1], § 49,5;
§ 110,2.
25. Folgt Schleiermacher also dem Spinoza? — Seit der Apologie des Spinoza in den
Reden (Über die Religion. Reden an die Gebildeten unter ihren Verächtern. Hg. H.-J.
Rothert, Hamburg 1961[2], Philosophische Bibliothek Meiner 255, 31) ist der Vorwurf
des „Spinozismus" gegen Schleiermacher erhoben worden, und noch im Zusammenhang
mit der Glaubenslehre ist er nicht verstummt. Entschieden hat etwa David Friedrich
Strauß (Charakteristiken und Kritiken, Leipzig 1839) die Notwendigkeit behauptet, die
Glaubenslehre von Spinoza her zu verstehen: „... alle Hauptsätze des ersten Theiles der
Schleiermacher'schen Glaubenslehre werden dann erst recht verständlich, wenn man sie in
die Formeln Spinoza's zurücküberetzt, aus welchen sie ursprünglich geflossen sind."
(167; Hervorhebung im Original). Diese Rückübersetzung vollzieht Strauß dann freilich
nur so, daß er einzelnen Überlegungen Schleiermachers die entsprechenden Formulierungen Spinozas an die Seite stellt. Der Versuch, die Glaubenslehre wirklich von Spinoza
her im Zusammenhang und in ihren Grundprinzipien verständlich zu machen, steht nach
wie vor aus. — Schleiermacher selber hat immer wieder geleugnet, spinozistische Anschauungen zu vertreten; dies schon in seiner Antwort an den Oberkonsistorialrat Sack,
der an Schleiermacher geschrieben hatte, er könne die „Reden" „leider für nichts weiter
erkennen, als für eine geistvolle Apologie des Pantheismus, für eine rednerische Darstellung des Spinozistischen Systems" (Aus Schleiermacher's Leben. In Briefen. Hg. W.
Dilthey und L. Jonas, 4 Bde., Berlin 1858/63, Bd. III, 276), aber doch auch in bezug
auf die Glaubenslehre in seinem ersten Sendschreiben an Lücke. — Nun scheint der Na-
me des Spinoza zu dieser Zeit eine Art Reizwort gewesen zu sein, das Freund oder Feind
erkennen zu lassen versprach (vgl. nur die Auseinandersetzung um Lessings „Spinozismus", die Schriften Jacobis und Mendelssohns zum sogenannten „Pantheismusstreit"
oder die kontroversen Meinungen über Spinoza bei Goethe und Schelling einerseits und
Fichte andererseits, auf die sich möglicherweise die zitierte Stelle der „Reden" bezieht;
vgl. P. Seifert, Die Theologie des jungen Schleiermacher, BFChTh 49, Gütersloh 1960,
47f). — Wir werden uns auf den Versuch beschränken, unter Vermeidung etikettierender
Bezeichnungen wie „Spinozismus", „Pantheismus" etc. zu erheben, wie sich für Schleiermacher die (mit diesen Stichworten ja allenfalls angezeigten) Probleme selbst darstellen. Doch werden wir, wenn es der Interpretation der Überlegungen Schleiermachers zu
dienen scheint, an einzelnen Stellen Gedanken des Spinoza kommentierend heranziehen.
— Zum Problem vgl. H. Scholz, Christentum und Wissenschaft in Schleiermachers Glaubenslehre. Ein Beitrag zum Verständnis der Schleiermacherschen Theologie, Berlin 1909,
145ff.

1.   Die Ewigkeit — nicht ohne die Zeit; Gott — nicht ohne die Welt

Ohne die Zeit kann für Schleiermacher „Ewigkeit" nicht definiert werden. Dies nicht nur deswegen, weil die Dogmatik für das Gebiet der Ewigkeit über keine Sprache verfügt und darum Begriffe, die an sich Zeitliches bezeichnen, zu Hilfe zu nehmen genötigt ist, sondern deshalb, weil „Ewigkeit" ja geradezu durch einen Bezug zur Zeit konstituiert und ohne sie darum völlig undenkbar, weil gar nicht sie selbst ist: wenn sie denn als „die mit allem Zeitlichen auch die Zeit selbst bedingende schlechthin zeitlose Ursächlichkeit Gottes" zu gelten hat. Vom „ewigen" Gott reden zu wollen, ohne die Sprache auf die Zeit der Welt zu bringen, wäre vollständig sinnlos — „Ewigkeit" selber bezeichnet ja schon eine Relation zur Zeit der Welt. Daß Gott in sich selber — zunächst unabhängig davon, ob er die Zeit verursacht oder nicht und erst dann und daraufhin als Schöpfer der Zeit — „ewig" sein könnte, davon weiß dieser Begriff bei Schleiermacher nichts.

Schließlich aber gilt dies nun entsprechend für *alle* göttlichen Eigenschaften. Sowenig wie die göttliche „Allgegenwart" ohne den Raum etwas ist, ist es die „Allmacht" ohne den weltlichen „Naturzusammenhang"; und gleichwie die „Heiligkeit" ohne das menschliche Gewissen nicht gedacht werden kann, so würde auch der Begriff der göttlichen „Liebe" ohne die Erlösung des Menschen gänzlich sinnlos. Liegt es doch in Schleiermachers dogmatischem Verfahren begründet, daß von Gott nur in „Verhältnisbegriffen" die Rede sein kann, insofern in den Aussagen über ihn das im frommen Selbstbewußtsein Vorkommende auf seinen göttlichen Grund zurückgeführt wird.

Die Frage ist nun, ob für die Dogmatik Schleiermachers Gott in diesen Relationen zur Welt gleichsam aufgeht oder ob es erlaubt oder geradezu geboten ist, eine Überlegenheit Gottes gegenüber diesen Beziehungen zur Welt zu denken[1]. Ist, anders gefragt, Gott

---

1. Eben dies hat Karl Barth nachdrücklich vertreten. Schon in der These des § 28 von KD II/1 wird das hinreichend deutlich: „Gott ist, der er ist, in der Tat seiner Offenbarung. Gott sucht und schafft Gemeinschaft zwischen sich und uns, und so liebt er uns. Eben dieser Liebende ist er aber als Vater, Sohn und Heiliger Geist *auch ohne uns*, in der Freiheit des Herrn, der sein Leben aus sich selber hat." (288). Vgl. auch 291 (Hervorhebung im Original): „Gott ist, der er ist, in seinen Werken. Er ist derselbe auch in sich selber, auch vor und nach und über seinen Werken, auch ohne sie. Sie sind an ihn, aber er ist

für Schleiermacher auch ohne die Welt — *Gott*? Oder ist er nur
Gott als der sich auf die Welt Beziehende[2]?

Auf diese Frage könnte man eine Antwort etwa in Schleiermachers Fassung des Begriffs des „Wesens" Gottes erwarten, „Wesen"
verstanden jetzt nicht als das Wesen Gottes „an sich", sondern, so
ist zu unterscheiden, als das Wesen des von Gott vollzogenen Verhältnisses[3]. „Zusammengeschaut", in einer Synopse aller göttlichen Eigenschaften — und in der Liebe Gottes — ist sein „Wesen"
durchaus dargestellt[4]. Und insofern stimmt Schleiermacher denn
auch dem Satz zu, „daß in Gott kein Unterschied sein könne zwischen Wesen und Eigenschaften"[5]. Doch daß diese Synopse aller
Eigenschaften gewissermaßen eine neue Qualität erreichte, die
dann von einer Überlegenheit Gottes seinen (als Relationen zur
Welt zu verstehenden) Eigenschaften bzw. Tätigkeiten zu reden er-
laubte, dafür gibt es keinen Hinweis. Nichts scheint für Schleiermacher dagegen zu sprechen, Gott als in diesen Relationen aufgehend
zu denken; nichts nötigt dazu, Gottes Subjektsein, ihn als den
„Täter" seinen auf die Welt gerichteten „Tätigkeiten" gegenüber
zur Geltung zu bringen oder Gottes Gottsein auch ohne die Welt
zu behaupten. Eben die Liebe Gottes als die hermeneutisch umfassendste Bestimmung, in der offenbar jene Synopse vollzogen
ist und die darum als das „Wesen" Gottes gelten kann, ist ja als
Relation zur Welt *erschöpfend* definiert: als der von seinem Vollzug prinzipiell nicht zu trennende Wille zur Anwesenheit im
menschlichen Selbstbewußtsein. Auch die Liebe als der inhaltlich
grundlegendste Begriff bleibt für Schleiermacher „*Ursächlichkeit*".

nicht an sie gebunden. Sie sind nichts ohne ihn. Er aber ist, der er ist, auch ohne sie. Er
ist also, der er ist, nicht *nur* in seinen Werken." Oder: „Gott geht nicht auf in seinem
Sichbeziehen und Sichverhalten zur Welt und zu uns, wie es in seiner Offenbarung Ereignis ist. Die Würde und Kraft seiner Werke, seines Sichbeziehens und Sichverhaltens hängt
vielmehr daran, daß er ihnen gegenüber, ohne ein Anderer zu sein als eben der in ihnen
sich Betätigende — er selber ist, daß er ihnen, indem er sich in ihnen offenbart, zugleich
überlegen bleibt." (292; in bezug auf die göttliche Liebe führt Barth diesen Gedanken auf
den Seiten 314ff aus).

2. Dabei interessiert uns in diesem Zusammenhang lediglich das für die Dogmatik
überhaupt Denk- und Sagbare; daß für Schleiermacher das Wesen Gottes an sich unaus-
sprechlich bleiben muß, steht jetzt außer Betracht.

3. Vgl. oben § 4 Anm. 3.

4. Vgl. § 97,5: II,74.31ff.

5. § 167,1: II,449.7f. — Vgl. § 55,2: I,295.20f: „... daß Gottes Wesen und Gottes Eigenschaften ... nur eines und dasselbige seien..." und die handschriftliche Bemerkung
zum Begriff der Einfachheit Gottes: „Einfachheit. Die Hauptsache ist Ungeteiltsein in
Wesen und Eigenschaften." (I,304.32f). — In der traditionellen Gotteslehre hatte man
davon gesprochen, daß Gottes Eigenschaften notwendig „attributa essentialia" sein
müßten.

Über den Bereich dessen, was im frommen Selbstbewußtsein „vorkommt", wäre hinausgegangen und einen Akt spekulativer Theologie — auf die sich Schleiermacher doch unter keinen Umständen einlassen will — hätte vollzogen, wer sich berechtigt glaubte, dogmatische Aussagen über Gott *in sich selbst*, über ein Verhältnis Gottes *zu sich selbst* machen zu können[6]. Selbst wo von einer „Selbstbestimmung" Gottes zu reden sich nahelegt: beim göttlichen „Ratschluß", läßt Schleiermacher diesen Gedanken nicht aufkommen. Beschluß und Tätigkeit sind ja unmittelbar eins, und jenen ohne diese als selbständig zu bedenken, müßte zu dem Mißverständnis Anlaß geben, sich über den Raum des christlichen Selbstbewußtseins als des Formal- und Materialprinzips der Dogmatik erheben zu wollen[7]. Eine Tätigkeit Gottes „ad intra" *kann* und *darf* nicht in Betracht kommen; tätig ist Gott ausschließlich in bezug auf die Welt. Und eine Trinitätslehre schließlich, soviel ist jetzt schon erkennbar, kann für Schleiermacher mit Bestimmtheit eines *nicht* zum Inhalt haben: den an der Frage nach dem Subjekt ausdrücklich orientierten Gedanken eines Verhältnisses Gottes zu sich selbst[8].

Bei Schleiermacher fehlt jede ausdrückliche Reflexion auf ein souveränes Subjektsein Gottes in Beziehung auf seine Tätigkeiten, und das Sein Gottes wird mit seiner Wirksamkeit uneingeschränkt identifiziert. Die Strenge des dogmatischen Verfahrens wäre preisgegeben, seine Bescheidenheit zur Verstiegenheit geworden, damit aber auch die ihm eigene Gewißheit verloren, wollte man Gottes Gottheit auch abgesehen von seinen Relationen zur Welt und als deren Voraussetzung geltend machen. Das Wesen dieses Subjekts ist formal gerade ewige, ohne Einschränkung erfolgreiche Kraft, ist actus purus, unendliche Ursächlichkeit und reine Tätigkeit[9] — alles aber ausschließlich *in bezug auf die Welt*. Darum kann „Gottes Sein *nur* als reine Tätigkeit aufgefaßt werden"[10]; darum muß

---

6. Vgl. § 54,4: I,286.10—13; § 54Z: I,289.1ff; § 55,3: I,299.10. — Unseres Wissens redet Schleiermacher an einer einzigen Stelle von einem „Insichselbstsein" Gottes — freilich nur, um es gleich darauf als seinerseits „Ursächliches" zu bezeichnen. Vgl. § 53, 2: I,275.15—19: „Daher bleibt von dieser Seite die gründlichste Verbesserung, welche das Räumliche gänzlich aufhebt, die Formel, daß Gott in sich selbst sei, der aber freilich die zur Seite stehen muß, daß die Wirkungen seines *ursächlichen* Insichselbstseins überall seien."

7. Vgl. dazu auch die oben § 7 Anm. 1 zitierten Sätze Schleiermachers.

8. Vgl. Barth, KD I/1, 311ff (besonders 313; 319; 329; 367). — Auf Schleiermachers Fassung der Trinitätslehre werden wir an späterer Stelle zurückkommen.

9. Jüngel hat darauf hingewiesen (Tod des lebendigen Gottes, 117), daß Schleiermacher hier eine Tradition vor allem reformierter Dogmatik aufnimmt.

10. § 94,2: II,45.18f.

bestritten werden, daß „von einem Sein Gottes abgesehen von den
Erweisungen seiner Kraft", den weltlichen Erweisungen, sinnvoll
geredet werden kann[11].
Ist dieser Gott ausschließlich in bezug auf die Welt *tätig*, so *ist*
er auch ausschließlich in bezug auf die Welt.
Soweit mithin die Dogmatik denken kann (und nichts anderes
ist in der Glaubenslehre von Interesse), ist für sie Gott als Subjekt
so in seine Relationen zur Welt hineingenommen, daß ein Unter-
schied nicht mehr gilt. In der Aussage etwa, daß Gott auf liebende
Weise der Welt gegenüber tätig sei (Gottes „Wesen" besteht ja in
dieser Selbstmitteilung), oder allgemeiner formuliert: daß Gott die
Welt als ganze verursache, hat das Subjekt dem Prädikat nichts
voraus und beide gehen restlos ineinander auf[12].
So bleibt es denn dabei, daß für Schleiermacher Gott ohne die
Welt nicht vorkommt noch gedacht werden kann[13]. Gott in seiner
Gottheit als *frei* zu denken — das scheint Schleiermacher nur auf
eine abstrakte Weise zu gelingen. Frei ist für ihn Gott als *von der*

---

11. § 52,1: I,267.31f; vgl. § 53Z: I,278.22f.

12. So hat Schleiermacher in seiner „Geschichte der Philosophie" (WW III/4.1, 166)
von seinem „dialektischen Theorem" gesprochen, „daß im absoluten Subjekt und Prädi-
cat schlechthin zusammenfallen".

13. So auch Jacob, 90. — Man kann sich diesen Befund etwa an der Behandlung des
Problems einer zeitlichen oder ewigen Schöpfung der Welt verdeutlichen, dergemäß diejenige Bezogenheit von Gott und Welt gilt, in der Gott die Welt „immer schon" gesetzt
hat (vgl. § 54,1: I,280.1—3; zum Problem im ganzen vgl. § 41,2: I,202.22ff. Dabei ist
zu beachten, daß Schleiermacher das Wort „ewig" außer in dem von uns beschriebenen
strikten Sinne auch im Sinne einer grenzenlosen Zeit gebraucht. Besonders in den Paragraphen der Eschatologie dann begegnet dieser Sprachgebrauch häufig.). — Ein Binde-
strich kennzeichnet die Bindung Gottes an die Welt in Beißers Formulierung, Gott sei
immer nur Gott-der-Welt. Es ist dies die (leider ganz ohne Hinweis auf Spinoza ausgeführte) Grundthese seines Buches. Gott ist „Gott-der-Welt" (100, dort auch unter Hinweis auf das dogmatische Verfahren Schleiermachers; 106; 127; 135 u.ö.), „Gott-dieser-
Wirklichkeit" (123), „Grund der Welt", „Seinsgrund", „Grund der Geschichte", „Inbegriff des Seienden" o.ä. (75; 83; 84; 107; 109; 114; 123; 155; 162 u.ö.). Daß freilich die
von Beißer dagegen gesetzte Rede von der „Transzendenz" Gottes am Ende zu dem
gerade nicht gewollten Ergebnis: der-dem-Immanenten-Transzendente, führen muß,
bleibt außer acht. — G. Stammler (Ontologie in der Theologie? Eine systematische Skizze,
KuD 4, 1958, 143—175) hat darauf aufmerksam gemacht: „Wollte man Gott als transzendent darzustellen versuchen, so ginge das nur dadurch, daß man ihn seinsmäßig als abhängig
oder gleichberechtigt zu dem Bereich annähme, zu dem er transzendent sein soll, d.h.
zur Welt." (154). Denn: „Transzendentes setzt ... immer einen Bereich von Immanen-
tem voraus" (153, dort kursiv). Beide Bereiche bedingen einander wechselseitig (156),
sind doch Immanenz und Transzendenz nur konträre, nicht aber kontradiktorische Gegensätze (ebd.). Mit der einfachen Behauptung, Gott sei der Welt gegenüber transzendent (oder „schlechthin" transzendent), ist man über Schleiermacher keineswegs hinaus-
gekommen. — Nur beiläufig bedient sich auch Brandt des Transzendent-immanent-
Schemas (vgl. 204). — Vgl. auch Barths Relativierung dieser Denkfigur (KD II/1, 341).

Welt Freier, als Ursacher einer *Wirkung*[14], in diesem Sinne sogar — der *schlechthinnigen* Abhängigkeit entsprechend — *schlechthin* frei[15]. Doch dieser Bestimmung Gottes als des von aller Begründung, Bedingung und Bestimmung von außen Freien fehlt bei Schleiermacher, wie es im Rahmen seiner dogmatischen Methode nur konsequent ist, der Hintergrund jener positiven Aussage, dergemäß die Freiheit Gottes „die eigentliche *Positivität* nicht nur seines Tuns nach außen, sondern auch seines eigenen inneren Wesens ist"[16]. In ihrer Relation zueinander sind Gott und Welt für Schleiermacher *erschöpfend* definiert: die Welt ist als Welt begriffen, wenn man sie als das von Gott Verursachte setzt[17], aber Gott ist eben auch nur dann (so dann aber auch vollends und letztlich) als Gott verstanden, hat man ihn als den die Welt in Schöpfung und Erlösung Verursachenden erfaßt[18].

„Gott" und „Welt" bilden in diesem Sinne Korrelate; in ihrer Relation zueinander sind sie — im Hinblick darauf, was der Dogmatik zu sagen erlaubt ist — vollständig und definitiv untergebracht. Zu Recht kann man darum interpretieren: „Gott wird als der von je mit seinem ganzen Wesen Weltbedingende gedacht, so daß nichts in ihm je nicht weltbedingend und nichts an der Welt nicht gottbedingt ist."[19]

Exkurs: Zur Korrelation von Gott und Welt nach der Dialektik

Es entspricht dem Grundsatz Schleiermachers von der Widerspruchslosigkeit einer (richtig verstandenen) Philosophie und einer (richtig verstandenen) Dogmatik, wenn sich in der „Dialektik" Schleiermachers nun Formulierungen finden, die auf ihre (philosophische) Weise den genannten Sachverhalt zum Zuge bringen. Dabei teilen wir, zumindest was unser Problem betrifft, die An-

---

14. Zu diesem in das Schema von Ursache und Wirkung gefaßten Freiheitsbegriff vgl. auch § 49,1: I,251.17ff.

15. Vgl. § 41Z: I,204.1—11.

16. Barth, KD II/1,340 (Hervorhebung im Original). — Es ist eben nicht mit einer sachlichen Änderung verbunden, wenn Schleiermacher von der „Freiheit" statt lediglich von der „Unabhängigkeit" Gottes im Übergang von der ersten zur zweiten Auflage spricht (Gl¹, § 50L).

17. Vgl. etwa auch das oben § 4 Anm. 60 angeführte Zitat.

18. Vgl. die Überlegungen zum „Sich-selbst-Wollen" Gottes (§ 54,4: I,285.21ff), nach denen Schleiermacher Gottes Willen zu sich selbst und zur Welt identifiziert (ebd. 286.23f) und dazu handschriftlich anmerkt: „Sich selbst wollen und die Welt wollen wird eins in dem ‚sich selbst als Schöpfer wollen'" (ebd. 286.34f). Gott ist er selbst *als* Schöpfer, *als* der, der sich auf die Welt bezieht — und nur dort. — Strauß (167f) hat auch hier auf den Zusammenhang mit Spinoza aufmerksam gemacht (Ethik, Pars II, Prop. 3, Schol.).

19. Hirsch, 295.

sicht Hirschs (299): „Schleiermacher ist redlich bei seinen Erkenntnissen geblieben und hat in der Glaubenslehre den Einsichten der Dialektik über Gott
und Welt nirgend widersprochen." Ohne auf die komplexe Problematik der
verschiedenen Fassungen der „Dialektik" – darüber unterrichtet z.b.
der Ausgabe von Odebrecht beigegebene Vorwort – oder gar die noch einmal
ungleich schwierigere Frage nach dem Verhältnis von philosophischem und
dogmatischem Denken bei Schleiermacher (vgl. als Einführung dazu: H.-J.
Birkner, Theologie und Philosophie. Einführung in Probleme der Schleiermacher-Interpretation, ThEx 178, München 1974) einzugehen, beschränken wir
uns darauf, einige der charakteristischen Formulierungen vorzuführen: In
verschiedenen Zusammenhängen betont Schleiermacher den Grundsatz
„Kein Gott ohne Welt so wie keine Welt ohne Gott." (303; Hervorhebung im Original), so z.b. in dem Satz: „Eine solche Formel für Gott, welche ihn von der
Welt trennte, wenn wir sie auch finden könnten, würde uns weder für unsere
Aufgabe noch für die ethische nützlich sein, sondern wir könnten sie nur auf
sich beruhen lassen." (298), oder (301): „Eine ... Trennung dieser beiden
Ideen Gottes oder des transzendenten Grundes und der Welt als der Totalität
des Seins ist uns also gar nicht gegeben. Wir haben kein anderes Interesse am
transzendenten Grunde als immer in Beziehung auf die Idee der Welt; und
auch in unserem unmittelbaren Selbstbewußtsein ist er uns nie anders als in
Verknüpfung mit demselben gegeben. In der Trennung von der Welt wäre er
etwas, was wir weder kennten noch wollten. Jeder Versuch, den transzendenten Grund in solcher Verbindungslosigkeit mit der Idee der Welt darzustellen, zerstört immer sich selbst." Noch einige andere Stellen könnten her-
beigezogen werden (vgl. 301f; 306 u.ö.), doch gemeint ist jeweils: „Beide
Ideen, Welt und Gott, sind Correlata (WW III/4.2, § 219, 162; vgl. Odebrecht,
306f), und das bedeutet, „daß wir immer die Idee der Welt und der Gottheit
verbinden müssen..." (Odebrecht 306; dort gesperrt gedruckt). Denn „... wenn
Gott über die Welt hinausragte, so wäre etwas in ihm nicht weltbedingend;
und wenn die Welt über Gott hinausragte, so wäre etwas in ihr nicht gottbedingt..." (303; dort gesperrt). Deshalb kann man das (wenngleich real nicht
zum Ausdruck zu bringende) Verhältnis von Gott und Welt logisch so fassen:
„Gott = Einheit mit Ausschluß aller Gegensätze; Welt = Einheit mit Einschluß
aller Gegensätze" (303; dort gesperrt; vgl. 311; 314). – Vgl. Scholz (164–
170); Flückiger (115f; 167); Brunner (339f; 73 Anm. 1).

2.   Ewiger Grund und zeitliche Darstellung

Wie ist die Korrelation der Relata „Gott" und „Welt" genauer zu
bestimmen[20]?

20. In einer unserer Fragestellung entsprechenden Weise kann das Problem des Verhältnisses von Gott und Welt thematisch werden, wenn nach Gottes Personsein gefragt
ist. Daß Schleiermacher sich nicht imstande sieht, von Gott als „Person" zu sprechen, ist

(1) Nach dem Lehrstück „Von der Erhaltung" konstituiert sich die Welt als „Naturzusammenhang" aus endlichen Ursächlichkeiten[21]. Sich ihr Zusammenwirken als die Ursache jedes einzelnen Geschehens zu denken, kommt nun für Schleiermacher in bestimmter Weise damit überein, eben dasselbe Geschehen unter die schlechthinnige Abhängigkeit von Gott gefaßt zu verstehen. Das ganze Lehrstück versucht, diesen Sachverhalt deutlich ans Licht zu stellen (§§ 46–49), und behauptet die Übereinstimmung der endlichen und der göttlichen Ursächlichkeit in bezug auf *alles* Geschehen, auf das „Natürliche" und das „Wunderbare", das „Angenehme" und das „Unangenehme", die „freien" und die „natürlichen" Ursachen[22]. „*In* allem und *mit* allem" sollen wir Gott erkennen[23] – in diesem Sinne äußert sich Schleiermacher an mehreren Stellen[24]. Dabei ist die Unterscheidung offenbar lediglich eine Frage

von der Schleiermacher-Interpretation schon früh herausgestellt worden: E. Zeller hat in einem eindringenden Aufsatz (den Scholz, 145, nicht ohne Grund die „scharfsinnigste Untersuchung, die zur Pantheismusfrage der Glaubenslehre geschrieben worden ist", genannt hat) unter dem Titel „Erinnerung an Schleiermacher's Lehre von der Persönlichkeit Gottes" (Theologische Jahrbücher, 1. Band, Tübingen 1842, 263–287) die uns beschäftigende Problematik in Hinblick auf diesen Gesichtspunkt erörtert, und auch Scholz befaßt sich unter der Überschrift „Der pantheistische Schein" schließlich mit „Personalismus und Pantheismus" (170ff). – Goethe hat das Problem auf seine Weise behandelt:
„Was soll mir euer Hohn
Über das All und Eine?
Der Professor ist eine Person,
Gott ist keine."
(Zahme Xenien. Der Pantheist, Gedenkausgabe der Werke, Briefe und Gespräche, Hg. E. Beutler, Bd. 2, Zürich/Stuttgart 1962[2], 379). – Daß es eine der Besonderheiten gerade spinozistischen Denkens ist, Gott nicht als „Person" zu verstehen, hat z.B. Hegel immer wieder betont (vgl. nur in der „Enzyklopädie" § 151 Zusatz, ThW 8, 295ff, oder schon in der Vorrede zur zweiten Ausgabe dieser Schrift, ThW 8,20; vgl. auch in der Vorrede zur „Phänomenologie", ThW 3,23) – und der Einfluß Spinozas auf Schleiermacher dürfte gerade an dieser Stelle unübersehbar sein (vgl. nur Briefe II, 344). Und von *Spinoza* muß die Rede sein, soll von der Stellung des deutschen Idealismus zum Problem des Personseins Gottes gesprochen werden. Das hat besonders für Fichte und Hegel F. Wagner (Der Gedanke der Persönlichkeit Gottes bei Fichte und Hegel, Gütersloh 1971) betont. Vgl. auch Barth, KD II/1, 324. – Wir verzichten hier auf die Erörterung dieses Problemaspekts.
21. Vgl. §§ 46ff: I,224.6ff; das „Geschichtliche" ist dabei für Schleiermacher im „Naturzusammenhang" inbegriffen (vgl. § 79,1: I,424.24f).
22. Wir sind hier der von Schleiermacher selbst handschriftlich am Rande vermerkten Gliederung dieses Lehrstücks gefolgt (vgl. I,224.30–32).
23. Die göttliche gewissermaßen „in, mit und unter" der endlichen Ursächlichkeit (vgl. § 163,2: II,436.24: „... daß wir nämlich mit Gott in allem und mit allem erkennen..."). Vgl. auch § 46,1: I,225.7–10. – Schleiermacher kommt hier den propositiones XXVI bis XXVIII der Pars I der „Ethik" Spinozas sehr nahe.
24. Vgl. nur § 46,2: I,228.16–19: „... so fällt beides, die vollkommenste Überzeu-

der Perspektive[25].

Eine bestimmte „Gleichsetzung der göttlichen Ursächlichkeit mit dem Gesamtinhalt der endlichen", ein Zusammentreffen[26], ein Zugleich findet mithin statt[27]. Verschieden voneinander ist die *Art des Vollzugs:* „Zeit" — die Weise der einen; „Ewigkeit" — die der anderen[28]. Gerade „Ewigkeit" kennzeichnet ja die Differenz[29]. Gesehen unter dem Gesichtspunkt der Ewigkeit (sub specie aeternitatis) oder in der Perspektive der Welt — „alles und jedes", alles einzelne endliche Sein, sei es verursacht oder verursachend, kann so oder so in den Blick gefaßt werden. Einheit und Totalität alles dieses Einzelnen als „in sich selbst geteilte und zerspaltene Einheit, welche zugleich die Gesamtheit aller Gegensätze und Differenzen und alles durch diese bestimmten Mannigfaltigen ist"[30] — das ist als *Welt* wohl zu unterscheiden von *Gott* als der demgegenüber absoluten, ungeteilten Einheit[31]. Kein Zweifel also, daß Schleiermacher Gott und Welt („Welt" immer auch im Sinne der Weltge-

gung, daß *alles* in der Gesamtheit des Naturzusammenhanges *vollständig* bedingt und begründet ist, und die innere Gewißheit der schlechthinnigen Abhängigkeit alles Endlichen von Gott vollkommen zusammen." Vgl. auch § 49,1: I,252.4f und § 52,1: I,269.2−4: „Denn wie das jetzt in der Zeit Entstehende doch *auch* in der Allmacht Gottes gegründet, mithin von ihm auf ewige, d.h. zeitlose Weise gewollt und bewirkt worden ist..." oder § 53,1: I,272.26−29: „... wo irgend der Mensch sich bewegt oder bewegt wird, er auch aufgefordert ist, die *in* jeder endlichen Ursächlichkeit ihm unmittelbar nahe Kraft des Höchsten mit seinem Bewußtsein zu ergreifen..."

25. Vgl. § 46,2: I,229.7−15. − Vgl. Brunner, 339, der an dieser Stelle die „Souveränität Gottes *über* die Welt" (Hervorhebung im Original) ausgeschlossen sieht. − Daß sich Schleiermacher mit dieser Behauptung nicht mit vollem Recht auf Quenstedt berufen kann (den er in diesem Zusammenhang ausdrücklich nennt), zeigt Beißer, 122 Anm. 69.

26. Vgl. § 53,1: I,272.21f und § 49,1: I,252.5.

27. In § 82,2: I,442.31ff begründet Schleiermacher mit dem Zugleich der endlichen (zeitlichen) und der ewigen Ursächlichkeit, daß „auch das Übel, eben sofern es in unserer Freiheit gegründet ist, zugleich von Gott geordnet" sein müsse. Und in § 146,1: II,376. 28ff heißt es, daß jeder „Erfolg" der Kirche, „den Zweck der Sendung Christi vollständig zu erreichen" (376.19f), „nicht alleiniges Werk ihrer Selbsttätigkeit", „sondern *zugleich*" Werk „der göttlichen Weltregierung" sei.

28. Vgl. oben § 5 Anm. 4.

29. Vgl. § 51,1: I,264.25−27. − Beißer hat die verschiedenen Akzente von „Allmacht" und „Ewigkeit" in der Formulierung deutlich gemacht: „Sofern er [sc. Gott] Gott der *Welt* ist, gilt die Eigenschaft der Allmacht, sofern er *Gott* der Welt ist, die Ewigkeit." (140; Hervorhebung im Original).

30. § 32,2: I,173.2−4.

31. Vgl. ebd. 173.17f. − Die erste Auflage formuliert: „Wenn man nämlich beide Ideen [sc. die Gottes und die der Welt] auf irgend eine Weise auseinander halten will, so ist doch mindestens Gott die ungeteilte absolute Einheit, die Welt aber die geteilte Einheit, welche zugleich die Gesammtheit aller Grundsätze und Differenzen ist." (Gl[1], § 36,2), und „Gott = Einheit mit Ausschluß aller Gegensätze; Welt = Einheit mit Einschluß aller Gegensätze" hieß es in der „Dialektik" (vgl. oben den Exkurs nach § 8,1).

schichte) strikt auseinanderhalten will[32]. Ununterscheidbar identisch sind ja göttliche und endliche Ursächlichkeit nicht, wenn denn jene „ewig" und diese „zeitlich" sich vollzieht. Insofern dann muß von einem Vorrang der göttlichen Tätigkeit gesprochen werden, als sie sich nicht aus dem Gegensatz zur Leidentlichkeit konstituiert, sondern, der endlichen Tätigkeit wie Leidentlichkeit in gleicher Entfernung gegenüberstehend[33], sich auf die Welt als ganze ursächlich bezieht, nicht nur also sub specie aeternitatis in der einzelnen endlichen Tätigkeit gesehen werden kann[34], sondern die Gesamtheit der endlichen Ursächlichkeiten (und entsprechend Leidentlichkeiten), die nicht Grund ihrer selbst ist, noch einmal — freilich *im Innern* — begründet[35]. Auf diese Weise erst wird die Notwendigkeit der Unterscheidung von Gott und Welt als einer hier in sich geteilten und dort ungeteilten Einheit deutlich. Nicht, daß der Gesamtumfang aller endlichen Tätigkeit durch die göttliche Ursächlichkeit von „außen" gleichsam noch einmal umgriffen würde — das wäre ein Widerspruch zum Grundsatz: „dem Umfange nach gleich"[36] —, sondern der ihr *innewohnende* Grund ist die göttliche Tätigkeit[37] und ihr darum „dem Umfange nach" kon-

---

32. Vgl. § 28,1: I,155.27—29: „Untauglich aber für die dogmatische Sprache gebraucht zu werden sind zunächst nur solche Ansichten, welche die Begriffe von Gott und Welt auf keine Weise auseinanderhalten..."; § 33,2: I,174.3f: „Auseinanderhalten der Ideen Gott und Welt..."

33. Vgl. § 51,1: I,264.15—22.

34. Denn es gilt ja, „daß nirgend endliche Ursächlichkeit ist ohne göttliche" (§ 53,2: I,274.24f).

35. Vgl. § 46,2: I,230.1—6: „Denn in der Gesamtheit des endlichen Seins kommt jedem einzelnen nur eine besondere und teilweisige Ursächlichkeit zu, indem jedes nicht von *einem* andern, sondern von *allem* andern abhängig ist, die allgemeine [sc. Ursächlichkeit] ist nur in dem, wovon die Gesamtheit dieser geteilten Ursächlichkeit selbst abhängig ist." (Hervorhebung im Original). — Scholz (162; Hervorhebung im Original) nennt dies „die *effektive Erhabenheit* der göttlichen Allmacht über das System der Naturursachen." — Vgl. auch das „als" in § 46,2: I,228.10: uns mit der ganzen Welt identifizierend sollen wir uns *als* diese schlechthin abhängig fühlen.

36. Analog dazu darf etwa von der Allgegenwart auch nicht gesagt werden, daß „Gott auch räumlich das allgemein alles Umschließende ist" (§ 53,2: I,275.10f).

37. „Innerlichkeit" ist ja der Begriff, der die Besonderheit der göttlichen gegenüber der endlichen Ursächlichkeit zum Ausdruck bringt (vgl. oben § 5). — Vgl. Brandt, 203: „Gott bestimmt die Welt ganz, indem er *in* dem weltlichen Wechselspiel von Wirkung und Ursache der allein Verursachende ist." (Hervorhebung im Original). — Zum § 60 der ersten Auflage hat Schleiermacher handschriftlich notiert (zitiert in Redekers Ausgabe der zweiten Auflage II,518.34ff): „Der pantheistische Schein: wenn Wirkung der Dinge und Wirksamkeit Gottes dasselbe ist, so ist Welt und Gott auch dasselbe, was aber offenbar falsch ist. Sondern die Wirksamkeit ist dasselbe, weil auch das Sein der Dinge als die Quelle ihrer Tätigkeiten durch die schaffende Wirksamkeit Gottes ist." Vgl. auch II, 522.22ff.

gruent[38]: auch dem Gott Schleiermachers ziemt's, die Welt *im Innern* zu bewegen.

Der Strenge *dieser* Unterscheidung von Gott und Welt wäre für Schleiermacher unter Umständen selbst in einem ausdrücklichen Pantheismus kein Abbruch getan[39]. Lediglich eine pantheistische Vorstellung der Art muß ausgeschlossen bleiben, für die Gott als Inbegriff des endlichen Seins an dessen Differenzen teilhat — „Inbegriff" an sich hingegen ist als Terminus zur Bezeichnung des Verhältnisses von Gott und Welt durchaus geeignet: nur sollte dann von der Welt als von einem Inbegriff göttlicher Tätigkeit (und nicht von Gott als dem Inbegriff der Welt) die Rede sein[40], denn nur in jener, nicht in dieser Wendung kann sachgemäß die zwischen Gott und Welt herrschende Kongruenz zugleich mit der unumkehrbaren Richtung von Gott zur Welt festgehalten werden.

Schleiermachers Auffassung des Verhältnisses von Allmacht und Allwirksamkeit Gottes bietet für diese Art der Kongruenz das wohl deutlichste Beispiel[41]. Denn beide Begriffe fallen für

38. Vgl. demgegenüber Barth, KD II/1, 296: „Gott unterscheidet sich von aller anderen Aktualität nicht nur als die Aktualität überhaupt und als solche, nicht nur als deren Wesen oder Prinzip, so daß er, indem er sich von aller anderen Aktualität unterschiede, zugleich an sie gebunden bliebe: so, wie die Idee der Erscheinung zugleich transzendent und immanent ist... Die Besonderheit seines Wirkens und damit sein Sein als Gott erschöpft sich ... nicht in dieser dialektischen Transzendenz, die dann, wie streng sie immer verstanden sei, ... auch als Immanenz verstanden werden muß."

39. Vgl. § 8Z: I,57.21ff. — „Fragt man aber, ob sie [sc. die Vorstellungsweise des Pantheismus] sich ... doch mit der Frömmigkeit verträgt: so ist diese Frage wohl unbedenklich zu bejahen..." Ein folgender Satz lautet dann: „Solche Zustände werden sich dann von den frommen Erregungen manches Monotheisten schwer unterscheiden lassen" (§ 8Z: I,58.2—6.26f) — was in der ersten Auflage noch ungeschützter formuliert war: die Frömmigkeit eines Pantheisten könne „völlig dieselbe"sein wie die eines Monotheisten (Gl[1], § 15,5). Vgl. oben im Exkurs nach § 8,1 das Zitat aus der „Dialektik", demgemäß weder die Welt über Gott noch Gott über die Welt „hinausragen" kann. — Vgl. auch Barth (KD II/1, 506), der im Zusammenhang von Überlegungen zum Begriff der göttlichen Einfachheit die „*korrelative Totalität*" des Bedingten und des Unbedingten und die daraus entspringende Dialektik als für Schleiermacher wie für Hegel gültig behauptet. — Daß Gott bei Schleiermacher zum „Weltgrund" wird, ist auch Schultz' Deutung, formuliert bei ihm zur Hauptsache freilich im Schema von „Transzendenz" und „Immanenz" („das Transzendente" werde bei Schleiermacher „immanentisiert"; vgl. Protestantismus 68f; 71; bes. 115ff), das (vgl. oben § 8 Anm. 13), wie man es auch wendet, aus logischen Gründen über Schleiermacher nicht hinauszuführen vermag.

40. Vgl. § 49,2: I,252.30—35 mit § 55,1: I,292.19f.

41. Nicht zufällig kommen denn auch die mit dem Problem des Pantheismus Schleiermachers beschäftigten Untersuchungen auf diese Frage zurück: vgl. etwa Scholz (156ff); Zeller (270ff); ebenso W. Gaß, Geschichte der protestantischen Dogmatik in ihrem Zusammenhange mit der Theologie überhaupt, Bd. IV, Berlin 1867, 580, für den Schleiermacher keinen „systematischen", wohl aber einen Pantheismus im Sinne einer einseitigen

ihn gänzlich zusammen[42]. In Ablehnung der traditionellen Distinktion von potentia absoluta und potentia ordinata Gottes[43] bleibt für Schleiermacher in Gott gleichsam kein Rest unverwirklichten Willens, gibt es für ihn sowenig einen Unterschied zwischen Möglichem und Wirklichem wie zwischen Allgemeinem und Einzelnem[44] und sind weder Willen und Tun noch Tun und Können voneinander zu trennen — „sondern die ganze Allmacht ist ungeteilt und unverkürzt die alles tuende und bewirkende"[45]. „*Vollkommen* und *erschöpfend*", also ohne daß im göttlichen Sein etwas zurückbehalten wäre, *stellt sich* die Allmacht Gottes „in der Gesamtheit des endlichen Seins" *dar*[46]. Allein zu dieser Aussage kann das dogmatische Verfahren Schleiermachers führen[47].

(nämlich nur dem „Diesseitigen" zugewandten) Richtung der Gottes- und Weltanschauung vertreten hat.

42. Vgl. § 54L: I,278.34ff. – Barth hat gerade an diesem Sachverhalt den Verlust des *Subjektseins* Gottes bei Schleiermacher aufgezeigt: „Die eigentliche, die grundsätzlich und systematisch-plane Ineinssetzung der Allmacht mit der Allwirksamkeit Gottes, über der der Ausblick auf Gott selbst als das Subjekt seines Wirkens verloren gehen, ja über der er als solcher letztlich geleugnet werden mußte, war dann doch erst ein Theologumen des ausgebildeten Neuprotestantismus: *Schleiermachers* und seiner Schule." An dem Leitsatz von § 46 werde deutlich, „daß Schleiermacher an Gott als dem Subjekt der Allmacht gar nicht mehr interessiert war, sondern nur noch an dem Begriff einer göttlichen Allmacht als solcher und an diesem nur insofern, als damit nach der ersten Satzhälfte die ursächliche Begründung des ‚Naturzusammenhangs' ... bezeichnet ist..." (KD II/1, 595; Hervorhebung im Original).

43. Vgl. § 54,4: I,283.19ff. – Im Zusammenhang der Erörterung dieser Unterscheidung erinnert Barth (KD II/1, 606) an seine Ablehnung der Identifizierung von Allmacht und Allwirksamkeit Gottes. – Bei Spinoza heißt es hierzu: „Quare Dei omnipotentia actu ab aeterno fuit, et in aeternum in eadem actualitate manebit" (Ethik Pars I, prop. XVII, schol.). Auch David Friedrich Strauß (168) macht auf diese Stelle aufmerksam.

44. § 54,2: I,280.16ff (bes. 280.27f); § 54,3: I,282.9f; § 54,2: I,281.5ff.

45. § 54,3: I,283.14−16.

46. § 54,2: I,280.25f; vgl. auch § 55,1: I,291.7f. – Ganz entsprechend wird in § 57,1: I,309.1f die Welt als „die *ganze* Offenbarung" der ewigen Allmacht bezeichnet.

47. Vgl. § 54,2: I,280.16−21. – Eben daran ist gegen die These Strauß' zu erinnern, nach der Schleiermachers Satz, die göttliche Ursächlichkeit stelle sich im endlichen Sein vollkommen dar, „seinen speculativen Ursprung allzudeutlich" verrate: „Denn das fromme Gefühl ist gewiß befriedigt, wenn es, von gegebenem Endlichen aufwärts steigend, jedes solche von Gott abhängig findet: von ihm aber wieder abwärts steigend die Fülle des göttlichen Wesens in der Gesammtheit des Endlichen vollkommen ausgelegt zu finden, das ist das Interesse der Speculation..." (166). „Sich selbst überlassen" habe sich die Frömmigkeit vielmehr von jeher darin gefallen, „im göttlichen Wesen für sich gleichsam einen unendlichen Ueberschuß über dasjenige, was von ihm in der Welt geoffenbart ist, vorauszusetzen" (167). Nach Schleiermacher ist eben dies Spekulation: Soll sich das dogmatische Denken beim frommen Gefühl halten und es nicht „überfliegen", so *kann* von diesem Überschuß keine Rede sein. Gerade die Gotteslehre ist für Schleiermacher von der

Nicht anders als die göttliche Allmacht stellt sich auch das Wissen Gottes ganz im endlichen Sein (in der Weltgeschichte) dar[48]. Und so verhält es sich schließlich bei *allen* göttlichen Eigenschaften. Für alle, und das heißt: für Gottes Sein im ganzen, gilt die *vollständige* Darstellung in der Welt[49] — Schleiermacher hat gerade diese Vollständigkeit bewußt betont[50].

(2) Für Schleiermacher ist schließlich die Welt „die vollständige *Offenbarung* der Eigenschaften Gottes"[51]. Ausdrücklich auch sagt es der Leitsatz zum § 169: „Die göttliche Weisheit ist der Grund, vermöge dessen die Welt als Schauplatz der Erlösung auch die *schlechthinnige Offenbarung* des höchsten Wesens ist, mithin gut."[52] Als schlechthinnige Offenbarung Gottes ist die Welt ursprünglich vollkommen[53], „ursprünglich" nicht im Sinne eines bestimmten zeitlichen Zustandes der Welt, sondern einer „sich selbst gleichen aller zeitlichen Entwicklung vorangehenden" prinzipiellen

Spekulation bedroht, gerade sie verlangt, daß „wir uns ganz innerhalb der Grenzen des rein dogmatischen Verfahrens halten, sowohl was den Gehalt der einzelnen Bestimmungen als was die Methode betrifft" (§ 50,1: I,257.9—11). Der Satz, daß sich die göttliche Allmacht vollständig im endlichen Sein darstelle, entspringt im Sinne Schleiermachers nicht dem Interesse der Spekulation, sondern hat lediglich *konsequent gedacht*, was das fromme Gefühl in dieser Hinsicht zu denken gegeben hat.

48. § 55,1: I,293.5—16: „Es folgt aber auch ferner, daß das endliche Sein ebenso vollkommen in dem göttlichen Wissen aufgehen muß, als in der göttlichen Allmacht, und daß das göttliche Wissen sich auch ebenso ganz in dem endlichen Sein darstellt, wie die göttliche Allmacht; so daß beides gegeneinander gehalten in dem göttlichen Wissen *nichts übrig bleibt*, wozu es nicht Entsprechendes im Sein gäbe, oder welches in einem andern Verhältnis zum Sein stände, so daß dieses schon müßte vorausgesetzt werden, damit jenes gesetzt sei. Oder um es kurz zu sagen: Gott weiß alles, was ist, und alles ist, was Gott weiß, und dieses beides ist nicht zweierlei sondern einerlei, weil sein Wissen und sein allmächtiges Wollen eines und dasselbe ist." — Ebenso hatte es schon bei Spinoza geheißen, „quod Dei cogitandi potentia aequalis est ipsius actuali agendi potentiae" (Ethik, Pars II, prop. VII, cor.). Denken und Tun Gottes sind einerlei (vgl. auch Pars I, prop. XVII, demon.), und was Gott tut — ist.

49. Vgl. § 118,2: II,229.8—10: „Im allgemeinen aber ist nicht zuzugeben, daß es eine geteilte Offenbarung göttlicher Eigenschaften gebe..." — Vgl. Scholz, 165f: „... die Welt [sc. ist] die ganze Offenbarung der göttlichen Allmacht, die vollständige Manifestation der Eigenschaften Gottes" (vgl. auch Zeller, 275).

50. Und er wußte, was er tat. Nicht zufällig hat er zum Leitsatz des § 54 handschriftlich bemerkt: „Die letzte Hälfte des Satzes ist neu und wird für häretisch gehalten werden." (I,279.33f).

51. § 92,3: II,33.33f. Vgl. auch Gl[1], § 68,1; § 68,5 u.ö., sowie § 10Z: I,73.15f mit Hinweis auf Röm 1,19f (vgl. 73.37f); vgl. Gl[1], § 49,5: „... man muß ... darauf zurückkommen, daß die Schöpfung der Welt die reine Offenbarung seines [sc. Gottes] Wesens sey (Röm 1,19.20)."

52. II,455.20—22 (das Wort „gut" bei Schleiermacher hervorgehoben). Vgl. § 169,2: II,456.27—29.

53. §§ 57ff: I,307.6ff. Vgl. Gl[1], § 71,2.

Vollkommenheit, „welche in den innern Verhältnissen des betreffenden endlichen Seins gegründet ist"[54]. So „wie in dem Glauben an die ewige Allmacht zugleich dieses liegt, daß die Welt die *ganze Offenbarung* derselben ist: so liegt in dem Glauben an die ursprüngliche Vollkommenheit der Welt zugleich dieses, daß die göttliche Allmacht in der ganzen Lebendigkeit als die ewige, allgegenwärtige und allwissende sich *überall* in der Welt vermittels des schlechthinnigen Abhängigkeitsgefühls *offenbart...*"[55]

In bestimmter Hinsicht also ist für Schleiermacher die Welt selbst die schlechthinnige Offenbarung Gottes. Gott stellt sich in der Welt und ihrer Geschichte vollständig dar. Doch gilt ein entscheidender Vorbehalt: Wie die göttlichen Eigenschaften in einem besonderen Verhältnis zueinander stehen, wie die Allmacht etwa nur verstanden ist, wenn Weisheit und Liebe Gottes mitbedacht werden, und wie sich die göttliche Weltregierung zwar auf alles Einzelne der Welt, aber darauf doch nur um des Einen, nämlich der Erlösung und des Reiches Gottes, willen richtet, so vollzieht sich die Darstellung Gottes in der Welt in eben derselben Ordnung: orientiert am *Ziel* des göttlichen Ratschlusses, sich nur von dorther Geltung verschaffend und so auch nur von dorther verständlich. Gott stellt sich rückhaltlos in der Welt dar; die Welt in ihrer Geschichte *ist* die schlechthinnige Offenbarung Gottes — doch ist die Weltgeschichte letztlich nichts anderes als das einem bestimmten Ziel zulaufende, weil auf ein bestimmtes Worumwillen ausgerichtete Geschehen der Verwirklichung des göttlichen Ratschlusses[56]. Daß die Welt die *Offenbarung* Gottes ist, das gilt in einem strikten Sinne erst von *Jesus Christus* her[57]. Nur mit diesem Vorbehalt, nur wenn auch sie noch einmal in die Gnadenlehre „hineingedacht" worden sind, so dann aber auch mit Bestimmtheit, dürfen wir die obigen Sätze als die Meinung Schleiermachers geltend machen. So wird uns in einem späteren Zusammenhang das Thema der Welt

---

54. Vgl. § 57,1: I,308.14—16; § 57,2: I,309.18—23.

55. § 57,1: I,309.1—9.

56. Vgl. § 120,4: II,246.20—23: „... daß alles in dem allgemeinen Zusammenhang betrachtet, auch die Art, wie die Erlösung sich verwirklicht, zugleich die vollkommne Darstellung nicht minder des göttlichen Wohlgefallens als der göttlichen Allmacht ist." — Das Wirklich-Werden des göttlichen Ratschlusses ist ein „Geschehen"; *im* Geschehen der Weltgeschichte vollzieht es sich (vgl. zur Übereinstimmung von „wirklich werden" und „geschehen" § 54L: I,279.5).

57. Die erste Auflage formuliert: „Und wenn ... jede Offenbarung Gottes in einem Endlichen nichts anders ist, als das sich kundgebende Seyn Gottes in diesem Endlichen: so ist unstreitig die Erlösung die *absolute* Offenbarung..." (Gl[1], § 116,3). Und daß im Vergleich mit Christus „alles, was sonst für Offenbarung gehalten werden kann, diesen Charakter wieder verliert", sagt § 13,1: I,89.7—9.

als der Offenbarung Gottes erneut zu beschäftigen haben. — Wie dementsprechend nun das Verhältnis von Ewigkeit und Zeit zu verstehen sei, hat Schleiermacher selber mit Hilfe einer Analogie verdeutlicht[58]: Wie danach das „Ich" sich als beharrlicher Grund zu den wechselnden Gemütserscheinungen verhält, so analog die Ewigkeit zur Zeit und, so dürfen wir hinzufügen, Gott zur Welt. Und wie jenes „Ich" „*beziehungsweise* zu dem Verursachten als zeitlos gesetzt" wird, so gilt, das ergibt sich für uns aus dem Vorhergehenden, zwischen Gott und Welt ein „beziehungsweise". Alles was Gott ist, ist er „beziehungsweise" zur Welt; alles, was die Welt ist, ist sie „beziehungsweise" zu Gott. Das „Ich" als das in dieser Analogie der Ewigkeit bzw. Gott Entsprechende teilt mit ihm das Sich-Gleichbleiben als Dasselbige, die Beharrlichkeit, das Grund-Sein. Und die „Gemütserscheinungen", als hier der Zeit bzw. der Welt entsprechend, sind eben „Erscheinungen", sind mannigfaltig, wechseln.

Es kann kein Zweifel sein, daß es mit Schleiermachers Verständnis des Verhältnisses von Gott und Welt in Zusammenhang steht, wenn das Schema vom „beharrlichen Grund" und den „wechselnden Erscheinungen" für den Bereich des *endlichen* Seins in vielerlei Beziehungen Anwendung findet, uns aber auch gerade im Zusammenhang unserer bisherigen Erörterungen in bezug auf das *göttliche* Sein begegnet ist. „Wirklich werden" bzw. „sich verwirklichen" und „zeitlich werden", „zeitlich erscheinen" bzw. „zur Erscheinung kommen" und „hervortreten" — diese Ausdrücke begegnen in der Glaubenslehre an einer Fülle von Stellen eben in Verbindung mit dem „Grund", dem „Wesentlichen", dem „Sich-Gleichbleibenden" und meinen dabei Phänomene im Bereich der *endlichen* Welt. Aber dieselben Ausdrücke haben wir aufgezählt, als wir von der „Verwirklichung" des *göttlichen* Ratschlusses (der ja die ganze Welt zum Gegenstand hat) sprachen; und Gottes zeitloses Sein mußte gerade als „Grund", „Beharrlichkeit", „Unveränderlichkeit", „Sich-Gleichbleiben" beschrieben werden.

---

58. Vgl. die oben (§ 6 Anm. 42) bereits zitierten Sätze: „Ja auch für die Anschaulichkeit des Begriffes bietet uns das endliche Sein eine Hilfe dar, indem auch diesem die Zeit überwiegend nur anhängt, sofern es verursacht ist, minder aber sofern verursachend; vielmehr sofern es erfüllte Zeitreihen als dasselbige hervorbringt, und also als sich selbst gleichbleibend — wie z.B. das Ich als beharrlicher Grund aller wechselnden Gemütserscheinungen, namentlich aller Entschlüsse, deren jeder wieder als Moment eine erfüllte Zeitreihe hervorbringt — das beharrliche Verursachende ist zu dem wechselnden Verursachten, wird es auch beziehungsweise zu dem Verursachten als zeitlos gesetzt. Und mit einem solchen analogischen Anknüpfungspunkt müssen wir uns hiebei begnügen." (§ 52, 2: I,271.2—13).

Wie sich im endlichen Sein der Welt, so müssen wir folgern, das „Wesentliche" zur „veränderlichen Erscheinung" verhält, eben so ist die Beziehung von Gott und Welt zu denken; wie sich, um auf das von Schleiermacher gewählte Beispiel zurückzukommen, das „Ich" als „beharrlicher Grund" in den „wechselnden Gemütserscheinungen" darstellt, wie eines ohne das andere undenkbar, wenngleich von ihm wohl zu unterscheiden ist — analog dazu stellt sich Gott in den Erscheinungen der Welt im ganzen (die das zeitliche und das relativ zeitlose Sein gleichermaßen umfassen) dar, und entsprechend gehören Gott und Welt ontologisch untrennbar zusammen, so daß auch jener ohne diese schließlich grundsätzlich nicht in Betracht kommen kann. Und dasselbe nun gilt für das Verhältnis von „Ewigkeit" und „Zeit": Ewigkeit ist nicht ohne Zeit, und Gott — nicht ohne Welt.

(3) Das Problem unseres Paragraphen hat sich im Zuge der Erörterung der Frage nach der „Verwirklichung" des göttlichen Ratschlusses gestellt. Auf den Ausdruck „Erscheinung" etwa in der Formulierung „zeitliche Erscheinung der göttlichen Tätigkeit" aufmerksam geworden, haben wir nach Schleiermachers Verständnis des Verhältnisses von Gott und Welt gefragt. Sich selbst in der Welt als seinem vollendeten Kunstwerk vollkommen und restlos darstellend[59], so können wir jetzt zusammenfassen, findet Gott in ihr vollendeten Ausdruck[60], hat er in ihr sein getreues *Abbild*[61] — „denn", so hat man interpretiert, „die göttliche Kausalität ist der Quell aller endlichen, und das endliche Ursachgefüge nur die in Zeit und Raum zerlegte *Erscheinung* der Einen ewigen Wirksamkeit"[62]. Dies muß als die genauere Bestimmung dessen gelten,

59. Vgl. § 168,1: II,452.15ff, bes. 452.20 und 453.1 (die göttliche Weisheit als die *„Selbstdarstellung"* Gottes); zur Vorstellung Gottes als eines Künstlers auch § 55,1: I, 292.11ff; § 55,2: I,297.23ff. — Analog dem Verhältnis von Künstler und Kunstwerk die verborgene Präsenz des Schöpfers in seinem Geschöpf als dessen Offenbarung zu behaupten, kann nach Jüngel nur (Quae supra nos, nihil ad nos. Eine Kurzformel der Lehre vom verborgenen Gott — im Anschluß an Luther interpretiert, EvTh 32, 1972, 197—240, dort 234), wer in „unterschiedsloser Rede von Gott" die Unterscheidung des offenbaren vom verborgenen Gott nicht zu wahren vermag. Daß Schleiermacher diese Differenz zur Geltung bringt, wird man nicht gut behaupten können.

60. Denn die Welt ist „das von Gott Gesprochene" (§ 40,1: I,195.22f); „... alles ist dadurch, daß Gott es spricht oder denkt" (§ 55,1: I,291,18f). Bedeutet hier doch „Wort": „die Tätigkeit Gottes in der Form des Bewußtseins ausgedrückt" (§ 96,3: II,58.3f).

61. Richtig Scholz (169): „Ist gleich die Welt das *Spiegelbild* der Gottheit, so bleibt doch die Gottheit immer und überall der ewig erhabene Welt*grund*..." Ähnlich Zeller, 272, und Aulén, 309f; 322. Freilich gilt auch hier der oben angemerkte Vorbehalt: Als Abbild tritt die Welt erst in Jesus Christus *endgültig* hervor.

62. Scholz, 163 (der ganze Satz dort hervorgehoben). — Vgl. § 98,2: II,81.7 („die

was sich uns im Verhältnis von Gott und Welt im ersten Abschnitt
dieses Paragraphen zunächst formal als Korrelation darstellte. Ob
dafür nun „Pantheismus", „Panentheismus", „Monismus"[63] etc.
die angemessene Bezeichnung ist, sei dahingestellt.

Gottes Verhalten zur Welt gerade so zu denken, daß seine Gottheit darin nicht aufgeht, sondern er in seinem Bezug zur Welt
überhaupt nur dann Gott ist, wenn er es auch ohne die Welt immer schon ist — das hieße für Schleiermacher jedenfalls: höher hinauszudenken, als die dogmatische Methode es gestattet; das bedeutete: das Denken der Dogmatik gleichsam aus der Fassung bringen
zu lassen.

3.   Gottes In-sein[64]

Im strikten Sinne dogmatisch gefaßt sind für Schleiermacher lediglich die Aussagen, die Gottes Sein als in bezug auf die Welt wirkendes, also prinzipiell in Relation stehendes beschreiben, die diese
Relation als „Liebe" (formal als „Ursächlichkeit") verstehen und
die sich, weil „Liebe" das „Sein in..." verlangt — und vollzieht! —,
daran halten, daß Gottes Sein für die Dogmatik immer nur *In-sein*
bedeuten kann[65]. Gottes *Sein* ist sein verursachendes *Anwesend*sein.

zeitliche *Erscheinung* dieser schöpferischen Tätigkeit"); § 81,3: I,439.21f („der in uns
erscheinende gebietende göttliche Wille"); § 101,4: II,104.1f („Fortsetzung desselben
schöpferischen Akts, dessen zeitliche *Erscheinung* mit der Personbildung Christi be-
gann"); § 118,1: II,224.35–225.2 („der allmähliche Fortgang der Heiligung" ist „die
Naturform, welche die göttliche Tätigkeit notwendig in der geschichtlichen *Erscheinung*
annimmt").

      63. Von einem „monistisch-evolutionistischen Weltanschauungsrahmen" spricht z.B.
Aulén (307). „Monistisch" ist die Theologie Schleiermachers auch für Beißer und Flückiger, schließlich auch für Barth (vgl. z.B. KD III/3, 375; 356; 381 u.ö.).

      64. Wir präzisieren mit diesem Abschnitt die obigen Ausführungen über den Grund-
ansatz der Gotteslehre Schleiermachers (vgl. oben § 3,1). Was sich dort als ein „Sein
Gottes in Relation" darstellte, erscheint hier — mit Hilfe der Erörterung der göttlichen
Liebe, Weisheit und Weltregierung — als „In-sein" Gottes. Wir versuchen damit, eine be-
stimmte Konsequenz schon des Ansatzes selbst zu bedenken. — Vom Ansatz Rudolf
Ottos her versucht K.E. Welker (Die grundsätzliche Beurteilung der Religionsgeschichte
durch Schleiermacher, Leiden/Köln 1965) Gottes In-sein, wie es sich Schleiermacher
darstellt, zu verstehen (41ff: „Die Divination des Unendlichen im Endlichen"; 50:
„Das Endliche und Irdische als Hierophanie" etc.). Mehr als die Glaubenslehre zieht
Welker dabei die „Reden" heran.

      65. „Wir wissen um das Sein Gottes *in* uns und *in* den Dingen, gar nicht aber um ein
Sein Gottes außer der Welt oder an sich", heißt es in der These des § 216 der „Dialektik" (WW III/4.2, 154). Wir zitieren, das bereits Beigebrachte ergänzend, aus diesem und
den folgenden Paragraphen einige Sätze, in denen das korrelative Verhältnis von Gott

Gott ist aber nicht „in" etwas, wie Wasser „im" Glas, die Bank „im" Hörsaal ist, sondern sein Sein ist als ganzes und immer schon In-sein[66], wie es als ganzes und immer schon „Liebe" ist. Gott „ist" nicht und „hat" zudem noch ein Verhältnis zur Welt, sondern In-sein ist in der Glaubenslehre die Grundverfassung seines Seins selbst[67]. So muß formulieren, wer die Bescheidung der Gotteslehre Schleiermachers ernstnehmen und sie in ihrer Beschrän-

und Welt sehr viel ausdrücklicher zur Sprache kommt, als dies der Glaubenslehre in ihrem besonderen methodischen Ansatz zu sagen möglich ist: „Wenn uns ein Sein Gottes außer der Welt gegeben wäre: so wären also Welt und Gott für uns vorläufig getrennt, und dadurch wird auf jede Weise die Idee Gottes oder die Idee der Welt aufgehoben... Oder b. wenn sie [sc. Gott und Welt], um die Abhängigkeit [sc. der Welt von Gott] zu retten, nicht überall zusammentreffen, sondern das Sein Gottes über das Sein der Welt hinausragt: so fragt sich, ob das ganze Sein Gottes, welches über die Welt hinausragt, von demjenigen differirt, welches in ihr abgebildet ist. Im bejahenden Falle wäre dann in Gott eine Differenz gesezt, und er also nicht die absolute Einheit. Im verneinenden Falle könnte auch das Sein der Welt nicht in ihm begründet sein, weil sonst auch der über das Sein der Welt hinausragende Theil seines Wesens weltbegründend und also die Welt adäquat sein müßte, wodurch man auf das vorige zurückkäme." (157f). „Gott ist auch *nicht ohne* die Welt zu denken; so wie man ihn gleichsam vor der Welt denkt, merkt man, daß man nicht mehr dieselbe Idee hat, sondern ein leeres Fantasma" (162). „Wir sind nicht befugt ein anderes Verhältniß zwischen Gott und der Welt zu sezen als das des Zusammenseins beider" (165). „Die philosophische Kunst kann auf keine Weise Vorstellungen über das Verhältniß beider [sc. Gott und der Welt] anerkennen, mit welchen sich nicht das *nothwendige* Zusammensein beider verträgt. Und niemandem kann mit solchen bildlichen Vorstellungen geholfen sein, welche realiter nichts als dieses Zusammensein ausdrükken... Die Vorstellung, daß Gott das Urbild sei und die Welt das Abbild, ist nur in sofern gültig, als nicht gesezt ist, das Urbild könne auch ohne Abbild sein" (166). Unsere bisherige Interpretation des in der Glaubenslehre vorausgesetzten Verhältnisses von Gott und Welt findet hier weitgehende Entsprechungen — denen im Einzelnen nachzugehen nicht die Aufgabe dieser Arbeit sein kann.

66. Uns dient an dieser Stelle als Verstehenshilfe, was Martin Heidegger in „Sein und Zeit" als *„In-der-Welt-sein"* des Daseins aufgewiesen hat. „In-der-Welt-sein" gilt ihm als die Grundverfassung des Daseins überhaupt (vgl. Sein und Zeit, 52ff), dergemäß der Mensch nicht „ist" und zudem noch ein Seinsverhältnis zur Welt „hat" (57), sondern „immer schon draußen" (62; 162; 164 u.ö.) d.h. sein „Da" *ist* (vgl. 132f). Heidegger versteht das „In-sein" des „In-der-Welt-seins" nicht „als eine durch das Vorhandensein von ‚Welt' bewirkte oder auch nur ausgelöste Beschaffenheit eines vorhandenen Subjekts" — „vielmehr als wesenhafte Seinsart dieses Seienden selbst" (132). „In-der-Welt-sein" ist freilich für Heidegger die Seinsverfassung des durch „Existenz" bestimmten Daseins, zu dem es gehört, „daß es in seinem Sein zu diesem Sein ein Seinsverhältnis hat" (12) — und von Gott ein Selbstverhältnis auszusagen läßt sich Schleiermacher verboten sein.

67. In der Terminologie Schleiermachers meint allerdings „Gott selbst" offenbar „Gott an und für sich". Vgl. dazu Brandt (266; besonders auch die dort zitierte Stelle aus dem ersten Sendschreiben an Lücke). Brandt schließt sich dieser Terminologie an, wenn er formuliert: „Lehre von Gott ist in der Glaubenslehre Schleiermachers nicht Lehre von Gott selbst, sondern Lehre von Gott in unserem menschlichen Gottesbewußtsein, d.h. von dem ‚Sein Gottes in dem Menschen'".

kung kor.`equent denken will. Schleiermacher darf aus den Konsequenzen seines dogmatischen Verfahrens nicht entlassen, sondern muß dabei behaftet werden. Was im Rahmen des Sagbaren bleibt, das muß in diesem Rahmen zu Ende gedacht werden[68].

Differenziert man das In-sein Gottes in ein Wer und ein Worin des In-seins und in dieses In-sein selbst[69], so kommt für die Dogmatik dieses Wer überhaupt nicht in Betracht. Das Selbst[70] Gottes wäre der Gott „an und für sich". Dieses Wer reicht gleichsam in das christliche Selbstbewußtsein nicht mehr herein; die Frage nach ihm ist aus einer Analyse dieses Bewußtseins nicht zu beantworten und auch gar nicht zu stellen[71]. Anders die Fragen nach dem Worin und nach dem In-sein im engeren Sinne. Das Letztere ist im Grunde in seinen Hauptzügen von uns in diesem ganzen Abschnitt (B. Der Grund der Zeit) dargestellt worden. Denn gelten für Schleiermacher die göttlichen Eigenschaften als „Handlungsweisen", so meinen sie Weisen seiner „Ursächlichkeit" („Ursächlichkeit" als die Grundart seines In-seins!), ist doch Gottes Handeln reine Ursächlichkeit. So sind sie aber gleichermaßen seine Seinsweisen, denn Gottes Sein ist lauter Handeln und reine Ursächlichkeit. Als seine Seinsweisen aber sind sie Weisen seines In-seins, weil Gottes Sein gänzlich und immer schon In-sein bedeutet. Mit dem Verhältnis der göttlichen Eigenschaften (und so der Weisen des göttlichen In-seins) zueinander aber hat sich der letzte Abschnitt beschäftigt.

Aber auch die Frage nach dem Worin des In-seins hat sich in unserer bisherigen Untersuchung bereits gemeldet, ohne daß wir

---

68. Ausdrücklich und ausführlich hat Schleiermacher z.b. die Konsequenz seiner dogmatischen Methode bezüglich der Gotteslehre in der Identifizierung von „Allmacht" und „Allwirksamkeit" Gottes bedacht. Wo Strauß das Interesse der Spekulation sieht: von Gott „wieder abwärts steigend die Fülle des göttlichen Wesens in der Gesammtheit des Endlichen vollkommen ausgelegt zu finden" (vgl. oben § 8 Anm. 47) − gerade dort denkt Schleiermacher im Sinne einer Analyse des frommen Gefühls *konsequent*.

69. Vgl. Heidegger, Sein und Zeit, 53. − „In-sein" Gottes meint für uns im folgenden immer die volle Struktur; nicht etwa nur das „In-sein" im engeren Sinne, unterschieden von seinem Wer und Worin.

70. Vgl. aaO. 113ff; 316ff.

71. Schleiermachers Ablehnung eines spekulativen Gebrauchs des Begriffes des göttlichen „Ratschlusses" muß von hierher verstanden werden (vgl. oben § 7 Anm. 1). Nicht zufällig verweist Schleiermacher in diesem Zusammenhang auf die *Welt*: „Wenn aber richtig und vollständig zum Bewußtsein gebracht wird, was in der Welt durch die Erlösung gesetzt ist: so ist eben damit auch der Inbegriff der göttlichen Ratschlüsse gegeben." (§ 90,2: II,28.35−38). Daß damit auf die beiden ersten Formen dogmatischer Sätze, bzw. die beiden ersten Abschnitte der Gnadenlehre verwiesen ist, kommt deutlicher noch als hier in der ersten Auflage zum Ausdruck (Gl[1], § 111,1).

darauf eingegangen wären[72]. Als das letzte Worumwillen der göttlichen Liebe als des In-seins Gottes stellt sich für Schleiermacher ja die Erlösung bzw. das Reich Gottes dar. Mit diesem Worumwillen konvergiert letzten Endes das Worin des In-seins: denn in der „Vereinigung des göttlichen Wesens mit der menschlichen Natur", d.h. der Anwesenheit Gottes im menschlichen Selbstbewußtsein[73], kommt beides überein. Um willen der Erlösung und des Reiches Gottes aber *ist* die Weltgeschichte im ganzen, der „Naturzusammenhang" als Natur und Geschichte. Er im ganzen ist in jenem Worumwillen festgemacht. Als das Gesetz der auf dieses Worumwillen zuführenden Bewegung haben wir den Begriff der „Verwirklichung" bezeichnet. Wenn nun diese Bewegung auch ein gewissermaßen ontologisches Gefälle meint, so kann nach der Bewandtnis auch der Strukturen der Welt selbst, z.B. der Zeit, in Hinsicht auf jenes letzte Worumwillen gefragt werden. Welche *Bewandtnis* hat es mit der Zeit[74]? Was ist ihre *Bestimmung* bezüglich dieses Worumwillen, bzw. letzten Worin des In-seins Gottes? Die Frage nach den einzelnen Bestimmungen der Zeit (Wodurch ist „Zeit" zu charakterisieren?) kann sich dann in der Frage nach der Bestimmung von „Zeit" (Welche Bewandtnis hat es letztlich mit der Zeit? Wozu ist sie bestimmt?) aufheben: die Zeit *als* Zeit kann sichtbar werden, indem sie in ihrer Verwiesenheit auf jenes Worumwillen zutagetritt[75]. Was „Zeit" ist, wird man am besten verstehen

---

72. Vgl. zum folgenden Heidegger, Sein und Zeit, 83ff. – Unsere Verwendung dieses Interpretaments wäre von uns selber mißverstanden, wollten wir ausdrücklich die Differenzen des In-der-Welt-seins des Daseins (Heidegger) zu dem mit seiner Hilfe herausgestellten In-sein Gottes (Schleiermacher) namhaft machen. Selbstverständlich gilt Vergleichbarkeit hier nur in engen Grenzen. Aber diese Grenzen markieren sich von selbst durch den vom Interpretament gemachten *Gebrauch*. Nicht so sehr, ob die Begriffe Heideggers in seinem Sinne von uns sachgemäß verwendet werden, ist die Frage, sondern ob ihr Gebrauch in unserem Zusammenhang etwas zum Verständnis des Denkens Schleiermachers zu leisten vermag.

73. Nur darauf hingewiesen sei, daß Schleiermacher diese Anwesenheit an mehreren Stellen (zumal auch in der ersten Auflage, vgl. etwa Gl[1], § 116,3; § 142,2) als „Einwohnung" bezeichnet, Heidegger aber gerade das In-sein u.a. als durch „wohnen bei..." (Sein und Zeit, 54) gekennzeichnet sieht.

74. Unmöglich werden wir dabei dem Ausruf widersprechen können: „Ja, die Zeit ist ein rätselhaftes Ding, es hat eine schwer klarzustellende Bewandtnis mit ihr!" (Thomas Mann, Der Zauberberg. Roman, Berlin 1954, 169, Kap. Aufsteigende Angst).

75. Für Heidegger ist die „Bewandtnis" freilich ein Seinscharakter des „Zuhandenen". Durch ein Wozu, das letztlich auf das Worumwillen des Daseins selbst zurückführt, konstituiert es sich (vgl. Sein und Zeit, 83ff) und in die Ausdrücklichkeit des „Etwas als Etwas" wird es durch die „Auslegung" gehoben (148ff). Letztlich gründet die Als-Struktur für Heidegger ontologisch in der *Zeitlichkeit* des Verstehens (vgl. 359f).

können, wenn man sagt: sie ist *bestimmt zu...*[76]. Auf diese Weise
hat sich unsere generelle methodische Anweisung bestimmt: zu erheben, wie Schleiermacher „Zeit" als sie selbst zu erkennen gibt.

4. Ewigkeit und Zeit

Daß im Beieinander mit der *Ewigkeit* „Zeit" als solche zutage treten könnte, war eingangs unsere Vermutung. Aus ihr ergibt sich
die Notwendigkeit, den Überlegungen Schleiermachers *von Grund
auf* nachzugehen, zunächst also seinen Begriff von „Ewigkeit" so
weit sichtbar zu machen, daß für sein Zeit-Verständnis ein deutli-
ches Gegenüber entsteht. Die vorangehenden Erörterungen scheinen dies in folgender Weise geleistet zu haben: Haben wir mit der
zuletzt behandelten Verhältnisbestimmung von Gott und Welt
Schleiermacher richtig verstanden, so kann an der strikten Korres-
pondenz von „Zeit" und „Ewigkeit" kein Zweifel sein. Dem Verständnis von „Zeit" wäre der Grund entzogen, wollte man versuchen, „Zeit" ohne „Ewigkeit" zu verstehen. Will man Schleiermacher gerecht werden, so kann das Thema „Zeit" nicht isoliert
behandelt werden: ein Zusammenhang ist zu wahren. Zeit und
Ewigkeit *gehören zueinander.* „Alles was Zeit und Ewigkeit sind,
sind sie *beziehungsweise* zueinander", so können wir darum in
Hinblick auf unser Problem unseren Satz präzisieren, nach dem
Gott und Welt in gegenseitiger Beziehung sind, was sie sind[77].

In bezug auf die beiden für Schleiermacher fundamentalen
Bestimmungen des göttlichen Seins: in bezug auf (1) seine Ursächlichkeit und (2) seine Liebe bedarf dieses „beziehungsweise"
der Entfaltung.

(1) Gott und Welt verhalten sich für Schleiermacher wie Ursache
und Wirkung. Wie im Bereich des endlichen Seins das Verursachen-

---

76. In unserer Darstellung sind demgemäß Sätze der Struktur „Zeit ist x" durch solche der Form „Zeit ist zu x bestimmt" zu ersetzen.

77. C.H. Ratschow hat in einem lehrreichen Aufsatz (Anmerkungen zur theologischen Auffassung des Zeitproblems, ZThK 51, 1954, 360—387) drei Aspekte des Problems der Zeit erörtert: daß die Bibel anders als die moderne Zeit-Ewigkeits-Dialektik
(1) Zeitlichkeit und Vergänglichkeit im Horizont des *Schuld*problems verstehe, (2) von
einer uns nicht ohne weiteres zugänglichen „Offenheit des zeitlich Vergangenen im Sinne der Heilstat" (382) ausgehe und (3) „Zeit" wesentlich als „Zeit *für...*" kenne. — Von
diesen Überlegungen aus gesehen scheint Schleiermacher zunächst, befangen in der Zeit-
Ewigkeits-Dialektik, von den biblischen Einsichten weit entfernt. Wie sich das Zeitverständnis Schleiermachers im Einzelnen den von Ratschow dargestellten Alternativen gegenüber verhält, werden wir im folgenden zu sehen haben.

de bezüglich des Verursachten als relativ zeitlos gesetzt wird[78], so Gott als die schlechthinnige Ursächlichkeit als schlechthin zeitlos. „Ewigkeit" kann so als eine zeitlose *Wirkungsweise* (unmißverständlicher: Wirkensweise) Gottes bezeichnet werden. Demgegenüber gehört die Zeit ganz und gar zur verursachten Welt: sie ist eine *Weise des von Gott Bewirkten*. „Die Zeitlichkeit ist die Kategorie der Werke Gottes", hat man mit Recht formuliert[79]. Die Weltgeschichte ist die Geschichte des göttlichen Werkes.

Schärfer fassen können wir diesen Sachverhalt durch eine Rückerinnerung an unsere einleitenden Überlegungen zum § 52. Daß „Ewigkeit" die „*mit allem Zeitlichen* auch die Zeit selbst bedingende schlechthin zeitlose Ursächlichkeit Gottes" sei, sagt der Leitsatz dieses Paragraphen[80]. Nach dieser Formulierung ist die Zeit, nimmt man das „mit" im prägnanten Sinne, *mit*gesetzt, mit allem Zeitlichen (also der Welt im ganzen) von Gott mitverursacht[81].

Wir verstehen „Ewigkeit" so als *Zeitigung* der Welt, d.h. als Verursachung der Welt im ganzen, sofern sie zeitlich ist.

Noch einmal anders, als das in der Formulierung, „Zeit" sei eine Weise des von Gott Bewirkten, zum Ausdruck kommt, kann diesem Mitbedingtsein der Zeit zu entsprechen versucht werden, indem „Zeit" als die *Gestalt* des von Gott Verursachten, gleichsam sein „Außen"[82], und dieses als ihr *Gehalt*[83], gleichsam ihr „Innen", bezeichnet wird. Insofern die göttliche Ursächlichkeit *in* der endlichen Ursächlichkeit wirksam ist, muß als der Bereich der Zeit gelten: das endliche Gefüge von Ursache und Wirkung. Was die Zeit gestaltet, ist das von Gott Bewirkte, aber eben so: das Gefüge der Wirksamkeit endlicher Kräfte[84]. So spricht Schlei-

---

78. Vgl. § 52,2: I,271.2ff.

79. Brandt, 262.

80. I,267.21—23.

81. Daß die Zeit mitgeschaffen sei, ist auch die Anschauung Barths (vgl. KD III/2, 525: „ ‚Geschaffene' Zeit? ‚*Mit*geschaffen' wäre genauer geredet: ist die Zeit doch kein Etwas, kein Geschöpf neben anderen Geschöpfen, sondern eine der ganzen von Gott verschiedenen Wirklichkeit mitgegebene und als solche reale Form ihres Daseins und Soseins." Hervorhebung im Original. — Vgl. 635).

82. Vgl. § 51,2: I,267.9ff.

83. Zum Stichwort „Gehalt einer bestimmten Zeit" vgl. § 54,4: I, 287.12; „Gehalt der Zeiterfüllung" § 110,1: II,184.6f.

84. In seinem auch für unser Problem aufschlußreichen Buch (Geschichtlichkeit und Personsein Jesu Christi. Studien zur christologischen Problematik der historischen Jesusfrage, Forschungen zur systematischen und ökumenischen Theologie 18, Göttingen 1967) formuliert R. Slenczka in diesem Sinne: „Sie [sc. die Geschichtlichkeit] ist die Weise des Seins, der Erscheinung und der Tätigkeit Gottes in der Zeit." (222).

ermacher von einer „Zeiterfüllung"[85], „in welcher das Geschichtliche, die Wirksamkeit des menschlichen Geistes, von dem Natürlichen, der Wirksamkeit der physischen Kräfte, nicht getrennt werden kann", oder von der Allmählichkeit, wir können sagen: dem
zeitlichen Nacheinander, als der „Natur*form*, welche die göttliche
Tätigkeit notwendig in der geschichtlichen Erscheinung annimmt,
... die unausweichliche Bedingung aller zeitlichen Wirksamkeit
des fleischgewordenen Wortes"[86].

(2) Ist die Welt aber die im Sinne von „Gestalt" zu verstehende
Weise des von Gott Bewirkten und richtet dieses sich aus gemäß
der Verwirklichung des von Gott in seiner Liebe Gewollten, so
darf „Zeit" auch als Gestalt oder Weise der weltlichen Verwirklichung des von Gott Gewollten gelten. Ist aber Gottes Liebe In-
sein und sind seine Eigenschaften Weisen seines In-seins, so muß,
wie Gott als die schlechthinnige Ursächlichkeit *in* der von ihm verursachten Welt, bzw. in deren Gefüge von Ursache und Wirkung,
präsent ist, so auch für die Zeit und ihren göttlichen Zusammenhang gelten: *In* der Zeit, von ihr unterschieden, wie sich Gott von
der Welt unterscheidet, aber doch ihr nicht gegenübergestellt — *in*
der Zeit muß die göttliche Ewigkeit verursachend als deren inneres
Wesen anwesend sein. Gottes Ewigkeit aber, gedacht von seiner
Liebe her, heißt: das Bleiben der Liebe[87]. Die ewige Liebe, gedacht
als In-sein-Gottes, heißt so: die *ständige Anwesenheit Gottes in*[88]
— der Welt; letztlich aber *im* menschlichen Selbstbewußtsein: als
dem Selbstbewußtsein Christi[89] und als dem christlich frommen

85. § 59Z: I,317.9−11. − An anderer Stelle heißt es − dort nun in bezug auf die
göttliche Ursächlichkeit −, die ganze Mannigfaltigkeit der Welt sei „als die reichste
Raum- und Zeit*erfüllung* der Gegenstand des göttlichen Wohlgefallens" (§ 120,3: II,
244.34−36).
86. § 118,1: II,225.1−4.
87. Vgl. oben § 6,3. − Als bleibendes In-sein ist die göttliche Ursächlichkeit *immanente* causa; „Präsenz" des Verursachenden im Verursachten (vgl. oben § 3,1) bedeutet: Immanenz. Vgl. als Analogie erneut (vgl. oben § 3 Anm. 12) den Satz Schleiermachers: „Denn eine werkzeugliche Ursache gehört gar nicht als ein wesentlicher Bestandteil in den Verlauf der ganzen Tätigkeitsreihe, wobei sie gebraucht wird, sondern wenn
sie das Ihrige getan, wird sie beiseite gelegt, der Glaube aber muß immer *bleiben.*"
(§ 109,4: II,182.13−16). − „Deus est omnium rerum causa immanens..." heißt es bei
Spinoza (Ethik, Pars I, prop. XVIII).
88. Vgl. Heidegger (Was heißt denken?, Tübingen 1961², 41f): „Weil Sein für alle
Metaphysik seit dem Anfang des abendländischen Denkens besagt: Anwesenheit, muß
das Sein, wenn es in höchster Instanz gedacht werden soll, als das reine Anwesen gedacht werden, d.h. als die anwesende Anwesenheit, als die bleibende Gegenwart, als das
ständige stehende ‚jetzt'. Das mittelalterliche Denken sagt: nunc stans. Das aber ist die
Auslegung des Wesens der Ewigkeit."
89. Vgl. z.B. § 160,2: II,423.14−16: „Denn ist in Christo das göttliche Wesen mit

Selbstbewußtsein der Glaubenden[90].

„Zeit" *als sie selbst* ist also zu bestimmen: im Hinblick auf das
für die Glaubenslehre konstitutive Schema von Ursache und Wirkung und so in ihrem Beisammen mit dem *Zeitlichen und* im Hinblick auf die für die Glaubenslehre charakteristische Anschauung
der Liebe Gottes als bleibendes In-sein und so in ihrem Beisammen
mit *Gott*.

---

der menschlichen Natur *bleibend* vereinigt: so..." (vgl. § 158L: II,410.29–31).
    90. Vgl. etwa § 108,1: II,155.21–34 („der Glaube": „ein *beständig* fortdauernder
Gemütszustand" bzw. das „beharrliche Bewußtsein des Besitzstandes" bzw. „der bleibende Grundzustand des neuen Lebens"; und die „*Stetigkeit* des göttlichen Wirkens
in dem ganzen Verlauf der neuen Schöpfung").

Eine Ordnung der Zeit — das müßte nach allem Vorangegangenen sein: eine Ordnung, daran orientiert, wie die *Ewigkeit in* der Zeit ist. In der Zeit aber kann die Ewigkeit nur sein gemäß einer Ordnung des In-seins Gottes überhaupt. Sie gilt es im folgenden zu ermitteln. Dabei gehen wir von einigen Bemerkungen zur Trinitätslehre Schleiermachers aus.

§ 9 Das Problem einer Ordnung des In-seins Gottes

So deutlich die Trinitätslehre[1] für Schleiermacher Gegenstand einer Aporie ist, so konsequent stimmen doch die über die historischen Erörterungen hinausgehenden dogmatischen Aussagen im Rahmen dieser Paragraphen zu allem, was uns bisher in Schleiermachers Überlegungen begegnet ist. Danach kann allenfalls eine ökonomische, keinesfalls eine immanente Trinität für die Glaubenslehre sinnvoll sein. Doch wie kommen sie überein: eine ökonomische Trinitätslehre und eine Ordnung des In-seins Gottes?

1. Die drei Stufen des In-seins Gottes.
   Die Aporien der Trinitätslehre

Für Schleiermacher besteht das ursprüngliche Interesse der Trinitätslehre „in der Verfechtung dessen, daß nicht etwas Geringeres als das göttliche Wesen in Christo war und der christlichen Kirche als ihr Gemeingeist einwohnt"[2]. Im Verfolg dieses Interesses in der Geschichte der Dogmenbildung kommt es zu der traditionellen kirchlichen Trinitätslehre, die freilich — „von einer ewigen Sonderung im höchsten Wesen" ausgehend und so zu jener „Zweiheit, nämlich Einheit des Wesens und Dreiheit der Personen" gelan-

---

1. §§ 170—172: II,458.1ff. — Brandt hat diesem Abschnitt der Glaubenslehre eine eingehende Untersuchung gewidmet (226ff).
2. § 170,1: II,459.4—7; vgl. § 172,1: II,469.27—30.

gend[3] — von Anbeginn mit zwei anscheinend unlösbaren Aporien belastet ist. Wie sollen einerseits diese drei Personen als dem göttlichen Wesen gleich und wie sollen sie andererseits als einander gleich gedacht werden[4]? Ganz abgesehen davon, daß schon die Voraussetzung, jene „in dem höchsten Wesen selbst gesetzte Sonderung", als Aussage über ein frommes Selbstbewußtsein nicht gelten kann[5] und darum als unsachgemäße Spekulation zurückzuweisen ist. Hat aber die Entwicklung dieser Lehre von Anfang an diese verhängnisvolle Wendung genommen, „so muß ihr noch eine auf ihre ersten Anfänge zurückgehende Umgestaltung bevorstehn", zumal ihr durch die Reformatoren keine Neubearbeitung zuteil wurde[6]. Um dieser Umbildung zumindest „vorzuarbeiten und sie einzuleiten"[7], gibt Schleiermacher einige Hinweise, wie das berechtigte ursprüngliche Interesse dieser Lehre zum Zuge gebracht werden könnte, ohne in die genannten unauflöslichen Schwierigkeiten zu verwickeln.

Die ursprüngliche Tendenz der Trinitätslehre (das Sein Gottes in Christus und im Gemeingeist der Kirche uneingeschränkt zu behaupten) läßt nach zwei Verhältnisbestimmungen fragen: dieses Sein Gottes in ... erstens zu bestimmen in seinem Verhältnis zum Sein Gottes an und für sich, zweitens zum Sein Gottes in bezug auf die Welt überhaupt[8]. *Jene* Relation auszumachen führt in eine Aporie, weil die dogmatische Methode prinzipiell nicht zwischen dem Sein Gottes an sich und dem Sein Gottes in der Welt zu unterscheiden vermag[9]; *dieses* Verhältnis zu verdeutlichen stellt die kaum zu lösende Aufgabe, „das eigentümliche Sein Gottes in Christo als einem Einzelwesen und in der christlichen Kirche als einem geschichtlichen Ganzen zu unterscheiden von der allmächtigen Gegenwart Gottes in der Welt überhaupt, deren Teile doch jene sind"[10]. Allenfalls die „sabellianische Vorstellungsweise"[11] nun vermag

---

3. Vgl. § 170,2: II,460.6−8.
4. § 171L: II,462.28ff.
5. Vgl. § 170,2: II,460.2ff.
6. Vgl. § 172L: II,469.5ff.
7. § 172,2: II,471.20.
8. Vgl. § 172,1: II,469.27−34.
9. Ebd. 470.1−6. Charakteristisch wiederum ist die Begründung: „Denn da wir es nur mit dem in unserm Selbstbewußtsein uns mit dem Weltbewußtsein gegebenen Gottesbewußtsein zu tun haben: so haben wir keine Formel für das Sein Gottes an sich unterschieden von dem Sein Gottes in der Welt, sondern müßten eine solche aus dem spekulativen Gebiet erborgen, mithin der Natur unserer Disziplin untreu werden."
10. Ebd. 470.10−14.
11. § 172,3: II,472.21f. − Da die Glaubenslehre selbst zu diesem Problem nur außerordentlich knappe Andeutungen enthält, empfiehlt es sich, als Kommentar Schleier-

für Schleiermacher diesen Aporien zu begegnen.

Unbedingt festzuhalten ist auch hier an der Strenge des Gottesbegriffs, also an der Auffassung der schlechthinnigen Einfachheit
und Ungeschiedenheit Gottes, denn allein so kann sich das theologische Denken im Rahmen des dogmatischen Verfahrens halten.
Darum hat für Schleiermacher jede folgende Trinitätslehre – will
sie ihrer dogmatischen Legitimität nicht verlustig gehen, indem sie
Aussagen macht, „die unmittelbar nichts über unser christliches
Selbstbewußtsein" sagen[12] – nichts wissen zu wollen von ewigen
Differenzen im höchsten Wesen[13]. Trinitarisch zu reden ist nur mit
Bezug auf die *Welt* – wie es, nach der trinitätstheologischen Abhandlung Schleiermachers, der Auffassung des Sabellius entspricht: „Dem Sabellius nämlich und allen ihm hierin verwandten
war es wesentlich zu behaupten, die Dreiheit sei nichts der Gottheit an und für sich betrachtet wesentliches, sondern sie sei nur
um der Geschöpfe willen und in Beziehung auf sie."[14] Jede „immanente" Trinität ist so abzuweisen.

Der Anschauung des Sabellius folgend setzt sich Schleiermacher
in einen Gegensatz zur kirchlich gewordenen Lehrweise. Wieder in
der Formulierung der Abhandlung: „... Sabellius behauptet, die
Dreiheit sei nur etwas in Bezug auf verschiedene Wirkungsarten
und Wirkungskreise der Gottheit, indem sie als weltregierund in
ihrer allgemeinen Wirkung auf alles endliche Sein Vater sei, als er-
lösend aber in ihrer besonderen Wirkung in der Person Christi und
durch sie sei sie Sohn, als heiligend aber in ihrer gleichfalls besonderen Wirkung in der Gesammtheit der Gläubigen und als Einheit
derselben sei sie Geist. Wogegen nun die kirchlich gewordene

machers Aufsatz „Ueber den Gegensaz zwischen der sabellianischen und der athana-
sianischen Vorstellung von der Trinität" (WW I/2, 485–574; M. Tetz hat diesen Text
in den Texten zur Kirchen- und Theologiegeschichte 11, Gütersloh 1969, 37–94, neu
herausgegeben und ihm die trinitätstheologischen Passagen der ersten und der zweiten
Auflage der Glaubenslehre an die Seite gestellt) heranzuziehen, zumal gleich der erste
Satz dieser Arbeit den Bezug hervorhebt: „Diese Blätter ... stehen in Verbindung mit
demjenigen was am Schluß meiner eben erschienenen Glaubenslehre über diesen Gegenstand gesagt ist." (487). – Bei der Heranziehung des trinitätstheologischen Aufsatzes
Schleiermachers dürfen freilich die Differenzen zur Glaubenslehre nicht übersehen werden: wie es scheint redet der Aufsatz sehr viel stärker „spekulativ" (so auch von einem
Sein Gottes „an sich"), als dies der Glaubenslehre erlaubt sein kann. – Das Problem, wie
sich gegenüber der Deutung Schleiermachers der heutigen Forschung die Anschauungen
des Sabellius darstellen, können wir hier unerörtert lassen. Weiterführende Bemerkungen
dazu finden sich im Vorwort der von Tetz besorgten Ausgabe, 5ff.

   12. § 172,3: II,472.2f.

   13. In unserer sich an Heidegger anlehnenden Terminologie: ewige Differenzen im
höchsten Wesen hätten das *Wer* des In-seins Gottes zum Thema.

   14. WW I/2, 546.

Lehrweise behauptet, die Dreiheit sei etwas in der Gottheit rein innerlich und ursprünglich gesondertes, auch abgesehen von diesen verschiedenen Wirkungen, und die Gottheit würde Vater Sohn und Geist gewesen sein an sich selbst auf ewige Weise, wenn sie auch nie geschaffen, nie sich mit einem einzelnen Menschen geeiniget und nie in der Gemeinschaft der Gläubigen gewohnt hätte."[15] In dreifacher Weise, nun explizit nicht nur nach jenem Aufsatz, sondern auch nach der Glaubenslehre selbst, gilt mithin ein „Sein Gottes in...": ein *Sein Gottes in der Welt allgemein*, ein *Sein Gottes in Christus* und ein *Sein Gottes im Gemeingeist der Kirche*[16].

Daß auch in der Trinitätslehre für Schleiermacher die Frage nach dem Wer des In-seins Gottes nicht gelöst werden kann, versteht sich aus der Konsequenz seines dogmatischen Verfahrens von selbst. Nur wenn in diesem letzten Abschnitt der Glaubenslehre der Schritt aus dem Raum des christlichen Selbstbewußtseins hinüber zur Spekulation getan würde, könnte die Frage des Wer durch die Lehre einer immanenten Trinität beantwortet werden. Doch bedarf der Zusammenhang unserer Untersuchung auch gar keiner Lösung dieser Frage. Denn was die Trinitätslehre Schleiermachers immerhin betont, ist jenes dreifache Sein Gottes in ... – wir sprechen von den drei *Stufen* seines In-seins[17]. Das Worin des In-seins Gottes wird hier also noch einmal differenziert. Die Folge des Seins Gottes in der Schöpfung, in Christus und in der Kirche

---

15. WW I/2, 564.

16. Vgl. etwa § 105Z: II,145.16f.22.25f. – Vgl. Brandt, 260: „... die Annahme eines vom Sein Gottes in der Schöpfung und dem Sein Gottes in Christus noch einmal verschiedenen Seins Gottes in der Gestalt ihres [sc. der Kirche] Gemeingeistes." Vgl. auch den Artikel „Trinität III. Dogmengeschichtlich" von F.H. Kettler in RGG[3], Bd. VI, 1025–1032, dort 1032 („Einwohnung Gottes in Jesus, in der Kirche als deren ‚Gemeingeist' und allmächtige Gegenwart Gottes in der Welt überhaupt"). – Als besonders problematisch muß dabei das erste πρόσωπον erscheinen, das des „Vaters". In der Glaubenslehre ist die Möglichkeit zumindest angedeutet, „den Ausdruck Vater" statt „auf die eine der Geschiedenheiten in dem göttlichen Wesen" „vielmehr auf die Einheit des göttlichen Wesens selbst zu beziehen" (§ 172,3: II,473.12–14; vgl. Brandt, 257), also nicht eines der πρόσωπα, sondern die μόνας selbst als „Vater" zu bezeichnen. Rechnung getragen würde mit diesem Gedanken zumindest der Intention nach dem von Schleiermacher selbst notierten Problem, daß das Sein Gottes in Christus und im Gemeingeist ja nur Teil des allmächtigen Seins Gottes in der Welt im allgemeinen sein kann – doch hat Schleiermacher sich in dieser Richtung nicht ausführlicher geäußert. – Nicht in der Glaubenslehre, sondern in der erwähnten Abhandlung nehmen hingegen breiteren Raum Erörterungen ein, denen zufolge mit dem „Vater" als dem ersten πρόσωπον das „Sein Gottes in der Schöpfung" gegeben ist. „... indem die Eine und selbige Gottheit sich mit der Welt einigt, wird sie Vater, das erste πρόσωπον ..." (WW I/2, 554).

17. Vgl. etwa § 88,4: II,23.9f („Hervortreten einer neuen Entwicklungsstufe").

bildet die Ordnung des In-seins Gottes; sie zeichnet die Ordnung
vor, wie Ewigkeit in der Zeit ist — und also die Ordnung der Zeit
selbst.

Nach Maßgabe einer anderen Unterscheidung steht jedoch bei
Schleiermacher nun neben dieser dreistufigen Ordnung eine zweite: die der beiden „Weltzeiten".

2.   Die beiden Weltzeiten. Ein Hinweis aus der Christologie

Ausdrücklich thematisch wird das In-sein Gottes für Schleiermacher schon im Zusammenhang seiner Christologie. Der Satz eines
„Seins Gottes im Erlöser" läßt die Frage nach einem „Sein Gottes
in..." überhaupt entstehen, und hier heißt es nun: „Der Ausdruck
‚Sein Gottes in irgend einem andern‘ kann immer nur das Verhältnis der Allgegenwart Gottes zu diesem andern ausdrücken. Da nun
Gottes Sein nur als reine Tätigkeit aufgefaßt werden kann, und jedes vereinzelte Sein nur ein Ineinander von Tätigkeit und Leiden
ist, die Tätigkeit aber zu diesem Leiden sich in allem andern vereinzelten Sein findet: so gibt es insofern kein Sein Gottes in einem
einzelnen Ding, sondern nur ein Sein Gottes in der Welt."[18]
    In der Totalität der endlichen Tätigkeit der Welt kommt Gottes
Tätigkeit (und Gottes Sein ist reine Tätigkeit) zur Erscheinung[19],
bzw. bildet sich dort ab. Soll nun von einem einzelnen Endlichen
ein Sein Gottes in ihm gelten, so muß es die Welt als Abbild Gottes — repräsentieren und so Gott selbst abbilden. Und zwar dies,
indem es sich als reine Tätigkeit geltend macht. Nur das Gottesbewußtsein kommt deshalb für ein Sein Gottes in einem endlichen
Einzelnen in Frage, denn Bewußtloses und Unvernünftiges vermögen naturgemäß nicht, die Welt im ganzen zu repräsentieren, und
das objektive Bewußtsein kann nicht Gegenstand der Glaubenslehre sein. Das Gottesbewußtsein freilich wird vom „sinnlichen
Selbstbewußtsein" immer wieder „überwältigt", d.h. in seiner Tätigkeit gehemmt, so daß es sich als reine Tätigkeit nicht geltend zu
machen, Gott also auch nicht abzubilden vermag[20]. Erst in Christus tritt ein grundlegender Wandel ein, insofern in ihm das Gottesbewußtsein als ungehinderte Tätigkeit zum Zuge kommt[21], in ihm

18. § 94,2: II,45.16—23.
19. Vgl. das eben angeführte Zitat und seine Fortsetzung ebd. 45.23ff; der folgende
Gedankengang in demselben Absatz.
20. Vgl. ebd. 45.38ff, besonders 46.9—12.
21. Vgl. dazu etwa auch § 108,6: II,170.13—15.

sich mithin auch die geforderte Repräsentation vollzieht: „So daß er der einzige ursprüngliche Ort dafür [sc. für ein Sein Gottes in der menschlichen Natur als ein Sein in einem endlichen Einzelnen] ist, und allein der andere, in welchem es ein eigentliches Sein Gottes gibt, sofern wir nämlich das Gottesbewußtsein in seinem Selbstbewußtsein als stetig und ausschließlich jeden Moment bestimmend, folglich auch diese vollkommne Einwohnung des höchsten Wesens als sein eigentümliches Wesen und sein innerstes Selbst setzen. Ja wir werden nun rückwärtsgehend sagen müssen", so schließt Schleiermacher den Gedankengang ab, „wenn erst durch ihn das menschliche Gottesbewußtsein ein Sein Gottes in der menschlichen Natur *wird*, und erst durch die vernünftige Natur die Gesamtheit der endlichen Kräfte ein Sein Gottes in der Welt *werden* kann, daß er allein alles Sein Gottes in der Welt und alle Offenbarung Gottes durch die Welt in Wahrheit vermittelt, insofern er die ganze neue, eine Kräftigkeit des Gottesbewußtseins enthaltende und entwickelnde, Schöpfung in sich trägt."[22]

So muß von zwei „Weltzeiten" gesprochen werden, von zwei „Schöpfungsmomenten"[23], die durch das Erscheinen Christi unterschieden werden: das „Reich der allwissenden Allmacht oder des Vaters" und das „Reich der Gnade oder des Sohnes"[24]. Beide Momente gehen auf den „*einen* ungeteilten ewigen göttlichen Ratschluß zurück, und bilden auch im höhern Sinne nur *einen* und denselben wenn auch uns unerreichbaren Naturzusammenhang"[25]. In der Weltgeschichte jedoch treten sie so auseinander, daß der erste vom Bezug zum zweiten (bzw. von dessen Beziehung zu ihm) erst seinen Sinn erhält[26]. Wie im göttlichen Ratschluß alles auf die Erlösung des Menschen und das Reich Gottes zielt und von dorther erst alles sinnvoll wird, so ist „der erste Schöpfungsmoment *von* Gott nur *mit Beziehung auf* den zweiten geordnet"[27].

22. 46.18–31. – In der Schleiermacher-Literatur finden diese Sätze, soweit wir sehen, kaum gebührende Beachtung (vgl. immerhin G. Gloege, Art. „Welt, dogmatisch", RGG³ Bd. VI, 1595–1603, dort 1599; und Barth, Schleiermacher, 175). – Man kann sich fragen, ob nicht der Vorwurf Barths (KD II/1, 569f) bei Schleiermacher sei die Heilsgeschichte *ausschließlich* Fortsetzung und Krönung der Schöpfungsgeschichte, von hierher noch einmal bedacht werden müßte. Dies zumal gerade jenes Stichwort „rückwärts" bei Barth (570) *wie* bei Schleiermacher vorkommt (ebd. 46.24 „rückwärtsgehend").
23. Vgl. § 89,3: II,26.35.39 und § 89,2: II,25.14ff.
24. Vgl. § 119,1: II,233.10–12; vgl. auch § 105,2: II,140.34f.
25. § 94,3: II,48.16–19 (Hervorhebung im Original).
26. Brandt (191) bezeichnet treffend das Reich der Gnade als den „*inneren Sinn* des Reiches der Allmacht Gottes".
27. § 89,3: II,26.35f.

Durch Christus mithin als durch den vollendeten Repräsentan-
ten der neuen Schöpfung – und das heißt: der Welt im ganzen, der
Weltgeschichte in Gestalt der alten *und* der neuen Schöpfung
(denn jene ist nichts ohne diese) – durch ihn erst *wird* „das
menschliche Gottesbewußtsein ein Sein Gottes in der Welt", er
erst vermittelt in Wahrheit „alles Sein Gottes in der Welt und alle
Offenbarung Gottes durch die Welt". *Daß* ein Sein Gottes in der
Welt ist, wird erst durch ihn *offenbar.* Die Welt *ist* die schlechthinnige Offenbarung Gottes, indem sie es durch Christus *wird,*
durch ihn kommt heraus, was die Welt in Wahrheit ist. Die drei
Stufen des In-seins Gottes differenzieren sich nach Maßgabe des
In-*seins,* die zwei Weltzeiten nach Maßgabe seiner *Offenbarung.*

3. Folgerungen

Haben die beiden vorigen Abschnitte Formulierungen Scheierma-
chers. mehr nur vorgestellt, so werden die wichtigsten Folgerungen daraus erst im Laufe der Erörterungen des nächsten großen
Abschnitts zu ziehen sein. Jetzt gilt es nur, in Hinblick auf unsere
Frage nach einer Ordnung des In-seins Gottes jene Ordnung, in der
die Ewigkeit in der Zeit ist, und so die Ordnung der Zeit selbst zu
klären.

Unserer Untersuchung hat sich das Sein Gottes als wirksame
Kraft, als Sein in Relation zur Welt und schließlich als Sein in ..
gezeigt. Dieses In-sein Gottes muß hinsichtlich seines Worin in drei
Stufen differenziert werden: in die Gegenwart Gottes in der Welt
allgemein (1) und in die „Vereinigung des göttlichen Wesens mit
der menschlichen Natur": das Sein Gottes in Christus (2) und in
der Kirche (3). Auf eine andere Weise kann das In-sein Gottes hinsichtlich seines Worin differenziert werden, indem man die zwei
„Weltzeiten", die alte und die neue Schöpfung, einander gegenüberstellt. Will man beide Ordnungen zusammenfügen, so gehört
jene erste Stufe in die erste, die beiden anderen Stufen in die zweite Weltzeit. Eine Ordnung der Zeit wird dem Rhythmus dieser beiden Weltzeiten bzw. der Abfolge jener drei Stufen zu folgen, mithin nach der Ewigkeit Gottes im ersten und im zweiten Schöpfungsmoment bzw. in der Zeit der Welt überhaupt, in der Zeit Jesu
Christi und in der Zeit der Kirche, zu fragen haben. Je auf ihre
Weise wird die Ewigkeit „in" der jeweils zugehörigen Zeit sein.

In der Abfolge dieser Ordnung wird jetzt beides zur Geltung
kommen: Der Rhythmus der Weltzeiten bzw. der Stufen des In-
seins Gottes (genauer: des In-seins seiner Ewigkeit) wird da-

Thema „die Zeit in ihrem Beisammen mit *Gott*" konkret entfalten; und die Tatsache, daß in dreifacher bzw. doppelter Hinsicht die Zeit auf ein Zeitliches bezogen ist, wird im Sinne des Themas „die Zeit in ihrem Beisammen mit dem *Zeitlichen*" bedeutsam werden.

Konvergieren wird diese Gliederung auch mit jenem Gefälle, in dem sich für Schleiermacher der Sinn der einzelnen theologischen Topoi überhaupt erst einstellt: der Richtungssinn der Glaubenslehre überhaupt, demgemäß erst der Bezug auf die Erlösung bzw. das Reich Gottes den Sinn alles anderen aufzuhellen vermag. Erlösung und Reich Gottes sollen sich ja letztlich verwirklichen; auf sie als auf den terminus ad quem läuft die Bewegung unserer Darstellung zu, weil auf sie als auf das letzte Worumwillen die Welt im ganzen bezogen ist[28]. Diese theologische Erkenntnisordnung (innerhalb der ratio cognoscendi des christlichen Selbstbewußtseins generell) haben wir als das hermeneutische Grundprinzip Schleiermachers kennengelernt[29].

Folgt man dem Rhythmus dieser übereinkommenden Ordnungen, so darf erwartet werden, daß in ihm die *Bestimmung* der Zeit sichtbar wird — und in eins damit: daß sich die einzelnen Bestimmungen von „Zeit" in dem ihr selbst gemäßen Zusammenhang einstellen.

---

28. Vgl. noch einmal jene Formulierung Schleiermachers, nach der ohne die in der Erlösung erfahrene Liebe Gottes unklar bleibt, „*als was* eigentlich das Endliche durch Gott ist und er es will und setzt" (§ 167,2: II,450.10f).
29. Vgl. oben § 8,3.

Anders als im Abschnitt B (Der Grund der Zeit), in dem die von
Schleiermacher geforderte gedankliche Integration unmittelbar
versucht, nämlich „Ewigkeit" von vornherein von den Eigenschaften des letzten Teils der Glaubenslehre her zu denken unternommen wurde, lassen wir uns nun von der gleichsam natürlichen Folge der beiden Weltzeiten bzw. der drei Stufen des In-seins Gottes
leiten, um zunächst die (noch unausgefüllten) Bestimmungen von
„Zeit" zu gewinnen, die in bezug auf die (mit der ersten Stufe zu-
sammenfallende) erste Weltzeit für Schleiermacher Gültigkeit haben (Teil I: Die Weise der Welt). Ihre Darstellung steht mithin unter dem Vorbehalt, erst vom folgenden Abschnitt her ins rechte
Licht gesetzt, d.h. in seinem theologischen Sinn aufgehellt zu werden, können diese Bestimmungen erst dort nämlich von ihrer Ab-
straktheit befreit und − hineingedacht in jene Bestimmungen von
„Zeit", die sich aus dem Zusammenhang mit der Erlösung und
dem Reich Gottes ergeben − in ihrer wahren Bedeutung erkannt
werden.

I. Die Weise der Welt

Sichtbar gemacht werden soll die allgemeinste Form der Präsenz
der Ewigkeit Gottes in der Zeit, jene Form, die dem Sein Gottes
in der Welt allgemein entspricht. In diesem Sinne versuchen wir zunächst, die allgemeinsten Bestimmungen von „Zeit" zu erheben,
um die ihnen eigene Weise der Präsenz der Ewigkeit Gottes in der
Zeit zu Gesicht zu bekommen.
   In einem ersten Paragraphen soll „Äußerlichkeit" als ein Charakter der Zeit sowie die weltliche, relative Zeitlosigkeit, in einem
zweiten der Zusammenhang von „Zeit" und „Wirklichkeit" zum
Thema werden. Die so dargestellte „Weise der Welt" kann mit ihren allgemeinen Bestimmungen für den folgenden Paragraphen
gewissermaßen das Schema darstellen, wo dann von der „Weise des
Menschen" die Rede sein soll. Denn dogmatisch sinnvoll kann von
der „Welt" für Schleiermacher ja nur mit Beziehung auf den

Menschen gesprochen werden: „Daß von der Welt in einer Glaubenslehre überhaupt nicht anders die Rede sein kann, als sofern sie
sich auf den Menschen bezieht, versteht sich von selbst."[1] Gemäß
der uns in unserem weiteren Vorgehen vorgeschriebenen Richtung
aber – deren Bewegungsgesetz „Verwirklichung" heißt – muß die
Weise des Menschen im Hinblick auf sein Selbstbewußtsein bestimmt werden, ist dieses doch der Ort, an dem die Erlösung sich
verwirklichen und wirksam werden soll; und ist es doch die besondere Form dieses Selbstbewußtseins, die die Eigenart des Seins
Gottes in Jesus Christus ausmacht – das Thema des dann folgenden Abschnitts.

Zwar dürfen auch diese Aussagen unmittelbar noch nicht als be-
schreibende Sätze über unser frommes Selbstbewußtsein gelten,
sehen sie doch noch von jeder christlichen Bestimmtheit ab und
bedürfen so des späteren Zusammenhangs, aber ihre größere Nähe
zur eigentlichen Form dogmatischer Rede – sie sprechen schon
vom Selbstbewußtsein, wenngleich noch nicht von dessen christlicher Bestimmtheit –, die ausgeprägtere Besonderheit ihres Gegenstandes, das als *frommes* Selbstbewußtsein zu qualifizieren nur
noch ein Schritt scheint[2], lassen doch die Erwartung zu, daß mit
ihrer Erörterung, wenn nicht die letzte, so doch einer der ent-
scheidensten Blickrichtungen gewonnen ist, die Schleiermachers
Verständnis von „Zeit" in ihrem Zentrum sichtbar machen.

§ 10   *Die Stellung der Zeit: Äußerlichkeit*

1.   Innen und außen

Wir nehmen noch einmal die Formulierung auf, die uns in einem
früheren Zusammenhang auf die Verbindung der Ausdrücke „Zeit"
und „Äußerlichkeit" aufmerksam werden ließ: „Wenn nämlich
Zeit und Raum überall die Äußerlichkeit darstellen", so hieß es,
„und wir dabei immer ein Etwas voraussetzen, das erst in Zeit und
Raum sich verbreitend ein *Äußerliches* wird: so läßt sich auch der
Gegensatz zu Zeit und Raum bezeichnen als das schlechthin Inner-

---

1. § 75,1: I,411.8–10; vgl. auch I,307.28f.
2. Gerade das Bestimmteste ist – wie bei den göttlichen Eigenschaften – in der Weise
das hermeneutisch Umfassendste, daß ihm das Allgemeinere gedanklich zu integrieren ist.

liche."[3] Unter dem Gesichtspunkt der „Äußerlichkeit" wird hier
also ausdrücklich zusammengeordnet, was sich auch schon durch
die Parallelität von „Allmacht" und „Ewigkeit" als Nebeneinander zu erkennen gab: Zeit und Raum. Sich in sie zu „verbreiten"
bedeutet: ein Äußerliches zu werden. Dabei ist „*immer*" ein „Etwas" vorauszusetzen, das äußerlich wird, immer gehen mit Zeit
und Raum ein Zeitliches und ein Räumliches einher[4].
Zur Hauptsache ist für Schleiermacher alles Wesentliche
„innen", alles Erscheinende „außen"[5]. Die „innere Eigentümlichkeit"[6], der „innere Charakter"[7], die „innere Einheit" einer
Sache steht etwa der „äußeren Einheit" als der „Einheit des
[sc. geschichtlichen] Anfangspunktes"[8] gegenüber; die zeitlichen
Bewegungen und Veränderungen der Dinge unterscheiden sich von
den Dingen „selbst" und ihrem „inneren Sein"[9] — die „zum Grunde liegende Idee" realisiert sich unter „äußerer Form"[10], von uns
so aufgefaßt vermöge „des unserm Selbstbewußtsein unvertilgbar
mitgegebenen Unterschiedes zwischen dem innern Prinzip und
der äußeren Erscheinung", dem zeitlich und räumlich erschei-
nenden Dasein[11].

3. § 51,2: I,267.9−13. Vgl. oben § 5 bei Anm. 7.
4. Vgl. oben § 2,3: Schleiermacher denkt „Zeit" nie ohne „Zeitliches". − Vgl. auch
§ 53L: I,272.2−4: „Unter der Allgegenwart Gottes verstehen wir die *mit allem Räumli-
chen* auch den Raum selbst bedingende schlechthin raumlose Ursächlichkeit Gottes."
5. „Innerlich" ist der Geist, sind Seele und Bewußtsein; es gibt darum die „innere
Wahrheit" und die „innere Erfahrung". Doch „innen" ist auch die „Wahrheit des *Wesens*" einer Sache. Und als „äußerlich" gelten die „Gegebenheiten", gelten „Natur" und
„Außenwelt" allgemein, also das „Gebiet der *Erscheinung*". − Die Belege für diesen
Sprachgebrauch sind so zahlreich, daß wir auf ihre Nennung hier verzichten können.
6. Vgl. § 11,5: I,82.18f; vgl. in § 24,3: I,139.15 und 18 mit 21.
7. Vgl. § 11,5: I,82.22.
8. Vgl. § 24,3: I,139.21ff; vgl. auch § 24Z: I,142.1.6f; § 28,2: I,158.24.
9. Vgl. § 46,1: I,224.24−29.
10. § 127,2: II,282.10f.
11. Vgl. § 159,2: II,419.7−10; außerdem § 57,1: I,308.14−16; § 88,3: II,22.8.11;
§ 93,2: II,37.3; § 94,1: II,44.4.9; § 94,2: II,46.22f; § 98,1: II,77.5f; § 100,3: II,95.1;
§ 148,1: II,385.17f. − In äußerster Entfernung vom wesentlichen Inneren steht das
ganz und gar unwesentliche nur noch äußerliche *Zufällige* (vgl. § 48,2: I,246.19f; § 57,1:
I,308.27; § 99,1: II,83.21.23; § 103,2: II,111.29ff; 112.6−9; § 121,1: II,250.27.33;
§ 136,4: II,324.19−23), wenn man so will: das *Ungefähr*. Dort kommt die Welt in ihr
Äußerstes. Vom Ungefähr zu Gott, vom äußerlichsten, unwesentlichsten Zufälligen zum
innerlichsten, wesentlichsten Notwendigen (Gott, traditionell formuliert, als ens absolute necessarium) reicht die Spanne des Seins. Prägnant formuliert findet sich diese Span-
ne in der Lessingschen Frage.
   „Der Mensch? Wo ist er her?
   Zu schlecht für einen Gott; zu gut fürs Ungefähr".
(Die Religion, Ges. Werke, Hg. P. Rilla, Berlin 1968[2], Bd. I, 201−212; dort 202).

2. Zeitlich und (relativ) zeitlos

So stehen sich innerhalb der endlichen Welt, innerhalb des von
Gott Bewirkten und so ganz und gar Zeitlichen, noch einmal Zeitliches (als mit dem Raum zusammen Äußerliches) und (als Inner-
liches) — relativ Zeitloses gegenüber. Die in dieser Hinsicht wohl
deutlichsten Sätze Schleiermachers haben wir bereits zitiert[12].
Zeitloses, wenngleich nur relativ Zeitloses, gibt es auch im endlichen Sein[13]. Durch sich gleichbleibende Beharrlichkeit zeichnet
es sich aus[14] — gegenüber dem „Wechselnden" und „Erscheinen-
den". Doch zeitlos ist es lediglich „beziehungsweise": als einem
Innerlichen gehört ihm ein Äußerliches beziehungsweise zu, so
wie logisch jedes „innen" ein „außen", jedes „außen" ein „innen"
verlangt. Als „Zeitigung" haben wir die „Ewigkeit" verstehen
können, d.h. als Verursachung der Welt im ganzen, sofern sie zeitlich ist[15]. Als „Zeitigung" aber scheint die Ursächlichkeit für
Schleiermacher auch innerhalb der Welt wirksam zu sein, insofern
ein Verursachendes „erfüllte Zeitreihen als dasselbige hervorbringt"[16].
    Nicht nur die Korrespondenz zur Ewigkeit ist der Zeit eigen, so
können wir die „Stellung" der Zeit beschreiben, sondern innerwelt-
lich noch einmal eine Parallelität zum Raum (mit dem sie im Begriff der „Äußerlichkeit" zusammengefaßt ist) und mit diesem ein
Gegenüber zum sich selbst gleichbleibenden Wesentlichen.

§ 11 Der Vollzug der Zeit in der Welt: Wirklichkeit

Was Gott — das in seiner Liebe Gewollte verwirklichend — bewirkt, geleitet er gleichsam in die Wirklichkeit. Er läßt es sich in

---

12. Vgl. oben § 6 Anm. 42 (§ 52,2: I,271.2—13); vgl. auch § 32,1: I,172.13ff.
13. Seinen Satz „Ein solches Entweichen von Raum und Zeit, ein *raum- und zeitlo-*
ses Sein als Grund des Räumlich-Zeitlichen gibt es nämlich auch *innerhalb der Schöp-*
fung" kann Barth (KD II/1, 524; Hervorhebung im Original) gegen Schleiermacher jedenfalls (den er einige Zeilen vorher erwähnt) nicht geltend machen.
14. Vgl. § 2,2: I,12.26.29f; § 4L: I,23.24f.26f; § 4,1: I,24.8f; § 46Z: I,230.28—30;
§ 48,2: I,244.35; § 57,1: I,308.14f; § 57,2: I,309.21—23; 310.23—27; § 61,5: I,336.
32f; § 64,1: I,348.30f; § 72,6: I,397.12f; § 98,1: II,77.9; § 110,3: II,188.17f; § 112,1:
II,199.13; § 126L: II,274.4—8; § 126,2: II,278.6; § 128,3: II,288.2—4; § 155L: II,402.
18; § 163,2: II,436.16 etc.
15. Vgl. oben § 8,4.
16. § 52,2: I,271.6.

der Weise der Zeit vollziehen. In diesem Paragraphen soll gefragt werden, was dies zunächst in seiner allgemeinsten Bedeutung besagt.

1.   Diskretion und Individuation

„Sich in Zeit und Raum verbreitend ein Äußerliches werden", „zur Erscheinung kommen", „zeitlich hervortreten", „sich verwirklichen" etc., wir haben auf diese Formulierungen schon hingewiesen[1] − sie alle bezeichnen den Übergang zum *Wirklichen*. Nichts kann für Schleiermacher als *„wirklich"* gelten, was nicht auch *„zeitlich"* ist[2] (daß *Gott* „wirklich" sei, kann dementsprechend die Glaubenslehre nicht behaupten). Und ·sich zu verwirklichen heißt immer auch, zeitlich zu werden[3]. Dieser Grundsatz hält sich in der ganzen Glaubenslehre durch. Besonders deutlich tritt er hervor, wenn Schleiermacher das Wirklich-Werden des Gefühls schlechthinniger Abhängigkeit erörtert; dort auch wird sichtbar, daß der Verwirklichung die Zeitbestimmung „Moment" zugehört[4]. Doch diese Übereinstimmung der Begriffe gilt auch,

---

1. Vgl. oben den letzten Absatz von § 7,1. − Für die verschiedenen Querverbindungen, die zwischen diesen Ausdrücken bestehen, nur wenige Beispiele: Daß „zeitlich werden" bedeutet: „zur Erscheinung kommen", zeigt § 5,4: I,38.23f (vgl. auch die häufig begegnende Formulierung „zeitliche Erscheinung"; etwa § 5,4: I,39.14; § 71,1: I,376. 19), zeigt der Vergleich von § 13,1: I,90.1 mit 90.10f oder § 30,1: I,163.29−31; die letztgenannte Stelle verbindet zudem „zeitlich werden" und „erscheinen" mit dem „wirklich" (ebenso auch der Satz aus § 73,1: I,399.17−22). „Wirklich werden" und „erscheinen" sind verknüpft im Ausdruck „wirkliche Erscheinung" (§ 50,4: I,263.6; vgl. auch § 61,5: I,336.25; § 136,4: II,325.7). Für den Zusammenhang von „wirklich werden" und „hervortreten" vgl. nur § 62,2: I,342.22.35, von „hervortreten" und „erscheinen" § 46Z: I,233.35; in § 112,3: II,202.19f heißt es: „... die wirklichen Handlungen, wie sie in der Erscheinung hervortreten..." Und die verschiedenen Verbindungen des Begriffspaares „innen" und „außen" zu den anderen erwähnten Ausdrücken zeigen etwa die Stellen § 93,2: II,36.35f („innen" und „verwirklichen"), § 136,4: II,324.19f („außen" und „hervortreten"), § 136,4: II,326.1f („außen" und „zeitlich"), § 94,2: II,46.23.36 („innen" und „erscheinen") etc.
2. Daß für Schleiermachers Wirklichkeitsverständnis Endlichkeit, Zeitlichkeit und Geschichtlichkeit fundamentale Bedeutung besitzen, hat Ebeling (Gottesbewußtsein, 128; dort freilich in anderem Zusammenhang) zu Recht hervorgehoben.
3. Vor der (bösen) Wirklichkeit kann man sich also allenfalls in einer Uhr (und auch das wohl nur im Märchen), nicht aber in der Zeit verstecken.
4. Vgl. besonders den § 5 (I,30.36ff), aber auch § 46,1: I,224.14.20. Vgl. § 46,2: I,228.21 und 22 mit 24; vgl. § 57,1: I,308.22 mit 24 etc. Im Leitsatz und im ersten Abschnitt des § 60 sind in einer Bedeutung gebraucht: „verwirklichen", „wirklich werden", „hervortreten", „erscheinen", „vorkommen" − und die entsprechende Zeitbestimmung heißt „Moment".

sieht man auf Schleiermachers Sprachgebrauch in bezug auf die
zeitliche Verwirklichung des göttlichen Ratschlusses selbst. Auch
in diesem Zusammenhang kommt die Bedeutung der genannten
Ausdrücke vollkommen überein. Auch hier bedeutet „Verwirklichung": „zeitlich erscheinen", „hervortreten" etc.[5] und zeigt
sich der *Moment* als der zugehörige Zeitbegriff, wenn man so
will: als Einfallstor der Ewigkeit.

Der Moment nun ist zunächst — Zeit*punkt*[6]. Zwar, wie wir sehen werden, in sich komplex, ist er doch nicht mehr teilbar und
als solcher ein an Zeit „möglichst Kleines"[7]. An ihm als der somit
kleinsten Zeiteinheit muß zuerst zutage treten, wenn etwas „sich
in die Äußerlichkeit verbreitend", zeitlich wird. Zeitlich zu werden, sich zu verwirklichen, heißt für die Glaubenslehre in der
Tat durchgehend: im Moment zutage treten[8]. Wie differenziert
Schleiermacher den „Moment" denkt, wird erst klar werden, wenn
wir ihn in einem der folgenden Abschnitte als *Lebens*-Moment in
Betracht ziehen, doch können wir schon jetzt sagen: Mit dem Moment ist diejenige Zeitbestimmung genannt, die in der Glaubenslehre nicht nur am häufigsten begegnet, sondern die auch, sieht
man auf die Differenziertheit ihres Verständnisses und auf ihre
Bedeutung für das Zeitverständnis überhaupt, unser Interesse in
besonderem Maße beanspruchen darf. —

Die göttliche Gleichzeitigkeit wiederholt sich im Moment nicht.
Beider Punktualität unterscheidet sich prinzipiell: dem Moment
gehört wesentlich die *Folge* der Momente zu; ohne daß ihm andere
vorangehen und andere nachfolgen, kann er nicht gedacht werden.
So gibt es — „der Ordnung des göttlichen Ratschlusses gemäß" —
„notwendig ein *Nacheinander* auch des ursprünglich Gleichzeitigen"[9]. „Zeit*folge*" herrscht darum — statt „Zeitgleichheit"[10]. In
„voneinander getrennte Punkte gleichsam zerschlagen" wird, was
sich als zeitliche Manifestation des einen punktuellen göttlichen
Ratschlusses vollzieht[11].

5. Vgl. oben den letzten Absatz von § 7,1.
6. Vgl. in § 119,1: II,232 die Zeilen 25 und 31. — „Moment" und „Augenblick" gebraucht Schleiermacher in der Glaubenslehre völlig synonym. Vgl. etwa nur § 3,2: I,16.
32 mit 16.27.38; § 3,5: I,23.3 mit 22,7; § 5,5: I,39.24 mit 39.29; § 74,2: I,404.26 mit
27 etc.
7. Vgl. § 74,2: I,403.26f und § 72,2: I,384.17.
8. Dafür nur einige Beispiele aus einem einzigen Paragraphen: Vgl. § 5,3: I,34.22 und
35.17.19.22.26.28 mit 35.3; vgl. § 5,4: I,36.29 und 33 mit 37.1 oder 38.23 mit 25.
9. § 119,2: II,234.13—15.
10. Vgl. § 41,1: I,200.33f.
11. Vgl. § 109,3: II,178.31f und 178.18ff.

„Naturzusammenhang", „Welt" oder „endliches Sein" — das
bedeutet: „das in der Erscheinung Getrennte und Vereinzelte"[12]
und heißt zunächst: „ein Aggregat von einzelnen einander mannigfaltig entgegenstrebenden und nur zufällig und auf vorübergehende
Weise sich verbindenen Elementen"[13]. Denn als solches ist das
Endliche „ein Mannigfaltiges"[14], als solche ist die Welt „das Gebiet
des Vereinzelten"[15]. Pluralität, Vielzahl, Mannigfaltigkeit...., mit
einem Wort: *Diskretion* heißt ihr Prinzip, Diskretion[16] aber wesentlich als Allmählichkeit und Nacheinander, in dessen Rahmen
dann auch ein „Zugleich" statthaben kann. Auf jeden Fall gilt
zeitliche *Vereinzelung.* Was wirklich — und das heißt zeitlich —
wird, wird es unter der Form des Einzelnen und bildet dann „das
in der Wirklichkeit Getrennte"[17]: Zur Zeit gehört *Abstand* und
Entfernung[18]. Daß so „zeitlich" prinzipiell mit „einzeln" zusam-

12. Vgl. § 46,2: I,228.9.12.13ff; § 46Z: I,234.10—14; § 100,2: II,92.33.
13. § 126,1: II,275.2—4.
14. § 167,2: II,450.7f.
15. § 5,1: I,32.14f; vgl. § 10Z: I,73.17f. — Die Welt, aus „Ursächlichkeit" konstituiert (vgl. oben § 8 Anm. 21), ist das „Gebiet der geteilten Ursächlichkeit" (§ 81,4:
I,440.11f), nämlich der „zeitlichen Ursächlichkeit" (vgl. 440.13) und so das „Gebiet
des Vereinzelten". Ebeling (Gottesbewußtsein, 128) formuliert: „Denn in dem ganzen
Bereich des Endlichen und Zeitlichen ist stets Einzelnes anderem entgegengesetzt."
16. Sinngemäß ist „Zeit" hier immer durch „Raum" zu ergänzen. — Daß zur „Zeit"
für Schleiermacher „Diskretion" gehört, wird in der „Dialektik" ausdrücklich gesagt
(Odebrecht 180). Im Zusammenhang einer Darstellung des Idealen und des Realen
kommt Schleiermacher, wenngleich nur beiläufig, auf das Problem von Raum und Zeit,
die er an dieser Stelle wie Kant als Formen der reinen Sinnlichkeit versteht, jedoch sich
nicht daran, sondern an ihrer Entsprechung mit dem Realen und Idealen interessiert
zeigt. So „entspricht die Zeit dem Akt der Auffassung, also dem Denken", und der
„Raum repräsentiert das Gedachte" (182). Insofern nun Raum und Zeit als Formen des
Stetigen gelten dürfen, Schleiermacher aber „die wesentliche Form der intellektuellen
Funktion als Entgegensetzung" faßt, kann dann gesagt werden: „Was ich entgegensetze,
denke ich von vornherein als ein Auseinander, ein Diskretes." (180). In je modifizierter
Weise ist Schleiermacher in seinen verschiedenen Vorlesungen zur „Dialektik" auf dieses
Problem eingegangen (darüber unterrichtet übersichtlich F. Wagner, Schleiermachers
Dialektik. Eine kritische Interpretation, Gütersloh 1974, 90 Anm. 57), zuletzt im Entwurf von 1831 nach dem Schema von Extension und Intension (WW III/4.2, 66f; 496f),
doch nie eigentlich im Interesse der Gewinnung eines Raum- oder Zeitbegriffs. Was für
die Glaubenslehre schon ein Problem darstellt: Schleiermachers Zeitverständnis aus viel-
fachen Beziehungen und Verweisen zu gewinnen, in denen es selber gar nicht thematisch ist — das dürfte für die „Dialektik" schon im Blick auf die Quellenlage eine ungleich
schwierigere Aufgabe bedeuten, die in Angriff zu nehmen unseren Gedankengang, der
nach einem *theologischen* Zeitverständnis fragt, irritieren müßte.
17. Vgl. § 106,2: II,149.17f und § 10Z: I,70.1.
18. Wohl am deutlichsten hat Heidegger den Charakter der Zeit, wie sie sich gewöhn-
lich in der Tradition abendländischen Denkens darstellt, erörtert (Das Wesen der Sprache, in: Unterwegs zur Sprache, Pfullingen 1971[4], 209ff). In diesem Verständnis er-

mengeht, daß eine nach dem „früher" und „später" (und so auch nach dem „zugleich") geordnete Allmählichkeit der göttlichen allumfassenden Gleichzeitigkeit gegenübersteht[19] — eben das ist das „Gesetz des irdischen Seins"[20]. Zeitliche Vereinzelung meint so zwar zunächst: die Einzelheit des je einen Momentes, bzw. die Einzelheit des je einen Momentanen, doch gehört der Moment eben in jenes mannigfaltige Nacheinander der Momente, als das der „ganze Zeitverlauf", die Weltgeschichte im ganzen, zu gelten hat[21]. In diesem Verband der Momente hat etwas nach Maßgabe des „früher" und „später" seinen Platz. Durch diesen Platz ist es *bestimmt*. Die Zeit ist die Weise der Bestimmung nach dem „früher" und „später". Zu einem *Bestimmten* läßt so die der Zeit eigentümliche Vereinzelung etwas werden. Ein bestimmtes Einzelnes unterscheidet sich auf zeitliche Weise von anderem, Sonderung dieses einen vom anderen „der Zeit nach" ist möglich. So wirkt die Zeit (entsprechend auch der Raum) als *Prinzip der Distinktion* und *Individuation*[22], als konkretisierend und differenzierend. Doch abgegrenzt wird eins vom anderen durch Verneinung (omnis determinatio est nègatio), durch Trennung, Beschränkung, Begrenzung etc. Darum ist Zeitliches bestimmt durch *So*-sein; „so — und anders nicht", „dies — und jenes nicht", „jetzt — und dann nicht", kann gesagt werden. Bestimmtes, Besonderes, Einzelnes ... gewinnt in Unterscheidung und Abgrenzung Individualität. Für diesen Sachverhalt bietet die Glaubenslehre eine Fülle von Beispielen: Da ist etwas getrennt, verschieden, beschränkt, bestimmt „nach Raum und Zeit"[23],

scheint „Zeit" als durch Entfernung und Abstand und so durch Meßbarkeit charakterisiert. „Zeit" wird zum „Parameter der Abmessung" (209) und kann dazu werden, weil sie als „Nacheinander der Abfolge der Jetzt" (212) vorgestellt ist.
19. Vgl. § 89,2: II,25.12.13; 108,2: II,160.3.4; § 109,3: II,179.19f; § 117L: II,220.11 vgl. mit § 117,1: II,220.32 und 34; § 126,1: II,275.19. — Daß die Zeit nach dem „früher"und „später" ordnet und *so* ein mannigfaltiges Nacheinander bildet, zeigt z.B. der Vergleich zweier Stellen aus § 52: Dort wird als eine Möglichkeit, „Zeitlosigkeit" zu denken, die Aufhebung der zeitlichen Gegensätze des Vor und Nach, des Älter und Jünger vorgeschlagen, „Zeit" also schon als durch diese Gegensätze konstituiert verstanden (§ 52,1: I,268.12—15). Und im Zusatz zum Paragraphen wird „zeitlos" bestimmt als: „kein mannigfaltiges Nacheinander" (I,271.18f).
20. § 89,3: II,26.22f.
21. Vgl. § 59Z: I,317.15—19.
22. Richtig bei Mulert: „Alles Wirkliche, also auch alles Geschichtliche, ist [sc. für Schleiermacher] individuell..." (32). — Heidegger hat unter der Überschrift „Einzelheit und Jediesheit. Raum und Zeit als Dingbestimmungen" die philosophische Problematik, daß die Eigentümlichkeit eines Etwas, je dieses zu sein, im Zusammenhang mit Raum und Zeit steht, in „Die Frage nach dem Ding. Zu Kants Lehre von den transzendentalen Grundsätzen" (Tübingen 1962, 11ff) erörtert.
23. „Getrennt nach Raum und Zeit": vgl. § 10,1: I,65.22; § 89, 3: II,26.33f; § 93,3:

durch Raum und Zeit mannigfaltig und vereinzelt[24]. Da sind „das Individuelle" und „das geschichtlich Gegebene" eins[25]; „grade so und nicht anders" ist etwas „in Beziehung auf Zeit und Ort"[26], ein menschliches Individuum ist ein „wirklich geschichtlich gegebenes Einzelwesen"[27]. Das so Besondere (und „zeitlich" heißt: „besonders"[28]) hat — so ist jetzt der vorherrschende Terminus — eigentümliche zeitliche „Gestalt"[29].

Nach Zeit (und Raum) verschieden gestaltet ist etwas, insofern es einem bestimmten unterscheidbaren Zeit- (oder Raum-) *Punkt* angehört, aber doch nun auch insofern, als es, „in ein bestimmtes Maß von Zeit eingeschlossen"[30], in bestimmter Dauer, anfangend und endend — *währt*. Als Prinzip der Individuation konkretisierend und differenzierend wirkt so die Zeit, indem sie Anfang und Ende bestimmbar und so das nach Anfang und Ende in seiner Dauer Bestimmte *endlich* macht[31]. Nur das Endliche kann ja das zeitlich Bestimmte, nur was anfängt und aufhört ein Beschränktes und Besonderes[32] sein.

II,39.22f; § 148,1: II,385.17f — „verschieden nach Raum und Zeit": vgl. § 15,2: I,107. 8; § 97,3: II,71.16; § 100,3: II,95.5f; § 108,3: II,161.13; § 124,1: II,265.8f; § 155,1: II,402.26f — „beschränkt nach Raum und Zeit": vgl. § 13,1: I,88.15; 89.9f; § 19,2: I, 120.30f.38f; § 152,1: II,396.25; § 167,2: II,450.32f — „bestimmt nach Raum und Zeit": vgl. § 94,2: II,45.6; § 108,2: II,160.23f; § 120,1: II,239.17; § 126,1: II,275.19f. 27; § 137,3: II,335.8; § 155,2: II,403.18; § 161,1: II,424.32.

24. Vgl. § 11,1: I,75.10f; § 19Z: I,124.11f; § 71,2: I,377.36.38; § 73,2: I,400.31f; § 76,2: I,417.6; § 93,3: II,37.34; § 97,3: II,71.2f; § 98,2: II,81.9; § 103,4: II,116.13; 117.5; § 120,3: II,243.29f; 244.34f; § 126,2: II,277.10f; § 127,1: II,279.34f; § 128,2: II,285.38f; § 131,3: II,304.27f; § 136,3: II,322.14.

25. Vgl. in § 2,2: I,12.18f mit 12.24.

26. Vgl. § 27,2: I,150.29f.

27. Vgl. § 93,3: II,37.34 und § 93L: II,34.4.

28. Vgl. in § 97,2: II,62.9 mit 62.12.

29. Zwar gilt zunächst von Schleiermachers Sprachgebrauch generell, daß etwas eine eigentümliche Gestalt besitzt, indem es sich von anderem abhebt; darum steht die eine bestimmte Gestalt prinzipiell im Zusammenhang mit anderen, im Vergleich zu denen sie erst als solche, als diese bestimmte, erscheint — doch kann gerade die Zeit nun als ein derart gleichsam gestaltbildendes Prinzip verstanden werden. „Sich anders gestalten", „sich neu gestalten", „umgestalten", „so gestaltet", „diese Gestaltung" u.ä., und eben: „eigentümliche" bzw. „individuelle Gestalt" heißen dementsprechend die Stichwörter, und gemeint ist eine auf zeitliche Weise bestimmte Gestalt. Vgl. § 2,2: I,13.2f.14; § 2Z: I,14.22; § 8,3: I,55.24; § 8,4: I,56.17; § 10L: I,64.12ff; 65.4ff.16ff; § 12,2: I,84.32f; § 13,1: I,87.2; 88.13ff; § 24L: I,137.3; § 71,2: I,377.8ff.27f; § 72,2: I,383.21f; § 74,1: I,403.2f; § 74,2: I,403.14; § 76,2: I,417.6; § 84,4: I,457.15; § 88,3: II,21.24ff; § 101,3: II,100.30; § 113,2: II,208.27—31; § 122,3: II,257.29; § 126,2: II,277.24; § 149,2: II,389.18—21; § 150,2: II,392.38; § 168,2: II,455.7.

30. Vgl. § 104,4: II,129.10.

31. Die „Zeitlichkeit *oder* die Dauer des Endlichen" heißt es in § 46Z: I,231.4.

32. Nach § 81,1: I,433.6—9 gehört eben „Aufhören" und „Anfang" zum „zeitli-

2. Ursächlichkeit

Dieses Diskretion und Individuation ermöglichende Nacheinander gilt es noch genauer in den Blick zu fassen. Wir versuchen dies, indem wir der oben gewonnenen Anweisung folgen, „Zeit" in den Zusammenhang des für die Glaubenslehre konstitutiven Schemas von Ursache und Wirkung zu stellen[33]. Wirklich und zeitlich zu werden heißt zunächst: in die Lage kommen, „mit dem übrigen *zusammenzusein*"[34]. Ausdrücklich formuliert Schleiermacher (nachdem es geheißen hat, „daß auch die Zeitlichkeit oder die Dauer des Endlichen nur in der schlechthinnigen Abhängigkeit von Gott zu denken ist"): „Da nun aber die Dauer der einzelnen sowohl als der allgemeinen Dinge nichts anderes ist als der Ausdruck des Maßes ihrer *Kraft im Zusammensein* eines jeden mit allen übrigen..."[35] Die Zeitlichkeit oder die Dauer eines Endlichen kann also gerade dadurch definiert werden, daß es in Relationen zu stehen vermag. Wie zur Zeit Abstand und Entfernung gehören, so Nähe und *Zusammensein*. So ist alles Zeitliche grundsätzlich bezogen und *relativ*, die Zeit die Weise der Relation.

Doch *vollzieht* sich diese Relation als „Bestimmung" im Sinne von Ursache und Wirkung. Es entspricht nach Schleiermacher „den Gesetzen des Zeitlichen", „durch seinen Ort in der Welt" bestimmt und das heißt: in seinem Sosein verursacht zu werden. Denn alles Endliche ist durch anderes mitbestimmt[36]; „jedes innerhalb des Naturzusammenhanges Verursachte" ist das Ergebnis „von

chen Sein"; vgl. auch § 97,3: II,71.6. – Ob man die in dieser Besonderung gemeinte Negation in Schleiermachers Satz, „jede endliche Natur" sei „Ineinander von Sein und Nichtsein" (§ 81,1: I,432.10f; vgl. auch § 81,3: I,439.4f), wiederfinden kann, ist nicht ganz deutlich.
33. Vgl. oben den Schluß von § 8,4. – Wieweit Schleiermacher gerade in diesem Zusammenhang den Anschauungen *Kants* folgt, zeigt ein Vergleich der im folgenden erörterten Ausführungen Schleiermachers mit einem Abschnitt aus der „Kritik der reinen Vernunft": der „Grundsatz der Zeitfolge nach dem Gesetze der Kausalität" (A 189ff; B 232ff). Den Vergleich im einzelnen durchzuführen ist hier nicht unsere Aufgabe. – Einige wesentliche Züge des Zeitverständnis Kants stellt Heidegger, Frage nach dem Ding, 178ff, vor. – Einem vom Schema der Kausalität bestimmten Zeitverständnis („Die Kausalität ist die Gestalt und das Gesetz der Zeit.") stellt P. Schütz eine „parusiale Zeit" gegenüber: eine Zeit „aus der Vertikalen", die ihre Kraft aus der Zukunft der Wiederkunft Christi gewinnt (Die Gegenwart der Zeit. Christliches Leben als parusiale Existenz, Evangelische Kommentare 1973, 264–267.).
34. Vgl. in § 55,2: I,296.5 mit 296.10.
35. § 46Z: I,231.3–8.
36. Vgl. § 56,2: I,304.18.

allem innerhalb des Naturzusammenhanges Verursachendem nach
Maßgabe, wie es mit jedem in Beziehung steht"[37]. Es wirkt auf anderes, es bedingt anderes, und es wird seinerseits beeinflußt und ist
durch anderes bedingt[38]; absolute Vereinzelung kann es im Endlichen nicht geben. Mit anderem zusammen ist etwas, insofern es
Ausgangs- oder Zielpunkt von *Wirkung* ist.
     Das Wirkliche ist prinzipiell das in den Zusammenhang von
Ursache und Wirkung Gefaßte, ein Bewirktes oder Bewirken-
des[39]. Und die „Zeiterfüllung" selbst konstituiert sich aus dem
„Geschichtlichen", der „Wirksamkeit des menschlichen Geistes",
und dem „Natürlichen", „der Wirksamkeit der physischen Kräfte"[40]. Darum sind „die Dinge" — „ein Ort für Kräfte"[41]: *Kräfte*
sind wirksam[42]. Der Kraft bedarf es „im Zusammensein eines jeden mit allen übrigen"; durch Kräfte *geschieht* etwas[43]. „Zur Wirklichkeit kommen" besagt: zu Kräften kommen. So vollziehen sich
die erwähnten Relationen als wirkungskräftige Beeinflussungen
und Bestimmungen, die zu einem Bestimmten vereinzeln: „Denn
ein für sich zu setzendes Sein ist doch nur da, wo *Kraft* ist..."[44],
und „differente Stoffe ohne alle ihnen einwohnende Kräfte" zu

---

37. Vgl. § 54,1: I,279.13—17.
     38. § 48,2: I,245.17—23: „Das andere, worauf es ankommt, ist das Verhältnis des
nur beziehungsweisen Fürsichbestehens und der entsprechenden gegenseitigen Bedingt-
heit des Endlichen. Da es nämlich keine schlechthinnige Vereinzelung gibt im Endlichen: so ist jedes nur insofern für sich bestehend, als anderes durch dasselbe bedingt ist,
und jedes nur sofern durch anderes bedingt, als es auch für sich besteht."
     39. Vgl. etwa § 54,4: I,285.15—20. — Zu der Frage z.B., wie die wirkliche auch die
wirksame Sünde ist, vgl. §§ 66ff.
     40. Vgl. § 59Z: I,317.9—11.
     41. § 46Z: I,233.24f.
     42. Vgl. I,202.37; in § 108,5: II,167 vgl. 25 mit 27; 110,2: II,185.18f; § 121,1:
II,250.2; § 159,2: II,419.5; § 160,2: II,423.6. — Vgl. auch § 53,2: I,274.17f: „... so daß
jede Kraft, wie sie da gar nicht mehr *ist*, wo sie nicht mehr *wirkt*, auch überhaupt weniger ist, wo sie weniger wirkt."
     43. Vgl. § 46Z: I,232.26f: „... daß vermittels aller in die Welt verteilten und in der-
selben erhaltenen Kräfte alles nur so geschieht und geschehen kann..."
     44. § 46Z: I,231.31f. — Als „eine Abstraktion ohne Bedeutung für unser frommes
Selbstbewußtsein, in welchem sich beides als erregender Gegenstand gar nicht scheidet", gilt Schleiermacher dasjenige, „was aus dem Fürsichgesetztsein jedes Dings nach
seiner eigentümlichen Art und was aus dem Zusammensein desselben mit allen übrigen"
hervorgeht. Beides ist zusammengefaßt in der „Vorstellung des nur beziehungsweise für
sich gesetzten und durch das allgemeine Zusammensein in seiner Vereinzelung bedingten endlichen Seins..." (§ 46Z: I,234.4—12). Auf diese Stelle, derzufolge das „Zusammensein" eines Etwas von ihm selbst nicht getrennt wird, bezieht sich dann eine Formulierung aus § 164: „Wir können daher sagen, beides dort Aufgestellte, sowohl das Wesen
der Dinge in ihrer Beziehung aufeinander, als auch die Ordnung ihrer gegenseitigen Einwirkungen aufeinander, bestehe durch Gott..." (II,442.30—33).

denken, wäre „ein völlig leerer Gedanke"[45].

„Ursächlichkeit" bewirkt so *Bewegung:* ein bestimmter „Zustand" (ein in der Glaubenslehre immer wieder begegnendes Stichwort) geht in einen anderen über; Veränderung und Wechsel findet statt. Das aber ist nur möglich in einer Moment-Folge[46]. Nur im Verband der Momente, nicht in einem einzelnen Augenblick vermögen sich Relationen im beschriebenen Sinne wirksam zu *vollziehen*[47]. Nicht nur ein Mannigfaltiges ist somit das Endliche als solches, „sondern auch ein *Veränderliches* und uns immer nur in vergänglichen Zuständen, also in Durchgangspunkten Gegebenes"[48]. Vollziehen sich Relationen, wirkt etwas (ein Ursächliches) auf anderes (ein Leidentliches), so entsteht Veränderung. Ein Zeitliches, das an sich selbst den wirkenden Vollzug von Relationen erlaubt, ist so ein Veränderliches. „Nämlich das Aufeinanderbezogensein verteilter Ursächlichkeit und Leidentlichkeit gestaltet den Naturzusammenhang zu dem Gebiet der *Wechselwirkung* und also des Wechsels überhaupt, indem aller Wechsel und alle Veränderung auf diesen Gegensatz zurückgeführt werden kann."[49] Veränderlich ist, was dem „Gebiet der Wechselwirkung" angehört und *also* zeitlich ist[50]. In diesem Sinne kann nur für Weltliches „Veränderung" oder „Wechsel" gelten − Gott gehört in dieses Gebiet ja gerade nicht hinein[51]. Die Welt selbst erst, das von Gott Verursachte, ist das „Gebiet der allgemeinen Wechselwirkung"[52], denn „das Entstehen der *Welt*" ist „die allen *Wechsel* bedingende *Zeit*erfüllung"[53]. So heißt „wirklich" und „zeitlich": der Veränderung im Sinne des Bewegtwerdens durch ursächlich Wirkendes unterworfen[54].

In diesem Sinne fassen wir „Zeit" als die Weise, in der sich Ursächlichkeit vollzieht.

45. § 41,2: I,202.4f.

46. Vgl. Wagner, Dialektik, 115: „Schleiermacher versteht die Relation der Kausalität als bestimmte auf Raum und Zeit bezogene Kausalitätsreihe, als den endlosen Wechsel von Ursache und Wirkung."

47. Die Ohrfeige eines Kochs z.B. *vollzieht* sich nicht eigentlich und zeitigt nicht die beabsichtigte *Wirkung,* hat man die Zeit gleichsam angehalten.

48. § 167,2: II,450.7−10.

49. § 51,1: I,264.27−31; und eben in diesen Zusammenhang gehört die Zeit, vgl. ebd. 264.33f.

50. Vgl. z.B. § 41,2: I,203.2f: „... so würde dadurch Gott in das Gebiet des Wechsels gestellt, *also* zeitlich..."

51. Vgl. § 49,2: I,252.35−253.2 und das Zitat der vorigen Anmerkung.

52. § 54,2: I,281.15; vgl. § 49Z: I,254.9f.

53. § 41L: I,198.28f.

54. Vgl. § 57,2: I,310.23f: „Denn ein wirklicher auf jeden Fall also der Veränderung unterworfener Zustand..."; vgl. auch § 172,3: II,472.38 mit 473,1.

„Zeit" als „Weise" bezeichnend tragen wir dem Entsprechungsverhältnis von Zeit und Ewigkeit Rechnung. Nicht anders verhält es sich ja auch mit der göttlichen Eigenschaft „Ewigkeit"; auch sie bezeichnet ja die besondere *Weise* Gottes, sich (die Welt als Welt begründend) auf die Welt zu beziehen. Und wie dort die Formulierung „auf ewige Weise" ihren Platz hat, so hier nun „auf zeitliche Weise"[55]; wie dort die Ewigkeit in bezug auf die göttliche Tätigkeit als schlechthinnige Ursächlichkeit gewissermaßen adverbialen Sinn hat[56], so hier nun hinsichtlich des endlichen, relativen Gefüges von Verursachendem und Verursachtem. –

Es kann zunächst den Anschein haben, als bedeute Diskretion, Veränderung etc. eine chaotische Vielfalt, eine nur „unzusammenhängende und als zufällig erscheinende Mannigfaltigkeit"[57] oder nur „ein Aggregat von einzelnen einander mannigfaltig entgegenstrebenden und nur zufällig und auf vorübergehende Weise sich verbindenden Elementen"[58]. Doch eben nicht die äußerste Äußerlichkeit: die Zufälligkeit[59], beherrscht das Feld. Die sich in Veränderung und Wechsel aussprechenden Ursächlichkeiten vollziehen sich im Letzten nicht richtungslos. Ein *Zug der Zeit* macht sich geltend.

Der Zug der Zeit geht in Richtung auf eine Verwirklichung des göttlichen Ratschlusses. Diese Verwirklichung hat als das innerste Prinzip der Weltgeschichte im ganzen, als ihr *Grundzug* und ihr *Wesenszug* zu gelten. Bildet es doch gleichsam das Gesetz, unter dem die Weltgeschichte angetreten[60].

Hier, im innersten Zug der Weltgeschichte, ist Gottes Ewigkeit in der Zeit der Welt. Nicht nur das Daß der Zeit, auch die ihr eigene Richtung verursacht sie.

Das (Grund-) Gesetz der Verwirklichung seines Ratschlusses und das „Gesetz des irdischen Seins", das nach Maßgabe von „früher" und „später" ordnet[61], fallen für Schleiermacher zu

---

55. Vgl. etwa die in § 51 ausgesprochene Anschauung Schleiermachers, göttliche und endliche Ursächlichkeit seien der Art nach verschieden (vgl. in diesem Sinne auch § 54,1: I,280.11). – In § 80,3: I,428.30 und 32 stehen parallel: „*Formen* des menschlichen Lebens" und „auf zeitliche *Weise*". Die „zeitliche *Form*" der Wirksamkeit Jesu, also seiner Relationen, wird in § 101,2: II,98.11 genannt. – „Auf zeitliche Weise" heißt es auch in § 110,2: II,185.28f; § 136,4: II,325.25; „zeitlicherweise" in § 109,3: II,179.19.

56. Vgl. oben § 4,1.

57. § 108,2: II,158.34f.

58. § 126,1: II,275.2–4.

59. Vgl. oben § 10 Anm. 11.

60. Vgl. oben § 4,1.

61. Vgl. § 89,3: II,26.22ff.

sammen[62]. Dieses Gesetz aber hält die Mannigfaltigkeit der Welt zusammen: Als inneres ursächliches Prinzip weist es der Weltgeschichte von Gott her ihre Richtung, die dem Nacheinander Tendenz gibt und alle Veränderung und allen Wechsel sich auf das göttliche Ziel zubewegen läßt[63], steht doch auch alle Veränderung in der schlechthinnigen Abhängigkeit von Gott[64]. „Zeit" – von uns an früherer Stelle mit dieser Verwirklichung in einen noch unbestimmten Zusammenhang gebracht – können wir nun umschreiben als die Weise, in der die (sich in Veränderung und Wechsel aussprechende) Ursächlichkeit letztlich im Sinne der Verwirklichung des göttlichen Ratschlusses wirkt. Auf einen Begriff gebracht heißt dieser Zug der Zeit: *Entwicklung*.

In der Gesamtheit ihrer Entwicklung ist die Welt Gegenstand des göttlichen Willens[65]. Der „in der Entwicklung begriffene Naturlauf"[66], d.h. die „zeitliche Entwicklung" der Welt im ganzen[67], ist im Grunde und *wesentlich* die „Entwicklung der göttlichen Weltregierung"[68] selbst. In den genannten beiden Weltzeiten bringt sie sich zum Zuge: „vorbereitend und einleitend" im ersten (in dem „von Adam aus sich entwickelnden Naturzusammenhang") und im engeren Sinne „entwickelnd und erfüllend" im zweiten[69]. Und, um jetzt zum Anfang unseres Paragraphen zurückzulenken und den Kreis zu schließen, als auf Momente, als auf eine Momentfolge bezogen, ist diese Entwicklung folgerichtig verstanden, wenn „Verwirklichung" und „Moment" zusammengehören und „Entwicklung" selbst den *Zug* der Verwirklichung des göttlichen Ratschlusses bezeichnet.

„Zeit" somit als Weise der Bestimmung nach dem „früher" und

---

62. Vgl. § 98,2: II,81.8; § 117L: II,220.11; § 117,1: II,220.32; § 117,3: II,222.1; § 119,2: II,234.13; § 120,3: II,243.32ff; § 125,2: II,273.12 u.ö.

63. In einem anderen Zusammenhang spricht Schleiermacher in einer Predigt davon, wie durch den ewigen Gott äußere Wirksamkeiten (gleichsam von „innen") „zusammengehalten" werden (WW II, Neue Ausgabe Bd. 2, 463f).

64. Vgl. § 46,2: I,229.8f.

65. Vgl. § 96,1: II,54.30–32.

66. Vgl. § 41,2: I,201.20.

67. Vgl. § 57,1: I,308.15; § 57,2: I,309.21; 310,12.

68. § 120,1: II,239.14.

69. Vgl. § 89,1: II,24.28f und § 164,2: II,443.6–11: „Und in bezug auf unser Urteil über die Vorstellung von der Einheit und Selbigkeit der Kirche zu allen Zeiten werden wir diese göttliche Weltregierung in zwei Zeiträume teilen, den einen, ehe jene Vereinigung [sc. die Vereinigung des göttlichen Wesens mit der menschlichen Natur in der Person Christi] in Raum und Zeit wirklich eintrat, in welchem alles nur vorbereitend und einleitend war, den andern entwickelnden und erfüllenden, seit sie wirklich geworden ist."

„später", als Weise, in der sich Relationen im Sinne des Zusammenhangs von Ursache und Wirkung vollziehen, als Weise, in der durch diesen Zusammenhang Veränderung und Wechsel im Sinne der Verwirklichung des göttlichen Ratschlusses vonstatten gehen — „Zeit" als solche *Weise* verstehend, präzisieren wir unsere frühere Bemerkung, „Zeit" habe als eine der konstitutiven Weisen der Welt zu gelten[70]. „Zeit" — nicht nur in ihrem Daß, sondern auch in dem ihr eigenen Zug von der göttlichen Ewigkeit verursacht — ist diejenige konstitutive Weise der Welt, in der sich der *Wesenszug der Weltgeschichte* Geltung verschafft.

„Zeit" als die Weise des von Gott Bewirkten ist so im Sinne ihres Beisammen mit dem *Zeitlichen* im Hinblick auf das weltliche Gefüge von Ursache und Wirkung bestimmt. Und „Zeit" als das Worin der Ewigkeit Gottes ist so im Sinne ihres Beisammen mit *Gott* in bezug auf den Wesenszug der Weltgeschichte charakterisiert. Diese beiden Bestimmungen miteinander zunächst nur formal zur Geltung zu bringen, war die Aufgabe der vorangehenden Überlegungen[71].

§ 12   Der Vollzug der Zeit im Menschen: Selbstbewußtsein

Wie können nun die so gewonnenen Bestimmungen von Zeit dort Anwendung finden, wo sich letztlich verwirklichen soll, was Gott ewig beschlossen hat: im Selbstbewußtsein des Menschen[1]? Inwiefern ist auch dies Selbstbewußtsein ein „Ort für Kräfte"[2]: inwiefern hat es (1) seinen Platz im Gefüge von Ursache und Wirkung, und inwiefern dann (2) ist der Mensch der Wirkung *Gottes* ausgesetzt, ist also *in* seiner Zeit die göttliche Ewigkeit präsent?

1.   Das gegenständliche Selbstbewußtsein

Das objektive oder gegenständliche Bewußtsein, wie es sich im spekulativen Denken in seiner höchsten Form darstellt, ist für die

---

70. Vgl. oben § 5.
71. Vgl. oben § 9,3.
1. Der vorige Paragraph sollte ja gleichsam das Schema bereitstellen, mit dessen Hilfe sich die spezifische Zeitlichkeit des Selbstbewußtseins fassen läßt.
2. Vgl. oben § 11 bei und in Anm. 41.

Glaubenslehre nicht von Interesse³. Als Grundlage dogmatischen
Denkens darf es — wie die ersten Paragraphen der Glaubenslehre
zeigen — ausdrücklich nicht in Betracht kommen. Um so mehr
gilt es, das „unmittelbare Selbstbewußtsein", das allein für die
Dogmatik eine Rolle spielt, von derjenigen ihm unmittelbar be-
nachbarten Form des Bewußtseins zu unterscheiden⁴, die zwar
auch *Selbst*bewußtsein, jedoch objektives Bewußtsein ist.

Es ist dies dasjenige „Bewußtsein seiner selbst", „welches mehr
einem gegenständlichen Bewußtsein gleicht, und eine Vorstellung
von sich selbst und als solche durch die Betrachtung seiner selbst
vermittelt ist"⁵. Distanz von sich selbst ist hier vorausgesetzt, der
Abstand, der mich mir selbst zum Gegenstand werden läßt (das
will sagen: „sich in seinen verschiedenen Zuständen selbst Gegenstand werden ... um sie in der Vorstellung aufzufassen und in der
Form des Gedankens festzuhalten"⁶). Mich mir selber objektivie-
rend suche ich mich auf⁷. Vorfindlich wird mir von mir ein gewese-

3. Nach § 28,3: I,160.5ff ist das „spekulative Bewußtsein" „die höchste *objektive*
Funktion des menschlichen Geistes", „das fromme Selbstbewußtsein aber die höchste
subjektive..." Mit jenem hat es die Glaubenslehre überhaupt nicht zu tun; vgl. besonders
§ 30,2: I,164.27ff; § 33,3: I,178.7ff; § 33Z: I,180.15ff; § 94,2: II,45.37f. – Der von
uns bisher schon herangezogene Aufsatz Ebelings „Schlechthinniges Abhängigkeitsgefühl als Gottesbewußtsein" gehört sachlich zusammen mit seinen „Beobachtungen zu
Schleiermachers Wirklichkeitsverständnis" (jetzt in: Wort und Glaube. Dritter Band. Beiträge zur Fundamentaltheologie, Soteriologie und Ekklesiologie, Tübingen 1975, 96–
115). Beide Aufsätze gelten Problemen der Paragraphen 3 bis 6 der Glaubenslehre. Wir
werden im folgenden Abschnitt immer wieder auf Ebelings Überlegungen verweisen. –
Zur Unterscheidung von „gegenständlichem Bewußtsein" und „unmittelbarem Selbstbewußtsein" vgl. Ebeling, Wirklichkeitsverständnis, 105f.
4. Wiederum nicht, um zu zeigen, daß der eine Gedanken des anderen irgendwie
schon „vorweggenommen" habe, verweisen wir in diesem Zusammenhang auf die unüber-
sehbare Parallelität zwischen Schleiermachers Fassung des „unmittelbaren Selbstbewußtseins" und Heideggers in „Sein und Zeit" gebotenen Ausführungen über die „Befindlichkeit" (Sein und Zeit, 134ff); Schleiermacher vielmehr mit Hilfe Heideggers besser zu verstehen, ist die Absicht. Wenn wir also im folgenden den Überlegungen Schleiermachers
an einigen Stellen Sätze aus „Sein und Zeit" kommentierend an die Seite stellen, so geht
es uns abermals nicht um eine wechselseitige Interpretation, sondern lediglich um den
Versuch, von einem anderen (aber an dieser Stelle offenbar demselben Phänomen zugewandten) Denken her, von dem her, was dort in ausgebildeterer Begrifflichkeit und in
ganz anderer Form der Ausdrücklichkeit vorliegt (– Schleiermacher behandelt das Thema ja nur gleichsam en passant), den Sinn des von Schleiermacher Gemeinten weiter zu
erhellen.
5. § 3,2: I,16.21–24. Das „Denken des Ich" nennt Schleiermacher diese Form des
Selbstbewußtseins in seinen Vorlesungen zur Ästhetik (WW III/7, 68ff). Vgl. zum Folgenden Beißer, 58; Wagner, Dialektik, 180f.
6. § 15,1: I,106.4–7.
7. Vgl. § 4,1: I,24.19.

ner (möglicherweise: gerade eben gewesener) Zustand[8], in dem ich
aufgehe, in dieser Weise meiner selbst bewußt. Der Abstand von
mir selbst ist mithin immer auch ein Abstand der Zeit, eine Ungleichzeitigkeit — „wie auch im reflektierenden Selbstbewußtsein
wir — der gegenwärtige Moment — aufgeht im vergangenen, der
nicht mehr wir ist"[9]. Das heißt: Ich komme auf mich selbst zurück[10].
Was sich so ergibt ist Resultat eines Aktes der Selbsttätigkeit, einer
Betrachtung meiner selbst[11], einer feststellenden Identifizierung:
im Medium der Vorstellung stelle ich mich selber gleichsam
fest[12]. Als Akt vollzieht diese Feststellung ein Selbstverhältnis —
auf zeitliche Weise.

Wenngleich es sich auch hier um ein *Selbst*bewußtsein handelt —
das christlich fromme Selbstbewußtsein hat damit nichts zu tun.
Nicht hier, sondern im „*unmittelbaren* Selbstbewußtsein" hat es
seinen Ort. Gerade weil sich hier beide Formen des Bewußtseins
am nächsten stehen, ist der Unterschied „in das hellste Licht" zu
setzen[13].

---

8. Vgl. § 3,2: I,16.25f: „... wie wir uns in einem gewissen Zeitteil *finden*"; zum „Zustand" vgl. ebd. 16.27f; § 15,1: I,106.4f („... sich in seinen verschiedenen Zuständen
selbst Gegenstand werden..."). — „Befindlichkeit" ist für Heidegger ausdrücklich nicht:
„wahrnehmendes Sich-vorfinden" (Sein und Zeit, 135), „Vorfinden eines seelischen Zustandes" (136); es hat nicht „den Charakter eines sich erst um- und rückwendenden Er-
fassens" (136). — Der Begriff „Vorfindlichkeit" dient uns als Interpretament, Schleiermacher gebraucht „sich finden" durchaus auch im Zusammenhang mit dem unmittelbaren Selbstbewußtsein (vgl. nur § 34,1: I,180.25; § 36,1: I,185.19; 186,5).
9. So in einer Randbemerkung I,16.37−39.
10. Darum: „re-flektierendes" Selbstbewußtsein. − In § 55,3: I,299.3ff wird unterschieden: „reflektiertes" („gegenständliches") von „ursprünglichem" („unmittelbarem") Selbstbewußtsein. Vgl. dazu F. Hertel, Das theologische Denken Schleiermachers
untersucht an der ersten Auflage seiner Reden „Über die Religion", SDSTh 18, Zürich/
Stuttgart 1965, 243 Anm. 234; sowie Wagner, Dialektik, 72 Anm. 25. − Heidegger
spricht von einer „Abgrenzung der Befindlichkeit gegen das reflektierende Erfassen des
‚Innern'" (Sein und Zeit, 136).
11. Neben dem oben bei Anm. 5 aufgeführten Zitat vgl. auch § 3,2: I,17.8f („Ergebnisse einer analysierenden Betrachtung"); auch „Wahrnehmung" gehört zum gegenständlichen Bewußtsein (vgl. § 3,2: I,17.18; § 46,1: I,224.14.16), ebenso „Anschauung"
(§ 96,2: II,56.9).
12. Vgl. wieder das oben bei Anm. 5 genannte Zitat, aber auch: § 4,1: I,24.1.5.17;
vgl. § 8,2: I,52.30f mit I,52.32; § 15,1: I,106.4−7; § 46,2: I,228.21.26.29.31f.
13. Vgl. § 3,2: I,17.3ff. Dort stellt Schleiermacher einander gegenüber: Freude und
Leid als Beispiele unmittelbaren Selbstbewußtseins und Selbstbilligung und Selbstmiß-
billigung als dem gegenständlichen Selbstbewußtsein zugehörig. Und dann folgt der Satz:
„Nirgends stehn sich vielleicht beide Formen näher, eben deshalb aber setzt auch diese
Zusammenstellung den Unterschied in das hellste Licht." (17.9−11).

2. Das unmittelbare Selbstbewußtsein[14]

a) Sein und Sosein

Wir interpretieren in diesem Abschnitt im wesentlichen die folgenden ersten Sätze der Erläuterungen zum § 4: „In keinem wirklichen Selbstbewußtsein, gleichviel ob es nur ein Denken oder Tun begleitet, oder ob es einen Moment für sich erfüllt, sind wir uns unsres Selbst an und für sich, wie es immer dasselbe ist, allein bewußt, sondern immer zugleich einer wechselnden Bestimmtheit desselben. Das Ich an sich kann gegenständlich vorgestellt werden; aber jedes Selbstbewußtsein ist zugleich das eines veränderlichen Soseins. In diesem Unterscheiden des letzteren von dem ersten liegt aber schon, daß das Veränderliche nicht aus dem sich selbst Gleichen allein hervorgeht, in welchem Falle es nicht von ihm zu unterscheiden wäre. In jedem Selbstbewußtsein also sind zwei Elemente, ein – um so zu sagen – Sichselbstsetzen und ein Sichselbstnichtsogesetzthaben, oder ein Sein, und ein Irgendwiegewordensein; das letzte also setzt für jedes Selbstbewußtsein außer dem Ich noch etwas anderes voraus, woher die Bestimmtheit desselben ist, und ohne welches das Selbstbewußtsein nicht gerade dieses sein würde. Dieses andere jedoch wird in dem unmittelbaren

14. Dieter Henrich hat in einem bedeutsamen Aufsatz (Selbstbewußtsein. Kritische Einleitung in eine Theorie, in: Hermeneutik und Dialektik, Aufsätze I, Methode und Wissenschaft, Lebenswelt und Geschichte, Hg. R. Bubner / K. Cramer / R. Wiehl, Tübingen 1970, 257–284) verschiedene Versuche einer philosophischen Theorie des „Selbstbewußtseins" erörtert. Als eines seiner Hauptergebnisse darf der Nachweis der Zirkelhaftigkeit aller solchen Versuche gelten, die „Bewußtsein" durch „Reflexion" konstituiert sein lassen, da sie, „Bewußtsein" als Selbstbeziehung eines Subjekts erklärend, am Ende nicht vermeiden können, schon diesem Subjekt die Eigenschaft bewußt zu sein zuzugestehen. Unter Vermeidung dieser Aporie und in der Annahme eines zunächst ichlosen Bewußtseins gewinnt Henrich einen Begriff von „Selbstbewußtsein" nicht als „Leistung", als aktiver Vollzug (etwa von Reflexion), sondern als „Ereignis". Als Musterbeispiel einer Reflexionstheorie gilt ihm dabei die Position Kants, und einzig Fichte habe den erwähnten Zirkel vermieden, der unvermeidlich werde, faßt man das Ich als bewußtes Subjekt, das sich selber zum Objekt macht. Schleiermacher wird von Henrich nicht erwähnt. Man kann sich fragen, ob Schleiermachers „unmittelbares Selbstbewußtsein", das ja ausdrücklich jedem objektivierenden, gegenständlichen Selbstbewußtsein gegenübergestellt wird, der Position Henrichs nicht sehr nahe kommt. – In derselben Weise wie die Überlegungen Heideggers werden wir im folgenden auch einige Sätze aus Henrichs Aufsatz heranziehen, um mit ihrer Hilfe die Konzeption Schleiermachers zu verdeutlichen. Eine darüber hinausgehende Erörterung der Thesen Henrichs ist nicht beabsichtigt. Überlegungen Henrichs nimmt, um Schleiermachers Verständnis von „Selbstbewußtsein" in der Dialektik zu klären, Wagner (Dialektik, 74ff; 149 Anm. 15) auf. – Zum ganzen folgenden Abschnitt vgl. auch Ebeling, Wirklichkeitsverständnis, 106ff.

Selbstbewußtsein, mit dem wir es hier allein zu tun haben, nicht gegenständlich vorgestellt. Denn allerdings ist die Duplizität des Selbstbewußtseins der Grund, warum wir jedesmal ein anderes gegenständlich aufsuchen, worauf wir unser Sosein zurückschieben; allein dies Aufsuchen ist ein anderer Akt, mit dem wir es jetzt nicht zu tun haben. Sondern in dem Selbstbewußtsein ist nur zweierlei zusammen, das eine Element drückt aus das Sein des Subjektes für sich, das andere sein Zusammensein mit anderem. – Diesen zwei Elementen, wie sie im zeitlichen Selbstbewußtsein zusammen sind, entsprechen nun in dem Subjekt dessen Empfänglichkeit und Selbsttätigkeit."[15]

Zugleich unseres Seins und eines bestimmten Soseins sind wir uns im unmittelbaren Selbstbewußtsein bewußt[16]. Das „Sein", das „Ich an sich", das „Sichselbstsetzen", das „Sein des Subjektes für sich" erfüllt das „Selbst an und für sich, wie es immer dasselbe ist", als sich selbst immer Gleiches alle Merkmale des „Wesentlichen": Es ist das (relativ zeitlose) *Wesen* des Subjektes selber. Seine bestimmte *Erscheinung* versteht sich als „veränderliches Sosein", „Irgendwiegewordensein", „Sichselbstnichtsogesetzthaben", „Zusammensein mit anderem". Meines Wesens und meiner bestimmten Erscheinung zugleich mithin bin ich mir im Gefühl bewußt: sich durchhaltend und sich im Wechsel gleichbleibend das eine; veränderlich, dem Wandel und der Bestimmbarkeit unterworfen das andere. Gewiß besteht auch hier eine Differenz: die zwischen Sein und Sosein. Aber von einer Distanz, gar (wie beim gegenständlichen Selbstbewußtsein) von einer zeitlichen Distanz, kann keine Rede sein. Ein (zeitlicher) *Abstand* ist darum auch gar nicht zu überwinden. Denn eben nicht auf ein früheres Sosein wird zurückgekommen, sondern ein gegenwärtiges Sosein mit

---

15. § 4,1: I,24.1–26; „Empfänglichkeit" und „Selbsttätigkeit" im letzten Satz von Schleiermacher hervorgehoben (Die von uns herangezogene Ausgabe von Redeker hat fälschlich „Bewußtsein" statt „Selbstbewußtsein" in dem ersten der oben zitierten Sätze.). – Daß sich die oben zitierten Sätze gegen Fichte wenden, deutet Wagner (Dialektik, 187) an. – Die als Kommentar der ersten 14 Paragraphen der Glaubenslehre zu lesende, sorgfältige Arbeit von D. Offermann ist zum folgenden Abschnitt unserer Darstellung zu vergleichen. Daß zur Zeit die Schleiermacher-Interpretation am erfolgversprechendsten ist, wenn sie sich dem *einzelnen* Text und dem *besonderen* Problem zuwendet, statt die Theologie Schleiermachers in irgendeiner Form *im ganzen* überblicken zu wollen, dafür ist dieses Buch ein eindrückliches Zeugnis.

16. Statt „unmittelbares Selbstbewußtsein" kann es überall auch heißen: „Gefühl" (vgl. § 3,2: I,16.9ff). – Vgl. auch WW III/5 (Entwurf eines Systems der Sittenlehre), 140: „Selbstbewußtsein nämlich ist jedes Gefühl. Denn jedes Bewußtsein eines anderen wird Gedanke. Aber auch nur unmittelbares; denn das mittelbare, in dem wir uns selbst wieder Gegenstand geworden sind, wird Gedanke..."

dem Sein zugleich erfahren. War ich mir im gegenständlichen Selbstbewußtsein selber Objekt, wurde dort das „ich" mit dem „meiner selbst" („ich bin mir meiner selbst bewußt") durch Betrachtung bzw. Reflexion vermittelt — hier sind beide *unmittelbar* eins.

Unmittelbares Selbstbewußtsein meint so: unmittelbare Identität und Gleichzeitigkeit mit sich selbst, „die unmittelbare Gegenwart des ganzen ungeteilten Daseins"[17].

Identität wird auf diese Weise erfahren nicht als Resultat eines selbsttätigen Aktes der Identifizierung mit sich selbst, nicht in einer sich selbst feststellenden und objektivierenden Vorstellung, sondern in reiner Empfänglichkeit, als Widerfahrnis[18]. Identität gründet für Schleiermacher in empfangender *Passivität*. Statt Selbstvergewisserung vollzieht sich Selbstgewißheit. „Gefühl" heißt so: *Betroffenheit*[19] und meint nicht ein Sich*vor*finden, sondern ein Sich*be*finden (eine „Befindlichkeit"). Ohne ein „Außen" freilich kann ich in dieser Weise nicht vor mich selbst gebracht, kann ich meiner selbst nicht innewerden[20]. Denn keineswegs die Abwen-

---

17. In einer Anmerkung hat Schleiermacher auf diese Definition aufmerksam gemacht: „Sehr verwandt und leicht auf die meinige zu übertragen ist *Steffens* Beschreibung vom Gefühl..." (es folgt das obige Zitat; vgl. § 3,2: I,17.12ff; Hervorhebung im Original). Vgl. auch den Satz in Schleiermachers Vorlesungen zur Ästhetik (WW III/7,122): „Das unmittelbare Selbstbewußtsein ... ist das völlige Aufgehn des ganzen Daseins in einen Moment." — Endgültig mit mir selbst identisch werde ich erst mit dem „Gottesbewußtsein"; der nächste Paragraph wird davon handeln.

18. „Das Fühlen hingegen ist nicht nur in seiner Dauer als Bewegtwordensein ein Insichbleiben, sondern es wird auch als Bewegtwerden nicht von dem Subjekt *bewirkt*, sondern kommt nur *in* dem Subjekt zustande, und ist also, indem es ganz und gar der *Empfänglichkeit* angehört, auch gänzlich ein Insichbleiben..." (§ 3,3: I,18.21—25). Vgl. WW III/7,123: „... der Act des unmittelbaren Selbstbewußtseins selbst ist nicht in unserer Gewalt." — Eben nicht als eine Aktivität des Ich, als Selbstidentifizierung, nicht als Leistung, sondern als Ereignis will auch Henrich das ursprüngliche Selbstbewußtsein verstanden wissen (Selbstbewußtsein, 277 und passim). — Auf diese Passivität des religiösen Erlebens weist Welker wiederholt hin (64; 69; 95; 176 u.ö.).

19. Vgl. § 4,1: I,24.33—25,1: „... so ist auch in jedem für sich hervortretenden Selbstbewußtsein das Element der irgendwie *getroffenen* Empfänglichkeit das erste..." Vgl. eine handschriftliche Anmerkung zur ersten Auflage (bei Redeker II, 501.19): „Das Selbstbewußtsein als bloßes *Getroffensein* der Empfänglichkeit..." Ein „passives Beeindrucktwerden", sagt Brunner (74). Vgl. auch Hertel, 223. — Von „Betroffenwerden" (und „Angänglichkeit") spricht auch Heidegger (Sein und Zeit, 137) und ihm folgend formuliert Fuchs (Marburger Hermeneutik, Hermeneutische Untersuchungen zur Theologie 9, Tübingen 1968, 178): „Als Existenz verhalte ich mich zu Anderen und Anderem in einer Welt so, daß ich den Anderen und Andere sein lasse, weil einlasse, mich von ihm erfüllt sein lasse, ihm bei mir Dasein einräume."

20. R. Hermann hat in einer schönen Formulierung das „Gefühl" Schleiermachers als *Innewerden* interpretiert (vgl. Art. „Schleiermacher. II. Theologie", RGG³ Bd.

dung von meinem bestimmten Sosein, nicht das alleinige Zur-Gel-
tung-Kommen meines reinen Seins oder Wesens läßt mich meiner
selbst unmittelbar bewußt werden, sondern gerade Sein und Sosein *zugleich*, die Erfahrung, als ein so und so bestimmter sich
doch gleichsam nicht in dieser Bestimmtheit zu verlieren: als Bestimmter derselbe zu bleiben, das bestimmte Sosein als Sosein eines *Seins* verstehen zu können — gerade dies läßt mir Identität
widerfahren. Das Sosein aber ist immer ein „Irgendwiegewordensein", ein „Sichselbstnichtsogesetzthaben". Denn nicht von mir
aus bin ich jeweils gerade „so". Es muß also „etwas anderes"
vorausgesetzt werden, „woher die Bestimmtheit desselben [sc. des
Selbstbewußtseins] ist, und ohne welches das Selbstbewußtsein
nicht grade *dieses* sein würde." Dieses „andere", das mich angeht
und mich betrifft, ist der Grund des „so"[21], mit ihm zusammen zu
sein heißt „Sosein", heißt in bestimmter Erscheinung zu sein. Unmittelbar meiner selbst bewußt werde ich somit nicht ohne Betroffenheit durch ein „anderes", ein Etwas, das ich nicht selbst bin,
das meine Empfänglichkeit von „außen" in Anspruch nimmt: ein
„Außeruns"[22]. Allgemeiner formuliert: Identität kann mir nicht
widerfahren und bei mir selbst kann ich nicht sein, ohne zugleich
von der *Welt* betroffen zu werden[23].

So ist das „Gefühl" Ausdruck der *Offenheit* des menschlichen
Seins, zunächst in Richtung auf die *Welt*. „Gefühl" ist Ausdruck
von *Weltoffenheit*.

Auf nichts anderes als auf ein Bewußtsein unseres In-der-Welt-
Seins weist ja auch unser im Gefühl enthaltenes „Zusammensein
mit anderem"[24]. Darum ist „unmittelbares" immer „sinnliches"

V, 1426–1435; dort 1430). Der Ausdruck begegnet, soweit wir sehen, bei Schleiermacher nur in der ersten (Gl[1], § 9,2), nicht in der zweiten Auflage. — Mit Hilfe der Begrifflichkeit Heideggers interpretiert schon J. Neumann (Schleiermacher. Existenz, Ganzheit, Gefühl als Grundlagen seiner Anthropologie, Berlin 1936) den Schleiermacherschen
Gefühlsbegriff (vgl. bes. 167ff). Völlig zu Recht macht er darauf aufmerksam, daß, insofern im Gefühl immer schon „Welt" miterschlossen ist, für Schleiermacher von vornherein „jede solipsistische Auffassung des Daseins und damit des Gefühls unmöglich" ist
(171). Nicht zutreffend ist freilich, daß Schleiermacher Gott als „Person" verstehe
(169), doch stellt diese Ungenauigkeit (vgl. oben § 8 Anm. 20) Neumanns Analyse des
Gefühlsbegriffs Schleiermachers nicht in Frage.
  21. „... weil wir nicht anders als durch ein anderes *so* werden konnten." § 4,2: I,
25.17.
  22. § 4,2: I,26.20.
  23. Man mag formulieren: Bringe ich mich gleichsam auf mich selber, muß von gegenständlichem Selbstbewußtsein gesprochen werden; bringt die Welt mich auf sich, so
daß ich ganz bei der Sache bin, liegt gegenständliches Bewußtsein vor; und bringt die
Welt mich auf mich, ist unmittelbares Selbstbewußtsein gegeben.
  24. Vgl. § 4,2: I,26.24f: „... unser Selbstbewußtsein *als* Bewußtsein unseres Seins in

bzw. „sinnlich bestimmtes" Selbstbewußtsein[25], als solches aber durch „*Zeit*" charakterisiert. Mit Bedacht spricht Schleiermacher in der von uns zu Beginn dieses Abschnittes zitierten grundlegenden Erörterung vom „*zeitlichen* Selbstbewußtsein"[26].

Wir fassen diesen Moment des unmittelbaren Selbstbewußtseins terminologisch als „*Erlebnis*". Daß es sich hier um einen Lebensmoment handelt und daß man sich seiner bewußt ist, kommt in diesem Ausdruck überein.

Die Erlebnis-Zeit des unmittelbaren Selbstbewußtseins ist also die Weise, in der das menschliche Sein für die Welt offen ist[27], ist Zeit *zur* Betroffenheit. Verstanden im Zusammenhang des „Gefühls" meint „Zeit" für Schleiermacher grundsätzlich *Zeit für...*, zunächst als Zeit für – *die Welt*.[28]

b)   Erlebnis und Leben

Im Erlebnis des Selbstbewußtseins, in dieser Zeit für die Welt, bin ich für die Welt offen: sie geht mich an und betrifft mich. So zeigt

der Welt oder unseres Zusammenseins mit der Welt..."; vgl. auch § 5,1: I,31.6f. – Durchaus hätte Schleiermacher formulieren können (bedient er selber sich doch häufig mit Bindestrichen konstruierter Substantivierungen): „Bewußtsein unseres *In-der-Welt-Seins*". Und auch bei ihm wäre die Subjekt-Objekt-Relation ausdrücklich als derivater Modus gedacht (nämlich als „gegenständliches Bewußtsein", das er als „reflektiertes" in § 55,3: I,299.3ff vom „ursprünglichen" unterscheidet), auch bei ihm ist, angezeigt in der „Duplizität" des Selbstbewußtseins, der Mensch offenbar *immer schon* und nicht erst irgendwie nachträglich in der Welt (vgl. oben die Überlegungen zum „In-sein" Gottes, § 8,3). Thematisch expliziert ist dieses In-der-Welt-Sein freilich nicht, läge das doch auch ganz außerhalb der Absichten, die in einer „Glaubenslehre" zu verfolgen sind. Zu untersuchen, ob Schleiermacher dieses im Gefühl bewußte „Sein in der Welt" in einer Heidegger verwandten Weise versteht, kann in diesem Zusammenhang nicht unsere Aufgabe sein. In der Psychologie Schleiermachers jedenfalls gilt: „Ein rein innerlicher Verlauf, der weder in seinem Anfange noch an seinem Ende eine Beziehung hätte auf das Aeußerlich-werden-wollen, ist ... nur ein Schein, und es giebt einen rein innerlichen Verlauf innerhalb des bloßen Einzelwesens überhaupt nicht." (WW III/6, 69). – Zum „Immer-schon-draußen-Sein" vgl. Ebeling, Wirklichkeitsverständnis, 99f; Brandt, 73f.

25. Vgl. § 5,1: I,31.6f; Offermann, 54ff. – Nach § 57,1: I,307.16ff ist jede „Erregung des sinnlichen Selbstbewußtseins" ein „Welteindruck" (vgl. § 58,1: I,311.12ff).

26. Vgl. außerdem § 53Z: I,278.28–30; Offermann, 41–43; 52ff; und Ebeling (Gottesbewußtsein, 127f; vgl. 129f): „Das sinnliche Selbstbewußtsein ist am Endlichen und Zeitlichen orientiert." – Richtig Wagner, Dialektik, 188: „... daß Schleiermacher in der Glaubenslehre anders als in der Dialektik das Gefühl als *wirkliches* Bewußtsein, d.h. in seiner empirisch-zeitlichen Bezüglichkeit entfaltet." (Hervorhebung im Original).

27. Vgl. Ratschow, 378, wo Ratschow die „Zeit für..." als *Offenheit* für etwas beschreibt.

28. Daß „Zeit" formal als *Zeit für...* und in ihrem Wesen als *Zeit zur Liebe* zu verstehen sei, hat Ernst Fuchs immer neu entdeckt.

der „Zustand" des Gefühls die *Situation*, in der ich mich befinde.
Diese Situation wird im Moment unmittelbaren Selbstbewußtseins
erfaßt, und mir wird damit bewußt, woran es je und dann mit meinem Dasein *als ganzem* ist[29] (darum: „Gegenwart des ganzen ungeteilten Daseins"), das sich in diesem Moment versammelt[30].
Daß der Gefühlszustand in verschiedener Weise bestimmt wird,
ergibt sich aus der je verschiedenen *Qualifikation* der jeweiligen Situation. Durch den Vollzug verschiedener Relationen[31], durch deren je andere Konstellation, wird die jeweilige Situation qualifiziert. Dabei überwiegt in den meisten Fällen eine bestimmte Relation und „bestimmt", „erfüllt", „beherrscht", „dominiert" etc.
entsprechend den jeweiligen Moment des Gefühls. Ihm imponiert
sich die Welt und begegnet ihm, fließt in ihn ein und herrscht; versteht Schleiermacher doch, wie wir gesehen haben[32], das Seiende
wesentlich als Kraft. Wie die *Dinge* einen „Ort für Kräfte" bilden,
so auch das *Selbstbewußtsein*: indem die Welt in ihm anwesend
ist, sind Kräfte in ihm wirksam. Neben Angenehmem, das den
Moment als Lust bestimmt, vermag so Unangenehmes, das als Unlust erfahren wird, die Situation zu qualifizieren und den Zustand
des Selbstbewußtseins zu erfüllen[33]. Belebtes oder Unbelebtes affiziert. Alles sinnlich Seiende[34] ist zu dieser Qualifikation imstande
und kann zum Selbstbewußtsein in Relation treten. Was wir im
vorigen Abschnitt als den „Grund des So" bezeichnet haben, jenes

---

29. Woran es mit dem Dasein ist, wird für Heidegger im „Verstehen" erschlossen
(vgl. Sein und Zeit, 144). – Der Gedanke der Ganzheit spielt in Neumanns Interpretation (130ff) eine entscheidende Rolle. – Von dem Gedanken der Qualifizierung der Situation und des Augenblicks ist wesentlich die Theologie Rudolf Bultmanns und Gerhard Ebelings (besonders deutlich in: Theologie und Verkündigung. Ein Gespräch mit
Rudolf Bultmann, Tübingen 1963[2]) bestimmt.
30. Vgl.: „Gefühl" als „ein Bestimmtseyn des *ganzen* Menschen", Gl[1], § 12,2. –
Vgl. auch WW III/5 (Entwurf eines Systems der Sittenlehre), 138: „Und jedes Gefühl
geht immer auf die Einheit des Lebens, nicht auf etwas einzelnes." – Richtig darum J.
Moltmann (Der gekreuzigte Gott. Das Kreuz Christi als Grund und Kritik christlicher
Theologie, München 1973[2], 92), „Gefühl" meine bei Schleiermacher „die Grundbe-
stimmtheit der *Existenz* des Menschen" und eine „Ergriffenheit des *ganzen* Lebens."
31. Daß die Bestimmtheit des Menschen durch *Relationen* für die Anthropologie
Schleiermachers bezeichnend ist, betont R.R. Niebuhr (Schleiermacher on Language
and Feeling, Theology Today 17, 1960, 150–167): „... his vision of man as a being who
is essentially determined by his living relationship to others as well as the Other." (150;
vgl. 154: „the individual not as a monad but in relationship").
32. Vgl. oben § 11,2.
33. Vgl. § 3,4: I,21.17; § 5L: I,31.2f; § 62L: I,341.8f u.ö.
34. Schleiermacher faßt das „sinnliche Selbstbewußtsein" so weit, „daß das sittliche
Gefühl mit unter die sinnlichen gerechnet wird" (I,32.35); es drückt ganz allgemein
„die Beziehung zu dem wahrnehmbaren endlichen Sein" aus (vgl. § 5,1: I,31.6f).

„andere", „ohne welches das Selbstbewußtsein nicht grade *dieses* sein würde"[35], jener Grund unserer jeweiligen Betroffenheit – dies qualifiziert die Situation zu einer so bestimmten und dominiert den Zustand des jeweiligen Selbstbewußtseins, in dem diese Situation erlebt, d.h. ergriffen wird.

„Sich seiner selbst als ... bewußt sein" bedeutet deshalb für Schleiermacher: sich zu verstehen als „bestimmt" durch die Anwesenheit von bestimmtem Weltlichen im Selbstbewußtsein und durch die Wirksamkeit der Kräfte dieses Weltlichen. *Sich* zu verstehen heißt darum immer auch: seine *Situation* zu verstehen[36].

Doch das die Situation erfassende Erlebnis zeigt den jeweiligen Zustand (und die jeweilige Situation) immer als irgendwie *geworden.* Und dies ist der Ursprung von Zeiterfahrung: Erfahrung von „Zeit" ist für Schleiermacher primär Erfahrung eines „Irgendwie*geworden*seins", deutlich also an dem Verhältnis eines Jetzt zu seiner *Vergangenheit* orientiert[37], das freilich nicht als ein Verhältnis des *Abstandes* verstanden werden darf. Als Erfahrung eines „Bewegtwerdens" oder „Bewegtwordenseins"[38] bedeutet sie immer Erfahrung einer Bestimmtheit durch Weltliches, das im Selbstbewußtsein gegenwärtig, *und* eines Bestimmtwordenseins durch Weltliches, das als nicht mehr im Selbstbewußtsein gegenwärtig doch noch auf seine Weise in ihm anwesend ist („ohne welches das Selbstbewußtsein" nämlich „nicht gerade *dieses* sein würde"). Indem also ein „Woher" des Soseins[39] in diesem selbst erfahren wird, kann „Zeit" erfahren werden. Denn so wird, ohne daß hier ein zeitlicher Abstand gemeint wäre[40], eine Differenz und

35. Vgl. oben § 12,2a.
36. Auch Neumann (169 u.ö.) interpretiert Schleiermachers Gefühlsbegriff mit Hilfe dieser Wendung „sich von ... her verstehen". – Vgl. auch Dembowski, 130: „In diesem unmittelbaren Selbstbewußtsein vernimmt sich der Mensch in bezug zu anderem."
37. Vgl. § 4,1: I,24.12 („Irgendwie*geworden*sein"); 24.11f („Sichselbstnichtsogesetzt*haben*"). – Daß der „Befindlichkeit" eine Nähe zur „Gewesenheit" eigen ist, sagt auch Heidegger (Sein und Zeit, 339ff).
38. Vgl. § 3,3: I,18.21f.
39. Vgl. § 4,1: I,24.14f (das dort vorkommende „Woher" ist *auch* zeitlich gemeint).
40. Überlegungen vor allem Martin Heideggers aufnehmend (vgl. unseren Hinweis auf Heidegger oben § 11 Anm. 18) hat Jüngel (Paulus und Jesus. Eine Untersuchung zur Präzisierung der Frage nach dem Ursprung der Christologie, Hermeneutische Untersuchungen zur Theologie 2, 1967³) das Zeitverständnis Jesu als nicht durch die Vorstellungen von Entfernung, Abstand, Zeitraum ... bestimmbar charakterisiert. Das „Eigentümliche dieser Zukünftigkeit der Gottesherrschaft", so lautet eine bezeichnende Formulierung (154; Hervorhebung im Original; der Hinweis auf Heidegger 140f), „ist dies, daß die Zukunft hier nicht als ein *Abstand* zum Jetzt vorgestellt wird, sondern als eine schon die Gegenwart zu ihrem Anfang machende *nahe* Zukunft in den Blick kommt: Diese Zukunft steht nicht aus, sondern ragt in die Gegenwart herein. Sie kann als zeiträumlicher

ein Wechsel erfahren, kann man sich doch nur eines *So*seins bewußt sein, wenn es gleichsam ein „So und nicht anders" ist. Dieses „anders" aber ist im „Irgendwiegewordensein" mitgemeint und auf seine Weise im jeweils gegenwärtigen Zustand auch mit anwesend[41]. Das Sosein ist Ergebnis meiner Herkunft. Diese Herkunft geht in den Moment ein; für sie ist gleichsam der Moment offen[42]. Wird sie mir ausdrücklich bewußt, so ver-gegenwärtigt sie sich mir in der „Erinnerung"[43]. Ausdrückliche Erinnerung freilich dürfte für Schleiermacher dem „gegenständlichen Selbstbewußtsein" zugehören[44].

Wie im Selbstbewußtsein etwas, wiewohl *nicht mehr* gegenwärtig, so doch anwesend sein kann, so auch anwesend, aber noch nicht gegenwärtig: die Zukunft[45]. Zukunft wird für Schleiermacher als Tendenz präsent. „Ahndung", „Vorahndung", „Vorgefühl", auch einmal „Phantasie" heißen darum die entsprechenden Ausdrücke[46]; auch sie eine bestimmte Anwesenheit zum Ausdruck bringend, nun in der Weise, daß ein Zukünftiges als ein in der Gegenwart Werdendes erfahren wird, als etwas, das dieses Zukünftige zu werden *im Begriff* ist[47]. Was in diesem Sinne nicht im Begriff

Abstand überhaupt nicht erfaßt werden und sperrt sich deshalb auch gegen die Doktrin von der ‚Naherwartung' Jesu." – Daß für Schleiermacher zumindest im Raum „unmittelbaren Selbstbewußtseins" eben dieses Schema von Zeitraum und Abstand *nicht* gilt (sondern dort seinen Platz hat, wo noch nicht dogmatisch konkret vom „unmittelbaren Selbstbewußtsein", geschweige denn vom christlich frommen Selbstbewußtsein, sondern, davon abstrahierend, von allgemeinen Bestimmungen der Welt die Rede ist; vgl. oben § 1) versuchen wir zu zeigen.

41. Wiederum nur hinweisen können wir auf die durchaus verwandten (und zu einem expliziten Vergleich mit Schleiermacher reizenden) Überlegungen Heideggers in dem Vortrag „Zeit und Sein" (dort 12f).

42. Vgl. Heidegger, Sprache, 212: „Im Nacheinander der Abfolge der Jetzt als den Elementen der parametrischen Zeit ist niemals ein Jetzt offen gegenüber dem anderen." Als Parameter offenbar ist „Zeit" von Schleiermacher hier nicht verstanden.

43. Die Vergegenwärtigung der Vergangenheit oder die Erinnerung wird genannt in: § 107,1: II,151.24; § 108,3: II,162.2; § 109,2: II,175.2ff; § 110,3: II,187.24f („… da wird auch eine Erinnerung begründet sein an das alte Leben, mithin eine reale Vergegenwärtigung desselben"); § 139,3: II,346.6; § 161,2: II,426.27; § 163 Anhang: II, 438.36.

44. Vgl. oben § 12.1.

45. Schleiermacher selbst formuliert, dem Augenblick unserers gegenwärtigen Lebens seien Vergangenheit und Zukunft *„eingebildet"* (vgl. § 158,3: II,416.17–20).

46. Nur einige Beispiele: „Ahndung" (§ 84,4: I,458.4f; § 156,2: II,406.21; § 158,3: II,416.15); „Vorahndung" (§ 108,2: II,157.2); „Vorgefühl" (§ 114,1: II,212.31; 213.1. 14f; § 118,2: II,230.22); „Phantasie" (§ 159,2: II,420.8); vor allem in den Paragraphen über die Eschatologie (§§ 157–163) begegnen diese Ausdrücke.

47. Vgl. § 66,1: I,356.21–23: § 86,2: II,12.28ff; § 87L: II,15.9ff (in diesem Paragraphen ist an vielen Stellen die Rede vom Bewußtsein „werdender Seligkeit"); beson-

zu... ist, kann sich als Zukunft im Selbstbewußtsein keinerlei Geltung verschaffen. Eine *Her*kunft aus der Zukunft, daß etwas der Gegenwart *entgegenkommt*[48], ohne als Tendenz aus ihr schon gleichsam ableitbar zu sein, das bleibt für Schleiermacher deswegen außer Betracht, weil nur das im Selbstbewußtsein „Vorkommende" von Bedeutung sein kann. Zu finden ist im „Vorgefühl", was ich als Werdender *bin*, nicht, was ich sein *werde*. Es versteht sich von selbst, daß dem im Selbstbewußtsein derart vollzogenen Erschließen von Zukunft enge Grenzen gesetzt sind, die vor allem in der Eschatologie, so wie Schleiermacher sie versteht, zu grundsätzlichen Bedenken der traditionellen Behandlung dieses Lehrstücks gegenüber Anlaß geben wird.

Nun befindet sich aber das Noch-nicht-Gegenwärtige in ständigem Übergang zum Nicht-mehr-Gegenwärtigen, weil „jeder Moment *selbst* Verknüpfung ist als Übergang nämlich vom vorigen zum folgenden"[49], bzw. als „Uebergang aus Vergangenheit in Zukunft"[50], „da dasselbige, was jetzt ein gegenwärtiges ist, hernach ein vergangenes wird, wie es vorher ein zukünftiges gewesen"[51]. In diesem Übergang verläuft unser Dasein *immer schon*: „Wir finden uns selbst immer nur im Fortbestehen, unser Dasein ist immer schon im Verlauf begriffen..."[52] So kommt es zum Bewußtsein „einer *wechselnden* Bestimmtheit"[53], und so differenziert sich das Selbstbewußtsein „seiner Natur nach und von selbst in eine Reihe ihrem Inhalt nach verschiedener Momente"[54]. Je verschieden ist der Inhalt dieser Momente, weil etwa je Verschie-

---

ders deutlich: § 114,1: II,212.28ff (zum Bewußtsein der Vollendung der Kirche).

48. Vgl. die Konzeption einer „parusialen Zeit", wie sie Schütz vorgeschlagen hat (vgl. oben § 11 Anm. 33).

49. § 10,3: I,68.22−24.

50. Gl¹, § 17,3.

51. Gl¹, § 69,2. Vgl. auch die Äußerungen der Ästhetik-Vorlesung: „... so ist jedes Selbstbewußtsein, das wir als unmittelbar haben, immer ein Beweis von Differenzen der Momente, ein Andersgewordensein, und bezieht sich darauf. Z.B. denken wir irgend eine Gemüthsstimmung, so ist dies ein unmittelbares Selbstbewußtsein. Stimmung deutet eine Fortwirkung an, nicht blos momentan, doch irgend wann entstanden und irgend wann vorüber; ein bestimmter qualitativer Moment, der einem andern vorangegangen ist und einem andern folgen wird." (WW III/7, 68). Oder: „Einer Stimmung nun werden wir uns bewußt dadurch, daß eine andere vorausging oder nachfolgt..." (71).

52. § 36,1: I,185.19f. Vgl. WW III/7, 79: „Das einzelne Leben ist nur in der Form der Zeitlichkeit, d.h. in der Fortschreitung des Seins in Momenten, die verschieden sind..."

53. § 4,1: I,24.4f.

54. § 5,4: I,36.27−29. Vgl. WW III/7, 68: „... das unmittelbare Selbstbewußtsein ist die Verschiedenheit der Momente selbst, die einem bewußt sein muß, da ja das ganze Leben nichts ist, als ein sich entwickelndes Bewußtsein."

denes anwesend ist: als gegenwärtig; noch nicht gegenwärtig; und nicht mehr gegenwärtig.

Für Schleiermacher konstituiert diese Unterscheidung der Momente geradezu das Menschsein: „Tierähnliche Verworrenheit des Bewußtseins" herrscht, wenn noch „eine bestimmte Scheidung und Entgegensetzung von Momenten für das Subjekt selbst nicht stattfindet"[55] — „weil nur in dem sukzessiven Gegensatz geschiedener Momente", jener Verworrenheit ein Ende setzend, „die Klarheit des Bewußtseins wurzelt"[56]. Solange das Selbstbewußtsein in jener niedrigsten Stufe die Folge der Momente bzw. der Situationen wahrzunehmen noch außerstande ist, kann es auch noch kein „sich seiner selbst als ... bewußt sein" geben, insofern die Welt noch gar nicht in den Blick gekommen ist. Überhaupt gibt es den „Gegensatz zwischen dem Selbst und dem diesem gegebenen Sein, sowie zwischen dem gegenständlichen Bewußtsein und dem Selbstbewußtsein" noch nicht[57], sind Subjekt und Objekt noch nicht auseinandergetreten und hat der Mensch sich noch nicht der Sprache bemächtigt[58].

Doch ist diese Verworrenheit überwunden, dann vermag ich mir meiner selbst bewußt zu sein. Durch das Selbstbewußtsein wird ein Zusammenhang meines Daseins für mich selbst garantiert; mit dem „Zusammensein mit anderem" gibt es ein „Sein des Subjektes für sich"[59] (und z.b. eine „einigende Erinnerung", „ohne welche doch die Seele für sich selbst nicht dieselbe wäre"[60]). Daß Verschiedenes je in meinem Selbstbewußtsein anwesend, mein Selbstbewußtsein der Ort dieser Anwesenheit ist und ich also durchgehend mich (wenn auch von etwas anderem her) verstehe, das bleibt sich in der wechselnden Bestimmtheit gleich. Noch nicht die Kontinuität der Momente im Übergang vom vorigen zum folgenden vermag die verschiedenen Momente zu einer „stetigen Einheit des Lebens"[61] zu verbinden, denn sie bilden zwar eine Folge, aber noch keine Einheit. Die Einheit und Selbigkeit des Lebens konsti-

---

55. Ebd. 37.19—21.
56. § 59,1: I,314.3f.
57. Ebd. 313.24—26; vgl. § 5,1: I,31.29f („Gefühl" und „Anschauung" sondern sich noch nicht klar voneinander).
58. Vgl. I,31.34f und § 5,1: I,31.25f. — Die Gleichursprünglichkeit von Zeiterfahrung und Sprache konstatiert auch Ebeling (Zeit und Wort, in: Wort und Glaube II, 135).
59. Vgl. wiederum den ersten Abschnitt des § 4 (I,24.1ff); die oben genannten Stichworte 24.23f.
60. Vgl. § 161,1: II,424.21f.
61. Vgl. § 5,1: I,31.17—19.

tuiert erst — als die stetige *Erlebnis*folge[62] — die Stetigkeit des *Selbstbewußtseins*[63]. Sich seiner selbst bewußt hält sich das „Ich" in der Erlebnismannigfaltigkeit durch.[64] Zeitliche Dauer der endlichen Dinge als das „Maß ihrer Kraft im Zusammensein eines jeden mit allen übrigen..."[65], das heißt für das menschliche Leben: Zeitlichkeit als Voraussetzung, ohne welche nichts im Selbstbewußtsein des Menschen anwesend sein und bewegend und verändernd auf es wirken könnte, ohne welche er in seinem Gefühl nicht „dominiert", „erfüllt", „beherrscht" werden könnte, ohne welche den Menschen nichts etwas anginge — ohne welche ihm die *Wirklichkeit* entzogen wäre.

Soweit sie das unmittelbare Selbstbewußtsein betrifft, über das hinauszudenken die Glaubenslehre ja keinerlei Interesse hat, stellt sich „Zeit" also für Schleiermacher nicht etwa als prinzipiell leeres Zeit-Kontinuum, als bloßes, seinen Inhalten gegenüber gleichgültiges Nacheinander der Jetzt, sondern als prinzipiell „gefüllte" Zeit dar, von deren Inhalten zu abstrahieren der Glaubenslehre nicht einfallen kann. Wenn „Zeit" in der Glaubenslehre nicht zum selbständigen Thema wird, so ist das Indiz dafür, daß *diese* Abstraktion für Schleiermacher nicht einmal eine Gefahr darstellt. Er ist mit dem beschäftigt, was sich im unmittelbaren Selbstbewußtsein zeitlich vollzieht. Und die Zeitlichkeit dieses Selbstbewußtseins ist für ihn nicht zu trennen von der Bestimmtheit seiner Zustände und der Qualifikation der dort erfaßten Situationen.

„Zeit" ist, gedacht im Zusammenhang des Gefühls, Zeit *zum* Ergriffen- und Betroffenwerden, *zum* Angegangenwerden[66]. Sie ge-

62. Daß Schleiermacher das menschliche Leben aus Momenten, und, weil es *menschliches* Leben ist, aus Momenten unmittelbaren Selbstbewußtseins, also aus Erlebnissen konstituiert sieht, wird in der Glaubenslehre immer wieder ersichtlich und bedarf keines Beleges.

63. Vgl. § 161,1: II,424.12; 425.17f; § 163,2: II,436.7ff; 436.33f.

64. Für Schleiermacher heißt „Person": ein in allen aufeinanderfolgenden Momenten gleiches Ich (vgl. § 96,1: II,53.6f und 15f). Vgl. außerdem § 106,1: II,148.16f; § 123,3: II,264.16f. — Bei Schleiermacher liegt vor, was Heidegger als derivate Fassung des Selbst gilt: die „Identität des in der Erlebnismannigfaltigkeit sich durchhaltenden Ich" (Sein und Zeit, 130).

65. § 46Z: I,231.7f; vgl. oben § 11 bei Anm. 35.

66. Die Alternative, „Zeit" als leeres Zeit-Kontinuum oder als prinzipiell konkrete Zeit, als Zeit zu..., zu verstehen, begegnet wie bei Ratschow so auch, mit dem Hinweis auf das alttestamentliche Zeitverständnis, etwa bei Ebeling (Zeit und Wort, 126f) und bei Jüngel (Paulus und Jesus, 150f Anm. 3). Zum Problem vgl. auch E. Bloch, Tübinger Einleitung in die Philosophie I, edition suhrkamp 11, Frankfurt a.M. 1963, 176ff, der im Gegensatz zu der Behauptung N. Hartmanns, „Zeit bleibe allemal Zeit, und zwar dieselbe, ganz gleich, was darin geschieht" (187), „Zeit" eben nicht als „abstrakt-neutralen Behälter" (187), „zu ihren variierenden Inhalten ... im Verhältnis invarianter Äußerlich-

hört prinzipiell zu einem Geschehen. „Zeit" im unmittelbaren Selbstbewußtsein bedeutet immer schon: *Geschichte;* „zeitliches Selbstbewußtsein" immer schon „*geschichtliches* Selbstbewußtsein".

Nur unserer ersten Leitfrage (nach dem Selbstbewußtsein im Gefüge von Ursache und Wirkung)[67] sind wir mit dem bisher Erörterten gefolgt; die Antwort der zweiten (nach der Wirkung Gottes im Selbstbewußtsein) kann sich erst in den folgenden Abschnitten ergeben. Doch können wir jetzt schon im Blick auf die kommenden Überlegungen formulieren: Nur weil das Leben des Menschen in Situationen qualifiziert und so in den Zuständen des Selbstbewußtseins „bestimmt" wird und als Erlebnisfolge verläuft (weil das Selbstbewußtsein die Situationen zu erfassen in der Lage ist), kann Gott in seiner Liebe bestimmend, d.h. bewegend und verändernd, in ihm anwesend sein und an ihm wirksam werden.

3. Lebendige Empfänglichkeit

In diesem Sinne verändert zu werden, dazu gehört für Schleiermacher immer auch eigene Tätigkeit: „Denn keine Veränderung in einem Lebendigen ist ohne eigne Tätigkeit, ohne welche daher, auf vollkommen leidentliche Weise, auch keine Einwirkung eines andern wirklich kann aufgenommen werden."[68] Die Situation im Moment des Selbstbewußtseins wirklich „aufzunehmen", zu ergreifen — das heißt für Schleiermacher immer auch: Übergang in Selbsttätigkeit. Etwas *bestimmt* mich, etwas zu tun, denn das Gefühl ist keineswegs etwas „Unwirksames"[69]. Insofern ist die Empfänglichkeit des Selbstbewußtseins „*lebendige* Empfänglichkeit". Nur das Tote, der „Naturmechanismus", ist gekennzeichnet durch bloße Empfänglichkeit als gleichsam schlechte Passivität. Es bewegt nicht *sich* und bewegt anderes nur insofern, als es selber bewegt wird[70]. Es gibt Bewegung lediglich mechanisch

keit" (189), verstehen will. — Darauf, daß die Zeit für physikalisches und für ein an der Zeitmessung und an der Zweckmäßigkeit orientiertes Denken „leer" sein muß, weist H.G. Gadamer hin (Über leere und erfüllte Zeit; in: Kleine Schriften III. Idee und Sprache. Platon, Husserl, Heidegger, Tübingen 1972, 221—236).

67. Vgl. oben den Beginn von § 12.
68. § 91,1: II,29.25—28. — In einer handschriftlichen Bemerkung zur ersten Auflage (mitgeteilt von Redeker in der von uns zitierten Ausgabe der zweiten Auflage II,500. 30) heißt es: „Es ist dem Gefühl *wesentlich,* Wissen und Tun zu erregen..."
69. Vgl. § 3,5: I,23.1f.
70. Vgl. § 49L: I,249.7; § 49,1: I,250.26f; 251.21f.26f. — Diese „schlechte" Passivi-

weiter und ist so nur als „Durchgangspunkt" wirksam[71]. Die Situation im Erlebnis zu ergreifen bedeutet demgegenüber nicht eine bloße Weitergabe der Bestimmung — „so gewiß als uns der Mensch ein ursprünglich Handelndes ist, und nicht sein Handeln schlechthin bedingt durch seine leidentlichen Zustände"[72] —, sondern gleichsam ihre Verarbeitung. Wie das auf das Selbstbewußtsein Wirkende weiter wirkt, das ist der menschlichen *Freiheit*, der Freiheit seines Willens, anheimgegeben[73]. „Lebendige Empfänglichkeit" des Menschen heißt so: Übergang in *freie* Ursächlichkeit; sich und von sich aus anderes bewegen. Erst die freie ist die „wahre" Ursächlichkeit, und nur ihr Gebiet ist das des Lebens[74]. Nicht eine bloße Feststellung meint so das „Ergreifen" der Situation, sondern einen *Antrieb* zum *Tun*[75].

Bei Gelegenheit kann Schleiermacher diesen Übergang als „Entschluß" bezeichnen[76]. Der Entschluß aber als „Gemütserscheinung" bringt „als Moment eine erfüllte Zeitreihe" hervor[77]. Als Entschluß *zeitigt* mithin das Gefühl Tätigkeiten, bringt auf seine Weise Zeitliches hervor[78]. In diesem Sinne auch ist diese Ursächlichkeit „größer" als die der toten Kräfte[79]. Doch führt dieser Übergang zu Tätigkeiten vom Thema der Glaubenslehre ab. Die Glaubenslehre hat es ja mit den Zuständen des unmittelbaren Selbstbewußtseins, erst die Sittenlehre mit den daraus entspringenden Tätigkeit zu tun.

tät meint Schleiermacher, wenn er (WW III/7, 69; 70f) die Passivität des unmittelbaren Selbstbewußtseins bestreitet (vgl. 67: „... denn Geist können wir nicht blos als leidend denken, denn leidend ist das Todte, der Geist dagegen ist durchaus lebendig und thätig.").

71. Vgl. § 49,1: I,251.31.

72. § 76,2: I,417.9—11.

73. Vgl. § 49,1: I,249.17ff; § 112,1: II,200.33f: „... weil es keinen Willen gibt ohne Freiheit..." — Auf den Zusammenhang mit den Analysen *Kants*, in dem diese Überlegungen Schleiermachers zweifellos stehen, weisen wir wiederum nur hin. Vgl. vor allem die „Auflösung der kosmologischen Ideen von der Totalität der Ableitung der Weltbegebenheiten aus ihren Ursachen" (Kritik der reinen Vernunft, A 532ff; B 560ff).

74. Vgl. § 49,1: I,251.24—26; 32—35; § 108,6: II,171.3f; § 122,1: II,255.6ff.

75. Vgl. § 3,4: I,19.15f; 21.20f: „... das Gefühl, welches Affekt geworden und in den Antrieb übergegangen war..."

76. Vgl. § 49,1: I,249.22.

77. Vgl. § 52,2: I,271.8f.

78. Vgl. oben § 8,4 und § 10,2, wo wir „Zeitigung" als Hervorbringung eines Zeitichen bestimmt haben. — Lediglich darauf aufmerksam gemacht sei, daß Heidegger (Sein und Zeit, 304) — in, wenngleich nur terminologischer, Parallele — die „Zeitigung" der Zeitlichkeit des Menschen mit der „Entschlossenheit" in einen Zusammenhang bringt.

79. Vgl. § 53,1: I,273.8ff.

Was die Besonderheit der zweiten Weltzeit ausmacht, scheint uns mit dem Stichwort „Relativierung" am treffendsten angezeigt. Endgültig in dem ihr gemäßen Zusammenhang zeigt sich uns die Zeit, wenn wir sie im Hinblick auf die durch Jesus Christus grundsätzlich vollbrachte und in der Kirche sich fortsetzende Erlösung betrachten. Diese Relativierung muß „Zeit" als sie selbst erscheinen lassen. Vorbereitet werden soll diese Erörterung zunächst durch eine Klärung des den Begriff der „Erlösung" mitkonstituierenden Begriffs der „Sünde".

§ 13 Die gestörte Relativierung der Zeit: Sünde

1. Sinnliches Selbstbewußtsein und Gefühl schlechthinniger Abhängigkeit

Nicht mehr lediglich dessen, daß wir nicht von uns selbst her „so" sind („Sichselbstnichtsogesetzthaben"), sondern darüber hinausgehend jetzt: daß unser Dasein überhaupt „von anderwärts her ist"[1], sind wir uns im Gefühl schlechthinniger Abhängigkeit bewußt[2]. War schon das sinnliche Selbstbewußtsein, als ganz und gar der „Empfänglichkeit" angehörend, „Betroffenheit" und insofern der Selbsttätigkeit und jedem Gestalten entzogen, hatte das in ihm erfahrene Sosein seinen Grund in „etwas anderem" – hier nun kommt unser Sein als nicht aus unserer Selbsttätigkeit hervorgegangen zum Bewußtsein, insofern wir nämlich in der Freiheit unserer Selbsttätigkeit diese Selbsttätigkeit selber als nicht von uns selbst her erfahren[3]. Ihr „Woher" – und darum das „Woher" unseres Daseins im ganzen – verdient für Schleiermacher

---

1. § 4,3: I,28.29.

2. Es ist durchaus möglich, daß Schleiermacher jene Formulierung des Buddeus gegenwärtig war, die von „schlechthinniger Abhängigkeit" redet: „Nimirum, ut religionis aliquis capax censeatur, tria requiruntur, (1) ut ab ente aliquo supremo, eoque perfectissimo, se prorsus dependere sciat..." (Institutiones theologiae dogmaticae, Leipzig 1723, Libri primi, c. 1, § II; ich verdanke diesen Hinweis Herrn Prof. Dr. Dietrich Rössler, Tübingen). Daß Schleiermacher diese Schrift des Buddeus bekannt war, zeigt ein Zitat der Glaubenslehre (§ 83,3: I,449. 30ff).

3. Vgl. Ebeling, Wirklichkeitsverständnis, 114f.

„Gott" genannt zu werden[4]. Im Ausdruck „Woher" aber ist ein Moment der Richtung inbegriffen. So ist im Gefühl schlechthinniger Abhängigkeit das menschliche Sein *offen in Richtung auf Gott*[5]. Seinen Ort hat dieses Gefühl schlechthinniger Abhängigkeit (als die höchste Stufe des menschlichen Selbstbewußtseins) im Moment des sinnlichen Selbstbewußtseins (als der niederen, über dem Zustand der Verworrenheit stehenden Stufe), in dem es in einer „Einheit des Momentes" zusammengeschlossen ist[6]. Der Entfaltung dieses Sachverhaltes gilt der § 5 der Glaubenslehre. Sein entscheidendes Stichwort lautet „zugleich": Sich seiner als weltlich bestimmt und als schlechthin abhängig *in einem*, sich „*als* ein im Gebiet des Gegensatzes für diesen Moment schon auf gewisse Weise bestimmter ... seiner schlechthinnigen Abhängigkeit bewußt" sein, das ist jene Einheit des Momentes, die als ein „Bezogenwerden des sinnlich bestimmten auf das höhere Selbstbewußtsein" als der „Vollendungspunkt des Selbstbewußtseins" angesehen werden muß[7]. Kein Verschmelzen und kein isoliertes Nebeneinander – eine *Beziehung* zwischen beiden herrscht, eine *Beziehung im selben Moment*[8].

Sein Dasein nicht von sich selbst her zu empfangen, in dieser letzten Hinsicht absolut abhängig, schlechthin begrenzt und so *endlich* zu sein, dieses Bewußtsein weitet sich zu einem „allgemeinen Endlichkeitsbewußtsein" aus, das die ganze Welt mit in die schlechthinnige Abhängigkeit befaßt: „Denn wenn wir uns unserer selbst ohne weiteres in unserer Endlichkeit als schlechthin abhängig bewußt sind: so gilt dasselbe von allem Endlichen, und wir neh-

4. Die in der Literatur immer wieder anzutreffende Formulierung, für Schleiermacher sei „Gott" lediglich das „Woher des schlechthinnigen Abhängigkeitsgefühls", verkennt diese Differenz von Sein und Sosein: Gott wird in jenem Gefühl als Grund des ganzen Daseins, nicht lediglich des so oder so bestimmten Soseins erfahren. Vgl. oben § 3 Anm. 32.

5. Vgl. Jacob, 80: im Gefühl schlechthinniger Abhängigkeit sei Gott „die Richtung, nach der hin das menschliche Sein offen ist, aus der es sich bestimmt weiß".

6. „Das Beschriebene bildet die höchste Stufe des menschlichen Selbstbewußtseins, welche jedoch in ihrem wirklichen Vorkommen von der niederen niemals getrennt ist, und durch die Verbindung mit derselben zu einer Einheit des Momentes auch Anteil bekommt an dem Gegensatz des Angenehmen und Unangenehmen." 5L: I,30.36–31.3. Richtig Schultz, Protestantismus, 57: dieser Moment bedeute „kein Heraustreten aus der Zeit, sondern im Gegenteil ein Gebundensein des frommen Menschen an die Zeit. Frömmigkeit verwirklicht sich nur in der Zeit." Zu Unrecht freilich gibt Schultz diesem „Gebundensein" einen negativen Sinn.

7. Vgl. § 5,3: I,35.13ff. – Das „zugleich" auch § 5,3: I,35.14.16.29; 36.15.24.

8. Vgl. Schleiermachers Fassung der Anwesenheit Gottes im Selbstbewußtsein als „Einwohnung" (vgl. oben § 8 Anm. 73).

men in dieser Beziehung die ganze Welt mit in die Einheit unseres Selbstbewußtseins auf."[9] Indem dieses Bewußtsein die Welt repräsentiert, erscheint ihm Gott als Woher und Grund der Welt[10]. Dergestalt die Welt repräsentierend verliert jedoch unser Gefühl keineswegs seinen Charakter als *Selbst*bewußtsein: *mit* der Welt sind wir *uns unserer selbst* als schlechthin abhängig bewußt. Gerade darum verbinden sich Gottesbewußtsein und sinnliches Selbstbewußtsein für Schleiermacher zu einer Einheit, weil es sich um *unser* Selbstbewußtsein handeln soll[11].

In diesem Bezogensein überhaupt nur vermag das schlechthinnige Abhängigkeitsgefühl als ein klares Selbstbewußtsein aufgefaßt zu werden; ohne es „würde ihm die Begrenztheit und Klarheit fehlen, welche aus der Beziehung auf die Bestimmtheit des sinnlichen Selbstbewußtseins entsteht"[12]. Denn an sich liegt diesem Gefühl schlechthinniger Abhängigkeit jede Bestimmtheit fern: immer sich selbst gleich und in sich ganz einfach, weil auf den sich gleichbleibenden und einfachen Grund der Welt bezogen, ist ihm jede Äußerlichkeit vorerst fremd, die Zeit zunächst fern[13].

Zur *Zeit* für Gott wird das Gefühl schlechthinniger Abhängigkeit nur dank der beschriebenen Beziehung zum sinnlichen Selbstbewußtsein, also innerhalb der Zeit zur Welt. Und immer *auch* Zeit zur Welt *bleibt* jede Zeit für Gott, weil ohne Weltbewußtsein das Gottesbewußtsein nicht wirklich zu werden oder zu bleiben vermag. Nur so wird und bleibt das Gottesbewußtsein *konkret*[14]. Gott und Welt läßt Schleiermacher in dieser Hinsicht durchaus nicht zu Konkurrenten werden.

Weit ab von jeder Zufälligkeit gilt das schlechthinnige Abhängigkeitsgefühl für Schleiermacher als ein „allgemeines Lebensele-

9. Vgl. § 8,2: I,53.17ff; das Zitat 53.25−29. − Vgl. Ebeling, Gottesbewußtsein, 120.
10. Vgl. oben § 3 Anm. 32 die Formulierung Brandts: Gott als „Woher der Welt".
11. Vgl. dazu die deutlichen Formulierungen aus der ersten Auflage Gl¹, § 79L Anm. a−c, aber auch in der zweiten Auflage § 163,2: II,436.7−10: „Denn als selbstbewußte Einzelwesen können wir das *Gottes*bewußtsein, wenn es doch *das unsrige* sein soll, immer nur haben mit unserm *Selbst*bewußtsein..." Das sinnliche Selbstbewußtsein aber konstituiert den Zusammenhang und die Selbigkeit *unseres* Lebens.
12. § 5,3: I,3.5−7.
13. Vgl. § 5,3: I,34.16−24: „Das höchste Selbstbewußtsein *an und für sich*, da es gar nicht von äußerlich zu gebenden Gegenständen abhängt, die uns jetzt berühren können und dann wieder nicht, und da es als schlechthinniges Abhängigkeitsbewußtsein auch ein ganz einfaches ist und bei allem anderweitigen Wechsel von Zuständen immer sich selbst gleich: so kann es unmöglich in einem Moment so sein und in einem anderen anders, noch auch abwechselnd in dem einen Moment da sein, in dem anderen aber nicht."
14. Vgl. Ebeling, Gottesbewußtsein, 123ff („Konkretes Gottesbewußtsein").

ment"[15], dem menschlichen Sein *wesentlich*[16]; es ist ein natürliches anthropologisches Vermögen des Menschen, religiöses a priori. Anwesend ist Gott im Selbstbewußtsein *immer schon*, kann es doch keine „absolute Nullität des Gottesbewußtseins" geben[17], das vielmehr, und sei es als ein „Unendlichkleines"[18], immer schon hervorgetreten ist und in dem der Grund des Daseins (und der Welt) immer schon anwesend ist[19]. Am Gottesbewußtsein hängt offenbar die *Menschlichkeit des Menschen:* denn es ist das „Wesen jedes im höheren Sinne selbstbewußten oder vernünftigen Lebens"[20]. Ohne alles Gottesbewußtsein kann der Mensch für Schleiermacher nicht gedacht werden[21].

Schlechthin abhängig zu sein kann darum als die *Grundsituation* des Daseins angesprochen werden[22].

15. Vgl. den ganzen § 33; die Formulierung aus dem Leitsatz (I,174.24ff).

16. Es ist, mit Heidegger formuliert, ein „Existenzial". Vgl. § 33,1: I,175.13.26; § 74,3: I,408.6−8; § 108,6: II,171.13−17. Vgl. den Satz der „Reden" (80): „Der Mensch wird mit der religiösen Anlage geboren wie mit jeder andern..." − Doch nicht *Gott* ist ein Existenzial des Menschseins (gegen Hertel, 223f), sondern das Gottesbewußtsein. − Zur Problematik des Gefühls schlechthinniger Abhängigkeit als existenziale Bestimmung vgl. Bayer (46ff; 76ff), der Schleiermachers Fassung des Problems mit Luther, vor allem mit dessen Auslegung des ersten Gebots im Großen Katechismus, konfrontiert. Der gegen Schleiermacher gewendete Satz freilich, die Theologie könne „ihrer Sache nicht gleichsam von außen" begegnen (47), müßte von den Ergebnissen der Arbeit D. Offermanns her noch einmal überprüft werden (vgl. nur bei Offermann 330: „Unsere These, daß die Lehnsätze vom Ziele her gedacht sind, daß sie nicht als eine von *außen* erfolgte, allgemeingültig begründete Eröffnung der christlichen Dogmatik verstanden werden dürfen, sondern als der eben von *dieser* Dogmatik her und insofern *spezifisch* geltende ‚Aus'-gang...").

17. Schleiermacher führt diesen Gedanken vor allem im zweiten, mit dem Problem der „Gottvergessenheit" beschäftigen Abschnitt des § 11 (I,76.26ff) aus (vgl. dort bes. 78.11; aber auch § 33,2: I,176.10ff). Das obige Zitat: § 62,1: I,342.13f; vgl. § 63,2: I,346.3−5. − Wiederum fällt die terminologische Parallele von „Gottvergessenheit" (Schleiermacher) und „Seinsvergessenheit" (Heidegger) auf.

18. § 63,2: I,346.8.

19. Die erste Auflage spricht von einer „*Immergegenwärtigkeit* Gottes in uns" (Gl[1], § 71L Anm.). − Eine „zeitlose Schicht" im Menschen (so Schultz, Protestantismus, 56) sollte man dieses Existenzial freilich nicht nennen.

20. § 158,1: II,412.24−26.

21. „Geist" zu sein gehört für Schleiermacher zur ursprünglichen Vollkommenheit des Menschen; doch heißt „Geist": ein „Selbsttätiges, in welchem Gottesbewußtsein *möglich* ist" (vgl. § 59,1: I,314.12f). Vgl. etwa auch den Satz der Erläuterungen, die Schleiermacher 1821 der dritten Auflage seiner „Reden" beigegeben hat (WW I/1, 171): „Denn der Mensch kann eben so wenig ohne sittliche Anlagen gedacht werden und ohne das Bestreben nach einem rechtlichen Zustande, als ohne die Anlage zur Frömmigkeit."

22. Vgl. § 47,1: I,235.20 (das Gottesbewußtsein als „*Grundgefühl*"; vgl. auch § 4,4: I,30.11; § 55,3: I,299.20). − Ebeling (Gottesbewußtsein, 123) spricht von der „*Grund-*

Als das Ergreifen einer „Situation" kennzeichneten wir den durch etwas Weltliches qualifizierten und dominierten Moment des sinnlichen Selbstbewußtseins; als Ergreifen der „Grundsituation" des Menschen erscheint uns jetzt: sich in seiner ganzen Existenz nun nicht nur durch etwas einzelnes Weltliches bestimmt, sondern mit allem Weltlichen zugleich von Gott schlechthin abhängig zu fühlen. Seines Grundes, dessen es in keiner Hinsicht mächtig ist, ist in diesem Gefühl das menschliche Dasein inne, doch in eins damit: des Grundes der Welt. Freilich nun tritt diese Grundsituation erst *in* den einzelnen Situationen des sinnlichen Selbstbewußtseins zutage, „erscheint" in der Einzelheit, Bestimmtheit etc. jener Momente — und nimmt sie gleichsam in diese Grundsituation mit[23]. Nicht nur die einzelne geschichtliche Situation — die Zeit und Geschichte des Menschen überhaupt, sein ganzes Dasein, und damit zugleich: Zeit und Geschichte der Welt, werden hier in die schlechthinnige Abhängigkeit gestellt und insofern auf die zeitsetzende göttliche Ursächlichkeit bezogen. In besonderer Weise scheinen hier „Zeit" und zeitlose „Ewigkeit" in einen Zusammenhang gebracht, so daß die Zeit gleichsam ihren Grund *findet* und die Tatsache, daß sie in der Ewigkeit Gottes begründet ist, nun auch *zutagetritt.*

Doch bevor es vollends soweit kommt, ist der Widerstand der Sünde zu überwinden; bevor sich unserer Untersuchung der end-

---

befindlichkeit schlechthinniger Abhängigkeit" (vgl. auch Bayer, 43: „... der Schleiermachersche Aufweis einer Grundbefindlichkeit des Menschen..."). In einem anderen Zusammenhang wird von Ebeling „schlechthinnige Abhängigkeit" („daß er [sc. der Mensch] auf Unverfügbares unbedingt angewiesen ist") als „Notsituation" interpretiert („Was heißt ein Gott haben oder was ist Gott?" Bemerkungen zu Luthers Auslegung des ersten Gebots im Großen Katechismus; in: Wort und Glaube. Zweiter Band. Beiträge zur Fundamentaltheologie und zur Lehre von Gott, Tübingen 1969, 287—304; dort 295). In dieser Weise wird man auch Ebelings Satz „Der Sinn des Wortes ,Gott' — so könnte man gewagt resümieren — ist die Grundsituation des Menschen als Wortsituation." (Gott und Wort; in: Wort und Glaube II, s.o., 396—432; dort 416) verstehen dürfen. Der in diesen Bemerkungen sichtbar werdende Versuch Ebelings, systematische Theologie im Rückgang auf Luther — doch auch unter Aufnahme der wesentlichen Anliegen *Schleiermachers* — zu verantworten, ist bisher von Ebeling in einer Verhältnisbestimmung von Luther und Schleiermacher noch nicht explizit worden. Auf einen vielleicht grundlegenden Aspekt der Übereinstimmung sind wir bereits aufmerksam geworden: daß wie für Luther (das hat Ebeling immer wieder eindrücklich herausgestellt) so auch für Schleiermacher die Identität des Menschen in einer bestimmten Form von *Passivität* ihre Wurzel hat.

23. Ein Anklang an unsere Terminologie findet sich bei Schleiermacher selbst, wenn von der Verbindung unseres Selbstbewußtseins „mit dem hier überall *zum Grunde* liegenden Gottesbewußtsein" (§ 158,1: II,411.23ff), deutlicher, wenn vom Glauben als bleibendem „*Grundzustand* des neuen Lebens" (§ 108,1: II,155.29f) die Rede ist.

gültige Sinn von „Zeit" zeigen kann, muß zunächst von der Sünde, der Herrschaft des sinnlichen Selbstbewußtseins, die Rede sein.

Exkurs:
Zum Zeitverständnis der „Monologen"

In beträchtlicher Differenz zu dem oben Ausgeführten steht die Zeitdeutung des jungen Schleiermacher, die deutlicher noch als in den „Reden" in den nur wenig später erschienenen „Monologen" Ausdruck findet. Dort wiederum ist es der erste Abschnitt, überschrieben „Die Reflexion", in dem besonders der Unterschied in der Bewertung der Zeit abgelesen werden kann. Denn eindeutig wird hier „Zeit" negativ qualifiziert. Darum gilt der Moment, in dem das Bewußtsein der Ewigkeit gewonnen wird, als der Zeit *entnommen:* „Der Moment, in dem du die Bahn des Lebens theilst und durchschneidest, soll kein Theil des zeitlichen Lebens sein: anders sollst du ihn ansehn, und deiner unmittelbaren Beziehungen mit dem Ewigen und Unendlichen dich bewußt werden; und überall, wo du willst, kannst du einen solchen Moment haben." (23; Miller, 31ff, hat diese Deutung des Augenblicks durch einen interessanten Hinweis auf den platonischen Parmenidesdialog interpretiert.) Habhaft wird man dieses Momentes in der Abkehr vom Äußerlichen (vgl. 28), sich dem eigenen Inneren zuwendend: „Auf mich selbst muß mein Auge gekehrt sein, um jeden Moment nicht nur verstreichen zu laßen als einen Theil der Zeit, sondern als Element der Ewigkeit ihn heraus zu greifen und in ein höheres freieres Leben zu verwandeln." (25). Nicht freilich wie in der Glaubenslehre herrscht hier ein *beziehungsvolles* Zugleich; der Ton liegt in den Monologen vielmehr auf dem Gegensatz, auf dem Heraustreten („ausgewandert aus dem Gebiet der Zeit"; 27) aus dem einen in den anderen Bereich: „Es fließt mein irdisch Thun im Strom der Zeit, es wandeln sich Erkenntniß und Gefühle, und ich vermag nicht eines fest zu halten; es fliegt vorbei der Schauplaz, den ich spielend mir gebildet, und auf der sichern Welle führt der Strom mich Neuem stets entgegen: so oft ich aber ins innere Selbst den Blik zurükwende, bin ich zugleich im Reich der Ewigkeit; ich schaue des Geistes Handeln an, das keine Welt verwandeln, und keine Zeit zerstören kann, das selbst erst Welt und Zeit erschaft... Immer möchte das göttliche Leben führen, wer es einmal gekostet hat: ... jeden Augenblick kann der Mensch *außer* der Zeit leben, zugleich in der höheren Welt." (29). Darum ist „Unsterblichkeit" nicht nach, sondern „neben der Zeit" (30), denn „es schwebt schon jezt der Geist *über* der zeitlichen Welt, und ihn anzuschaun ist Ewigkeit" (30). Die Zeit wird damit gleichgültig. Mehr noch, es gilt, sich „loszureißen von der Zeit" (24), sich ihrer Herrschaft, die zum Sklaven macht, zu entledigen und ihren Fluch: die „Notwendigkeit", abzuschütteln, um so die „Freiheit" zu gewinnen: „So bist du Freiheit mir in allem das ursprüngliche, daß erste und innerste. Wenn ich in mich zurükgeh, um dich anzuschaun, so ist mein Blik auch ausgewandert aus dem Gebiet des Zeit, und frei von der Nothwendigkeit Schranken; es weichet jedes drükende Gefühl der Sklaverei..." (27). Denn in einem Nachdenken, das „das innere Wesen des Geistes nicht kennt" (24), „zeichnet die Zeit mit leeren Wünschen und mit eitlen Klagen

brandmarkend schmerzlich ihre Sklaven... Wer statt der Thätigkeit des Geistes, die verborgen in seiner Tiefe sich regt, nur ihre äußere Erscheinung
kennt und sieht, wer statt sich anzuschaun, nur immer von fern und nahe her
ein Bild des Lebens und seines Wechsels sich zusammen holt, der bleibt der
Zeit und der *Nothwendigkeit* ein Sklave; was er sinnt und denkt, trägt ihren
Stempel, ist ihr Eigenthum, und nie, auch wenn sich selbst er zu betrachten
wähnt, darf er das heilige Gebiet der Freiheit betreten..." (24f). – Statt unter dem der „Notwendigkeit" steht in der Glaubenslehre „Zeit" dann unter
dem Zeichen der „*Wirklichkeit*": statt aus ihr auszuwandern, gilt es nun, auf
sie einzugehen, und statt der Zeit entnommen ist nun der Moment der Ewigkeit (als der Moment des Gottesbewußtseins) selber zeitlich. – W. Schultz,
Protestantismus, 48ff, erläutert die Zeit-Deutung der „Monologen" anhand
einiger etwa gleichzeitig gehaltener Predigten Schleiermachers und zeigt die
Nähe des Zeitverständnisses von „Reden" und „Monologen".

2. Die unverhältnismäßige Herrschaft
   des sinnlichen Selbstbewußtseins

Zwischen dem sinnlichen Selbstbewußtsein und dem Gefühl
schlechthinniger Abhängigkeit herrscht Streit, der Streit um die
Beherrschung der jeweiligen momentanen Situation. Den „Widerstreit des Fleisches gegen den Geist" nennt Schleiermacher diese
Auseinandersetzung[24]. Es ist dies offenbar ein *Streit um die Wirklichkeit* als ein Streit um das, was vor allem an der Zeit ist, qualifiziert
doch das jeweils Dominierende die Situation und ist so wirklich
und wirksam[25]. Keineswegs also Verzicht, im Gegenteil gerade Ge-
winn bedeutet das Zeitlichwerden des schlechthinnigen Abhängigkeitsgefühls: *Wirksamkeit* wird gewonnen. Insofern das sinnliche
Selbstbewußtsein sich gegen die Herrschaft des Gefühls schlechthinniger Abhängigkeit ausdrücklich zur Wehr setzt und sie ihm
streitig macht, insofern es sich von ihm nicht beherrschen läßt, es

---

24. So im Leitsatz zu § 66 (I,355.7f). – Ausführlich hat sich Karl Barth mit der Sündenlehre Schleiermachers auseinandergesetzt: ihre Hauptzüge dargestellt und sie vor
Mißverständnissen in Schutz genommen, sie letztlich dann aber, bei aller Würdigung ihrer
positiven Aspekte, als Verkennung des wirklich Nichtigen abgewiesen (KD III/3, 365–
383). Wir setzen in der Folge diese, mit der Grundlegung der Sündenlehre Schleiermachers befaßten Überlegungen Barths voraus und gehen unsererseits nur dem Zug dieser
Lehre nach, der für unser Problem von Bedeutung ist.
25. Vgl. z.B. § 3,4: I,19.21f, wo Schleiermacher vom „*Einfluß*" der Frömmigkeit
„auf die übrigen geistigen Lebensverrichtungen" spricht; oder § 110,2: II,184.15ff, wo
von Momenten die Rede ist, „in welchen sich die *Herrschaft* der Sündhaftigkeit" manifestiert. Besonders deutlich kommt diese Dominanz auch zum Ausdruck: § 11,2: I,77.
31–78.5; 78.12f; § 63,3: I,347.21ff. u.ö.

in sich nicht mächtig werden läßt, sondern sich ihm gegenüber verselbständigt und ihm so entgegentritt[26] — gibt es die *Sünde.*

Dabei hat das sinnliche Selbstbewußtsein den gleichsam natürlichen Vorteil, die verschiedenen Lebensmomente, schon bevor das Gottesbewußtsein überhaupt hervorgetreten ist[27], dominiert und damit an Kraft und Stärke gewonnen zu haben. Es ist dem Gottesbewußtsein insofern immer schon voraus. Wenn es auch sein Hervortreten nicht zu hindern vermag — so viel Kraft hat es doch immer schon gesammelt, es zu „überwältigen"[28], seine Äußerung auf ganz vereinzelte Momente zu beschränken und jede Stetigkeit seiner Wirksamkeit zu verhindern: „Nämlich vorher [sc. vor Eintritt der Erlösung] äußerte sich das Gottesbewußtsein nur gleichsam in einzelnen Blitzen, welche nicht zündeten, weil es nicht imstande war, auf stetige Weise die einzelnen Lebensmomente zu bestimmen, so daß auch die einzeln wirklich durch dasselbe bestimmten immer sehr bald durch die von entgegengesetzter Art wieder aufgehoben wurden."[29] In der Lebensgeschichte des Einzelnen geht das sinnliche Selbstbewußtsein dem Gottesbewußtsein immer schon voran, aber auch schon von jenseits des jeweiligen Daseins macht sich dieser Vorsprung geltend („Erbsünde")[30]: als die „Gesamttat und Gesamtschuld des menschlichen Geschlechtes".

Die Zeit der Herrschaft des sinnlichen Selbstbewußtseins, die menschliche *Gesamtsituation* vor Eintritt der Erlösung[31], steht unter einem Noch-nicht: sie ist „noch nicht gewordene Herrschaft des Geistes"[32] — *Vorzeit.* Was Gegenwart sein sollte und eigentlich an der Zeit ist: die Beziehung der Geschichte auf ihren Grund, ist noch Zukunft. Eine Ungleichzeitigkeit herrscht. Als Unverhältnismäßigkeit ist die Sünde für Schleiermacher Noch-nicht-Verhältnismäßigkeit.

Durchaus also in der *zeitlichen* Gestalt des Daseins (in dieser doppelten Weise: in der Lebensgeschichte des Einzelnen wie in

---

26. Vgl. Barth, KD III/3, 371. — In § 5,4: I,38.2f z.B. spricht Schleiermacher vom „*isolierten* sinnlichen Selbstbewußtsein".

27. Schleiermacher befaßt sich mit diesem Problem in § 67 (I,358.16ff).

28. § 94,2: II,46.8f.

29. § 106,1: II,147.30—148.2.

30. Vgl. §§ 70ff (I,369.9ff); die folgende Wendung aus dem Leitsatz des § 71 (I, 374.3f). Vgl. auch § 70L: I,369.10—12: „Die *vor* jeder Tat eines Einzelnen in ihm vorhandene und *jenseits* seines eignen Daseins begründete Sündhaftigkeit..."

31. Schleiermacher selbst spricht von dem „*Gesamtzustande* vor Eintritt der Erlösung" (§ 64,2: I,349.30f), dem Zustand der Erlösungsbedürftigkeit (vgl. dazu besonders § 83: I,444.32ff).

32. § 81L: I,431.1.

dem Einbezogensein in die Menschheitsgeschichte), wir können sagen: in dieser Geschichtlichkeit des Daseins, liegt die Möglichkeit der Sünde begründet[33]. Umso bestimmter aber muß hervorgehoben werden, daß nicht schon diese zeitliche Gestalt, die Geschichtlichkeit, *an sich* den Abfall von Gott bildet. Das wäre ein Mißverständnis, sagt Schleiermacher in seinem ersten Sendschreiben an Lücke[34] — „beinahe als ob ich das zeitliche Dasein an und für sich für den Abfall erklärte, da ich doch diesen immer nur darin finde, wenn das Gottesbewußtsein ausgeschlossen wird". Wie ja die Sinnlichkeit an sich oder das Weltbewußtsein an sich auch keineswegs schon Sünde sind (wiewohl die Bedingung ihrer Möglichkeit), sondern erst das dem Gottesbewußtsein widerstreitende Weltbewußtsein sich als „Fleisch" dem „Geist" gegenübersetzt[35]. Sich nicht ohne die Welt zu verstehen, d.h. sich zu verstehen, indem man seine weltliche Situation versteht[36], das ist dem unmittelbaren Selbstbewußtsein durchaus gemäß und natürlich und noch nicht Sünde; sich jedoch vorherrschend aus seiner weltlichen Situation und betont *nicht* (mit der Welt) aus *Gott* zu verstehen, darin übernimmt sich das sinnliche Selbstbewußtsein sündhaft[37]. Statt sich *in* aller Offenheit für die Welt für *Gott* offenzuhalten, verschließt sich das sinnliche Selbstbewußtsein für Gott als für den, der vor allem an der Zeit ist. Es verhindert eine Zeit zur Ewigkeit, d.h. eine Zeit zur Relativierung der Zeit.

Die Sünde, so können wir formulieren, liegt in der Störung der Relativierung („Relativierung" im Sinne der Minderung dessen, was das sinnliche Selbstbewußtsein *zuviel* will, und im Sinne seiner

---

33. Vgl. etwa § 76,2: I,417.2−7.

34. Auswahl 131f (WW I/2, 593). Vgl. § 69,3: I,367. 25−32: „Das nämliche gilt auch von der bei allen Menschen früher als die geistige eintretende Entwicklung des sinnlichen Lebens, daß sie nicht abhängig ist von dem einzelnen Menschen selbst. Denn das Hineintreten des Ich in diese Welt durch Empfängnis und Geburt kann unser unmittelbares Selbstbewußtsein keinesweges als unsere eigne Tat erkennen, wenn auch die Spekulation bisweilen eben dieses als den ursprünglichsten selbst verschuldeten Abfall darzustellen versucht hat."

35. Vgl. Barth, KD III/3, 371f. − Dies hat gründlich verkannt, wer wie Schultz (Protestantismus, 60f) oder wie Brunner (221) Schleiermacher eine negative Bewertung der Zeit bzw. der Sinnlichkeit *an sich* unterstellt. D. Offermann hat darauf zu Recht hingewiesen (56 Anm. 6 und 176 Anm. 7).

36. Vgl. oben § 12, 2b.

37. Hermann formuliert (in seinem RGG-Artikel, vgl. oben § 12 Anm. 20; dort 1430): „Die Sünde besteht ... darin, daß der Mensch an der Welt hängt und in ihr aufgehen, der Beziehung zu Gott aber nicht Raum geben, zumindest ihr nicht die Herrschaft überlassen will." Beißers Einwand (186 Anm. 33) gegen diesen Satz verkennt dessen Sinn. − Schleiermacher spricht von einer „*Abgeschlossenheit* des Gefühls in einer sinnlichen Lebenseinheit" (§ 101,2: II,99.4f).

Inbeziehungsetzung[38]) der jeweiligen sinnlich-zeitlichen Geschichte, doch nicht nur ihrer, sondern der Weltgeschichte überhaupt. Nicht auf ihren wesentlichen zeitlosen Grund ist hier die Geschichte zurückgebracht. Die Sünde ist *Unverhältnismäßigkeit*[39]. Statt sie in jene Beziehung freizugeben, hält das unverhältnismäßige sinnliche Selbstbewußtsein bei der Welt, bei der Erscheinung, bei der Zeit — von Welt, Erscheinung und Zeit benommen — fest[40].

3. Vorzeit und Unzeit

Wie vor Eintritt der Erlösung ein Noch-nicht herrscht[41], so sind auch die einzelnen Situationen der Dominanz des sinnlichen Selbstbewußtseins *Vorzeit*. Die Gegenwart des Sünders ist unerfüllt und unwesentlich, er hat sie verfehlt, weil er, nicht vom Grund der Welt beherrscht, sondern von Welt, Erscheinung und Zeit benommen, seine Grundsituation verfehlt. Wesentlich kann erst seine Zukunft sein, denn das Bewußtsein der Sünde ist „dasjenige Element des christlichen Selbstbewußtseins, welches vermittels des andern [sc. des Bewußtseins der Gnade] immer mehr *verschwinden* soll."[42] Die Vorzeit der Sünde ist zum Vergehen bestimmt[43], ihre Erlebnisse sind von dem her, was zu werden im Begriffe ist, schon bevor sie auftreten, Vergangenheit[44], nur dazu

38. Auf seine Weise spricht Barth von der „*Relativierung* des ganzen kreatürlichen Geschehens" (KD III/3, 193; Hervorhebung im Original; vgl. 194).

39. Durch diese Wendung, für die Jüngels Formulierung, die Sünde sei Drang in die „Verhältnislosigkeit" (vgl. E. Jüngel, Tod, Themen der Theologie 8, Stuttgart/Berlin 1971) Pate gestanden hat, soll außer dem Fehlen der gemäßen Relation das Zuviel, die Maßlosigkeit der Sünde Ausdruck finden.

40. Es gilt gleichsam „Die Zeit wird Herr..." (Goethe, Faust II, Vs. 11592, Gedenkausgabe der Werke, Briefe und Gespräche, Hg. E. Beutler, Bd. 5, Zürich/Stuttgart 1962², 509).

41. Vgl. § 119,2: II,234.4.10.17; 235.1; § 119,3: II,237.14. — Vgl. Brunner, 231.

42. § 64,2: I,349.26ff. — Für Aussagen von der Sünde überhaupt ergibt sich daraus diese Konsequenz: „Denn sollen wir in den Aussagen über die Sünde immer die künftigen über die Gnade im Auge haben, so können wir die Sünde nur betrachten ... als dasjenige, was nicht sein würde, wenn nicht auch die Erlösung hätte sein sollen..." (§ 65,2: I,354. 20—23). Für Aussagen über göttliche Eigenschaften ergibt sich die Forderung zu fragen, „was für göttliche Eigenschaften sich in dem Zustande der Sünde, aber freilich nur, sofern darin die Erlösung *erwartet* und *vorbereitet* wird, zu erkennen geben und dann wiederum, auf was für welche die werdende Herrschaft des Gottesbewußtseins zurückweist, so wie sie sich aus dem Zustande der Sünde durch die Erlösung gestaltet." (§ 64,2: I,351. 26—31).

43. Wohl darum herrscht das dort charakteristische Gefühl der „Unlust" (vgl. § 62: I,341.6ff).

44. Vgl. Brandt, 84: „Die Sünde selbst ist ja gar nichts für sich Bestehendes, sondern

da, überholt zu werden und zurückzubleiben, weil sie eigentlich gar nicht an der Zeit sind.

Freilich gibt es im christlichen Selbstbewußtsein das Bewußtsein der Sünde nie ohne Bewußtsein auch der Kraft der Erlösung[45]. Ihre eigene Zukunft gleichsam hat diese Vorzeit schon bei sich[46]. Ihr „noch nicht" bedeutet „aber *dann*". Was der Sünder noch nicht wirklich ist, das zu sein ist er doch immer schon im Begriff[47]. Darum sind die Erlebnisse dominierenden Weltbewußtseins keineswegs ganz und gar nichtig, sondern lediglich Ausdruck einer Störung: die Sünde ist für Schleiermacher „Störung"[48], nicht Zerstörung, ihre Zeit privative *Vorzeit*, ganz und gar nicht *Unzeit*. Der Mensch als Sünder ist mit sich selbst als Erlöstem durch sich selbst verbunden. Immer noch mehr verbindet als trennt den einen und den anderen: denn das Gefühl schlechthinniger Abhängigkeit als ein dem menschlichen Sein immer schon wesentliches Element *hält sich,* wenngleich zu Zeiten zurückgedrängt und nicht „zur bestimmenden Kraft erhoben", *durch*[49]. Es ist ja immer schon (und sei es als ein „unendlich Kleines") mit da und garantiert die Kontinuität des (relativen) Sünders mit dem (relativ) Gerechten. Was „noch nicht" wirklich ist, hat doch schon am „dann" wirklichen Anteil. Kein radikaler Gegensatz trennt das Sein des Sünders von dem des Gerechten. Gleichsam ontologisch kontinuierlich geht eines in das andere über. Da auch im Sünder das Gottesbewußtsein niemals ganz fehlt, hat er seine Menschlichkeit nie ganz eingebüßt[50]. „Mensch", an einer Stelle sagt Schleiermacher „Per-

---

bloß das (Noch-)Nicht-Sein der Gnade." (vgl. auch 176f). Vgl. Beißer, 183; 206; Aulén 308.

45. Vgl. § 66: I,355.3ff. – Vgl. Barth, KD III/3, 365f.

46. Wo zu etwas die Möglichkeit besteht, da ist für Schleiermacher immer schon ein Stück der Wirklichkeit mitgesetzt (vgl. etwa § 98,1: II,77.23–25).

47. Der Sünder ist für Schleiermacher nicht eigentlich der verlorene Sohn (seine Zeit nicht verfallene und verdorbene Zeit), sondern der noch nicht in das Vaterhaus eingekehrte Sohn, aber doch schon dazu im Begriff Befindliche (seine Zeit hat sich nur noch nicht in das ihr gemäße Verhältnis eingestellt).

48. Vgl. § 68L: I,361.2. – Vgl. auch die Ausführungen über die „Gottlosigkeit", die für Schleiermacher lediglich „in mangelhafter oder gehemmter *Entwicklung* begründet" ist (§ 33,2: I,176.11f).

49. Vgl. § 108,6: II,171.13–17. – Auf den Zusammenhang von Schleiermachers Sündenlehre und seiner Fassung des Gefühls schlechthinniger Abhängigkeit weist auch Bayer hin (48; 50).

50. „Jedenfalls braucht vom *Gericht* kaum noch geredet zu werden. Die Erlösung bedeutet kein Zerbrechen unseres alten ‚natürlichen Wesens'." – so interpretiert zu Recht Jacob (102). – Keineswegs hat die Sünde für Schleiermacher „das herrliche Wesen der menschlichen Natur" (Gl[1], § 76,1) völlig korrumpiert; auch der homo naturaliter *potest velle deum esse deum*.

son"[51], ist er im eigentlichen Sinne nur *noch nicht.*
Schon gar nicht das *Nichts,* dem der Sünder verfällt und aus
dem Gott den Begnadigten neu schafft, steht zwischen beiden[52].
Nicht das in der Sünde wirkende Nichts, das die Zeit zu verwirkter
Zeit werden läßt, sondern eine Ungleichzeitigkeit ist zu überwinden;
nicht eine vom Nichts so radikal entstellte Zeit, daß sie nur
als in sich verdorbene und zerstörte Unzeit noch bezeichnet werden
kann[53], gilt es durch eine neue Zeit abzulösen, sondern eine
Zeitdifferenz muß ausgeglichen, eine Vorzeit lediglich zurechtgerückt
werden. Im Schema einer und derselben Zeit kann verblieben
werden[54].
Eine vom Nichts beherrschte Unzeit, eine Zeit, in der der Sünder
,,unter dem Vorschein von Sein'' das Nichts ,,zelebriert''[55],

51. Vgl. § 109,4: II,181.5—15.
52. Vgl. oben den Schluß von § 6,4. — Überzeugend hat Schultz (Protestantismus,
67) den Mangel der Rechtfertigungslehre Schleiermachers auf dessen Gottesbegriff zurückgeführt:
der Gott Schleiermachers schafft nicht ex nihilo, er hat mit dem Nichts
überhaupt nichts zu schaffen. Wie denn auch die Sünde nichts zu tun hat mit der Nichtigkeit.
Was Schultz einander gegenüberstellt: die ,,antike Diktion'', ,,die in allen ihren
Teilen weder mit dem Motiv des Gott-Schöpfer noch dem des Nichts etwas anzufangen
weiß'', und das ,,protestantische Urmotiv'', demgemäß der deus creator ex nihilo und das
sola fide einander entsprechen, hat auf andere Weise E. Jüngel in einer Gegenüberstellung
von Aristoteles und Luther in seiner christologischen Begründung und seinen ontologischen
Implikationen in Hinsicht auf das Problem von ,,Wirklichkeit und Möglichkeit''
bedacht (Die Welt als Möglichkeit und Wirklichkeit. Zum ontologischen Ansatz der
Rechtfertigungslehre; jetzt in: Unterwegs zur Sache. Theologische Bemerkungen, BEvTh
61, München 1972, 206—233). Ob Schleiermachers Verkennung des Nichts mit seiner
Fassung des Problems von ,,wirklich'' und ,,möglich'' im Rahmen seiner Gotteslehre
zusammenhängt (vgl. dazu § 54,2: I,280.16ff), dergemäß es ein Mögliches eigentlich,
d.h. für denjenigen, der ,,für jeden Punkt den Einfluß der gesamten Wechselwirkung
übersehen'' könnte (281.21f), also für Gott, gar nicht gibt, kann hier nicht entschieden
werden.
53. Und diese Zeit ist gemeint, wenn es Offb 10,6 heißt: χρόνος οὐκέτι ἔσται (vgl.
Barth, KD I/2, 55). — Ratschow hat gezeigt, wie biblisches Denken ,,Zeit'' im Horizont
des Problems der *Schuld* zu Gesicht bekommt (361ff) und wie einer seiner wichtigsten
Zeit-Begriffe, ,,Tag'', sein Gegenüber in der ,,Nacht'' hat (372ff), einer vom Chaos
bestimmten Zeit. Davon ist das Zeitverständnis Schleiermachers weit entfernt.
54. ,,Kein wirkliches christliches Bewußtsein, in dem nicht diese beiden Zustände im
Verhältnis eines Mehr und Minder, also ... in einem quantitativen Verhältnis und zwar in
,fließender Differenz' enthalten wären. Ein gegensatzloses, absolutes Verhältnis zu Gott
im negativen oder positiven Sinn hält Schleiermacher für keine Möglichkeit, mit der im
Ernst zu rechnen wäre. Unser frommes Selbstbewußtsein schwankt eben zwischen diesen
beiden Extremen, indem es die Ungleichheiten (von Entwicklung und Hemmung, von
Lust und Unlust) des zeitlichen Lebens teilt.'' Barth, Prot. Theol., 423.
55. Jüngel, Möglichkeit, 219. — Geradezu durch ,,Bleiben'' kann man diese Unzeit
charakterisiert sehen; in ihr nicht vergehen zu *können,* kann ihre Unerträglichkeit ausmachen.
Neben Luthers schrecklicher Vorstellung eines ewigen Sterbens (vgl. WA XXVI,

eine „verlorene, verfallene, verurteilte" Zeit[56] gibt es für Schleiermacher nicht — und kann es nicht geben. Was wir als die (im Sinne Schleiermachers) „neue" Zeit kennenlernen werden, kann in seiner Vollkommenheit nicht so weit reichen, daß es einer solchen nichtigen Zeit entgegenzutreten vermag — wie für Schleiermacher ja auch die Liebe Gottes nicht als so weit reichend gedacht werden kann, daß sie die Drohung des Nichts auszuhalten versteht[57]. Wie die Sünde nicht Zerstörung ist, sondern Störung, so ist die Gnade nicht Neuschaffung, sondern Förderung. Weder die Nichtigkeit des Nichtigen oder eine entstellte Unzeit, noch die Herrlichkeit der Liebe Gottes oder eine erfüllte neue Zeit scheinen im Denken Schleiermachers letztlich zum Zuge gebracht werden zu können.

§ 14 Die urbildliche Relativierung der Zeit: Christi Gottesbewußtsein

1.   Gott in der Lebenszeit Jesu Christi

Mit der Erscheinung Christi tritt ein entscheidender Wandel ein: die Grundsituation des Menschen (die im Gottesbewußtsein Ausdruck findet und ergriffen wird) ist in Christus ungestört und in voller Wirksamkeit zur Geltung gekommen und kann sich darum von jetzt an auch in der Weltgeschichte zunehmend Geltung verschaffen. Geradezu von einer zweiten „Weltzeit" und einem neuen „Schöpfungsmoment"[1] (will man den Neuansatz stärker hervorheben) oder von der Vollendung der Schöpfung[2] (sollen Zusammenhang und Kontinuität betont werden) muß hier die Rede

---

509) vergleiche man auch J. Swifts „Gullivers Reisen" (wo es ein Land gibt, in dem nicht gestorben werden *kann*), Sartres „Geschlossene Gesellschaft" oder Dürrenmatts „Meteor" (in dessen Schlußszene der Choral „Morgenglanz der Ewigkeit" gesungen am Totenbett eines Mannes, der nicht sterben *kann*, auf eine unerträgliche, gerade durch „Bleiben" gekennzeichnete, Ewigkeit vorausweist).

56. Barth, KD I/2, 55; vgl. überhaupt 50ff. — Richtig auch bei Brunner (334): „Zwischendrin [sc. zwischen Heil und Unheil, Sünde und Gnade etc.] liegt die absolute Diskontinuität..." — Die von Hertel aufgestellte Behauptung, Schleiermacher gehe in den „Reden" von der „Erfahrung des Nichts" aus (Hertel, 94ff), hat an den Reden selbst keinen Anhalt.

57. Vgl. oben § 6,4.

1. Vgl. § 89,2: II,25.14ff; § 89,3: II,26.35ff; § 164,2: II,443.8f. — Vgl. auch den Abschnitt über die „Weltregierung" Gottes oben § 4,2.

2. Vgl. § 89L: II,23.12ff und diesen ganzen Paragraphen.

sein. Nicht darum freilich kann dieser Wandel grundlegend genannt werden, weil er eine völlige Neuschöpfung zum Inhalt hat: dagegen wehrt sich Schleiermacher mit Entschiedenheit. Prinzipiell wäre eine Herrschaft des Gottesbewußtseins auch vor Christus möglich gewesen, denn der Mensch ist dazu keineswegs gänzlich unfähig, handelt es sich doch im Gefühl schlechthinniger Abhängigkeit um ein natürliches anthropologisches Vermögen des Menschen, das sich in Christus lediglich ontisch durchgesetzt hat. Eine „Umschaffung im eigentliche Sinne" ist also sowenig erforderlich[3], wie die Sünde ja lediglich als Störung zu verstehen ist; und eine prinzipiell neue Zeit bricht mit der Erscheinung Jesu sowenig an, wie es nicht um die Überwindung einer Unzeit, sondern um die Überholung einer Vorzeit geht. Grundlegend ist dieser Situationswandel nur insofern, als er die Schöpfung zur Vollendung bringt, und das heißt, wie wir sehen werden: sie in bestimmter Weise auf ihren Grund zurückführt.

Wir bezeichnen diese Veränderung als einen Wandel der *Gesamtsituation* der Welt[4].

Ohne daß aber eine neue *Kraft* wirksam geworden ist, kann sich die Gesamtsituation des Menschen nicht gewandelt haben[5]. Insofern nun wird für Schleiermacher in der Erscheinung Christi eine neue Kraft wirksam, als in ihm eine *absolute Kräftigkeit* des Gottesbewußtseins herrscht. Darin liegt seine Würde, darin auch besteht seine vollkommene Sündlosigkeit: in der unbeschränkten und unbehinderten, unbestrittenen Dominanz des Gottesbewußtseins über sein sinnliches Selbstbewußtsein − die innerste „Grundkraft" Jesu[6], in der sich der Grund der Welt zu Bewußtsein bringt, vom Bewußtsein ergriffen und so neu wirksam wird. Woran es mit sei-

---

3. Vgl. § 11,2: I,77.18; § 22,2: I,131.2. − Daß Schleiermacher eine potentia oboedientialis lehrt, geht aus Stellen wie § 70,2: I,371.1ff; § 108,6: II,169.8ff (mit dem Verweis 169.36−38) unzweideutig hervor. − Die Theologie Schleiermachers gerade auf spezifisch katholische Denkformen wie z.B. die potentia oboedientialis oder die analogia entis zu untersuchen, unternimmt R. Stalder (Grundlinien der Theologie Schleiermachers I. Zur Fundamentaltheologie, Veröffentlichungen des Instituts für europäische Geschichte Mainz 53, Wiesbaden 1969).

4. Dabei nehmen wir Bezug auf eine Formulierung, in der Schleiermacher von dem „*Gesamtzustande*" vor Eintritt der Erlösung" spricht (§ 64,2: I,349.30f). Wie es dem Begriff der „Situation" entspricht (vgl. oben § 12,2b) gehört ihr eine sie qualifizierende *Kraft* zu; vgl. hier 349.34 „Gesamtkraft".

5. Zum Zusammenhang eines neuen „Entwicklungspunktes" und einer neu wirksam werdenden „Kraft" vgl. § 14Z: I,100.7ff.

6. Vgl. § 96,3: II,57.30.32f. − Daß Christi Gottesbewußtsein von ungehemmter Kräftigkeit war, ist die christologische Grundthese Schleiermachers; es erübrigt sich, einzelne Beispiele für diese Anschauung beizubringen.

nem Sein (und dem der Welt) *im Grunde* ist, dessen war Christus sich vollkommen bewußt.

„Christo ein schlechthin kräftiges Gottesbewußtsein zuschreiben, und ihm ein Sein Gottes in ihm beilegen", kommt nun auf dasselbe hinaus[7]. Ein „eigentliches Sein Gottes in..." wird in diesem Sinne genannt, was sich ohne jeden Widerstreit des sinnlichen Selbstbewußtseins, also als reine Tätigkeit vollzieht, in ungehemmter Leichtigkeit, sich Gottes bewußt zu sein, und in ungestörter Kraft, dieses Gottesbewußtsein die Momente sinnlichen Selbstbewußtseins dominieren zu lassen.

Daß Gott in Christus anwesend ist, besagt: Christus läßt sich von Gott ganz erfüllt und läßt so Gott in sich schlechthin mächtig sein. Er läßt sich Gott unbedingt (weil ihn ganz und gar bedingend) angehen[8].

Als solches ist das Sein Gottes in Christo dessen „eigentümliches Wesen und sein innerstes Selbst"[9]: sein Innerstes und sein Wesen (nur so kann ein Sein *Gottes* in ihm sein), das über alles Äußerliche, als das Sinnlich-Zeitliche, herrscht. Jeder Moment sinnlichen Selbstbewußtseins also vollzieht sich nur *im Zusammenhang* mit dem Gottesbewußtsein; mit dem Grund der Welt ist er in eine Beziehung gebracht, die es erlaubt, ihn von diesem Grunde her zu verstehen. Sich und mit sich die Welt versteht Christus in jedem Moment aus Gott, weil er *in* aller Weltoffenheit für *Gott* offen ist. In seinem Leben vollzieht sich, daß vor allem Gott an der Zeit ist. Als Vollendung der Schöpfung des Menschen ist in ihm auch definitiv der „Vollendungspunkt des Selbstbewußtseins"[10] erreicht: die sinnliche Welt jedes Momentes, also die konkrete geschichtliche Situation vor Gott gebracht, eine prinzipielle Gleichzeitigkeit als Einholung jeder Gegenwart in ihren wesentlichen Grund in Kraft getreten und so die Grundsituation in jeder konkreten Situation in Geltung gesetzt.

Daß sich in *jeder* Situation die Grundsituation in Geltung setzt: das ist für Schleiermacher das Prinzip des Lebens Jesu Christi; in dieser besonderen Weise ist sein Leben, wie menschliches Leben überhaupt, Erlebnisfolge als Folge ergriffener Situationen. Hatten

---

7. Vgl. § 94,2: II,45.14—16 und den Leitsatz zum Paragraphen (II,43.13—16).

8. Vgl. zur formalen „Angänglichkeit" die Hinweise auf Heidegger und Fuchs oben § 12 Anm. 19.

9. Vgl. § 94,2: II,46.22f. — Zur „Innerlichkeit" dieses Seins Gottes in Christo vgl. auch § 96,3: II,57.30; § 97,4: II,74.13ff; § 101,2: II,98.9. — Der erwähnte „Streit" (vgl. oben § 13,2) findet im Selbstbewußtsein Jesu grundsätzlich nicht statt (vgl. § 93,4: II,40.11ff). Statt seiner herrscht „Ruhe" (vgl. § 16,2: I,109.5).

10. Vgl. § 5,3: I,35.26.

wir vom Wesens- und Grundzug der Zeit gesagt, er hielte die Mannigfaltigkeit der Welt, und vom unmittelbaren Selbstbewußtsein, es hielte die verschiedenen Momente bzw. Situationen des menschlichen Lebens von innen zusammen[11] — hier im Leben Jesu Christi sind diese beiden Prinzipien vollkommen eins: „Nämlich das Sein Gottes in dem Erlöser ist als seine *innerste* Grundkraft gesetzt, von welcher alle Tätigkeit ausgeht und welche alle Momente *zusammenhält*...“[12] Diese innerste Grundkraft verleiht dem Leben Jesu die nur ihm eigene vollkommene *Stetigkeit* der Herrschaft des Gottesbewußtseins. Im unerlösten Selbstbewußtsein „äußerte sich das Gottesbewußtsein“, wir haben auf diese Stelle in anderem Zusammenhang schon aufmerksam gemacht, „nur gleichsam in einzelnen Blitzen, welche nicht zündeten, weil es nicht imstande war, auf stetige Weise die einzelnen Lebensmomente zu bestimmen“[13]. Im Selbstbewußtsein Christi nun ist diese Schwäche des Gottesbewußtseins überwunden, die Vereinzelung seiner Äußerungen abgelöst von seiner ununterbrochenen Herrschaft[14]. Nicht nur zerstreute Augenblicke bestimmen sich von dorther, sondern seine ganze Existenz[15], der Gesamtverlauf seines Lebens. Christi Leben

---

11. Vgl. oben § 11 bei Anm. 63 und § 12 bei und nach Anm. 49.

12. § 96,3: II,57.29−31.

13. § 106,1: II,147.31−33; vgl. oben § 13 bei Anm. 29.

14. Vgl. § 81,2: I,435.22−25: „Hiedurch wird also ausgesagt, daß zwischen dem Zustande des Erlösers, in welchem aus der höchsten geistigen Lebendigkeit keine Unterbrechung der Herrschaft des Gottesbewußtseins hervorgehn konnte...“

15. Vgl. § 14Z: I,103.36−104.2: „... indem die göttliche Offenbarung durch ihn [sc. durch Christus] immer, wie sie auch gedacht werde, mit seiner *ganzen* Existenz identisch gedacht wird, und nicht als fragmentarisch in zerstreuten Augenblicken erscheinend...“ § 93,1: II,34.23−26: „... so ist auch die wahre ... Manifestation seiner Würde nicht in einzelnen Momenten, sonden in dem *Gesamtverlauf* seines Lebens.“ Vgl. außerdem § 94,2: II,46.20f; § 96,3: II,57.24f; 58.10; § 97,3: II,70.12f; § 98,1: II,78. 28f. Eben diese Ausschließlichkeit der Bestimmung des Daseins Christi von Gott her gibt für Schleiermacher das Recht, mit Paulus „Gott war in Christo“ oder mit Johannes „*das Wort ward Fleisch*“ zu sagen (vgl. § 96,3: II,58.2f). Was Schleiermacher im zweiten Sendschreiben an Lücke unter Hinweis auf Joh 1,14 den „Grundtext der ganzen Dogmatik“ nennt (Auswahl 144; WW I/2, 611), versteht er im Sinne dieses „Seins Gottes in...“. Darum gilt für das Leben Jesu Christi (immer neu) „das Wort ward Fleisch“, insofern „Wort“ bedeutet: „die Tätigkeit Gottes in der Form des Bewußtseins ausgedrückt“ und „Fleisch“ heißt: „die allgemeine Bezeichnung des Organischen“ (vgl. § 96,3: II,58.3−5), und insofern auf die innerste Grundkraft Jesu, das Sein Gottes in ihm, alle seine Tätigkeit zurückgeht und alles Menschliche in ihm „nur den Organismus für diese Grundkraft“ (57.32f) bildet. Auf diese Weise vollzieht sich in seinem Leben immer erneut Menschwerdung Gottes „weil immer und überall alles Menschliche in ihm aus jenem Göttlichen wird“ (58.12f) − doch nicht minder vollzieht sie sich, wenngleich nicht in jener Stetigkeit und Vollkommenheit, in jedem Moment klaren Gottesbewußtseins der Christen, insofern ein „Sein Gottes in...“ auch dort statthat. Hier wie dort

im ganzen bestimmt und versteht sich aus Gott. Es befindet sich, wohin es gehört[16]: es steht im Zusammenhang mit seinem wesentlichen göttlichen Grund.

2. Die verhältnismäßige Zeit

Das Sein Jesu Christi gilt für Schleiermacher als vollendete Schöpfung der menschlichen Natur; in ihm ist der Begriff des Menschen erfüllt, der Mensch gleichsam zu sich selbst gekommen: der Mensch als Mensch zutagegetreten und wirklich geworden[17]. Nur weil im Selbstbewußtsein ergriffen wird, woran es mit dem Dasein *als ganzem* ist, weil sich an ihm (in seinem Gottesbewußtsein) offenbar die Menschlichkeit des Menschen entscheidet, kann in Christus — der sich doch nur durch sein *Selbstbewußtsein* auszeichnet — der Mensch *als* Mensch zutagetreten und wirklich werden. Doch das Sein Jesu Christi ist für Schleiermacher ausdrücklich *geschichtliches, zeitliches* Sein. Alles liegt ihm daran, daß in Christus alles „Urbildliche" vollkommen geschichtlich gewesen sei und jeder geschichtliche Moment das „Urbildliche" in sich getragen habe[18]. Der Mensch als er selbst ist in Christus keine reine Idee, und auch keinen „zwiefachen Christus", „einen urbildlichen und einen historischen", will Schleiermacher vertreten[19], sondern ausdrücklich einen *als* urbildlichen geschichtlichen und einen *als* geschichtlichen urbildlichen. Daß dem Menschen Jesus Christus Lebenszeit eigen

aber hat Schleiermacher ein „*Sein* Gottes in..." im Blick und nicht eine Zeitwerdung Gottes selbst. — So ist Hirsch mit seiner Interpretation im Recht, wenn er Schleiermachers Formel vom „Sein Gottes in..." den Vorwurf „schillernder Mehrdeutigkeit" macht und hinzufügt „Sie klingt an die alte Formel von der Menschwerdung Gottes stärker an, als dem Gehalt, den sie bei Schleiermacher hat, entspricht." (341). Denn dies meint Schleiermacher gewiß nicht: daß Gott selber „Fleisch" (oder gar „Zeit") annimmt, zu seinem Gottsein hinzu- und in sich aufnimmt.

16. Die erste Auflage spricht von der „Zusammen*gehörigkeit* des niedern und des höheren Selbstbewußtseyns" (Gl[1], § 75L).

17. Im Paragraphen 89 (II,23.12ff) führt Schleiermacher diesen Gedanken besonders aus. — Vgl. Jacob, 108: „In diesem Gottesbewußtsein kommt die Schöpfung der Welt zu ihrem Ziel. Christus ist das Urbild der Menschheit, in dem der Mensch in seiner Vollendung nicht nur sichtbar, sondern wirklich wird."

18. Vgl. § 93L: II,34.2ff. — Zum Problem des „Urbildes" vgl. auch Hirsch, 337ff.

19. Diesem Vorwurf sah sich Schleiermacher durch F.Chr. Baur nach Erscheinen der ersten Auflage der Glaubenslehre ausgesetzt. In seinem ersten Sendschreiben an Lücke hat er diese Trennung und gar die Behauptung, er habe den historischen dem urbildlichen Christus untergeordnet, als Unterstellung zurückgewiesen. Das sei „idealistisches Zeug" (vgl. Auswahl 124; WW I/2, 582). Vgl. dazu H. Liebing, Ferdinand Christian Baurs Kritik an Schleiermachers Glaubenslehre, ZThK 54, 1957, 225–243.

war, daß darum auch *der* Mensch zeitlich ist, das ist für Schleiermacher durchaus nicht ohne Bedeutung. Ohne Zweifel läßt darum auch der besondere Umgang, den die Zeit in der Erscheinung Christi erfahren hat: ihre gründliche Relativierung, die Zeit *als* Zeit hervortreten. Denn hat sich mit dem neuen Worin des In-seins Gottes ein Wandel der Gesamtsituation ergeben, so gilt dieser Wandel auch für die Bedeutung von „Zeit". Auf eine neue Weise offenbar ist im Leben Christi die Ewigkeit Gottes in ein Verhältnis zur Zeit getreten: ein neues Beisammen der Zeit mit dem *Zeitlichen,* also ein neues Worin des In-seins der Ewigkeit, bedeutet hier auch ein neues Verhältnis von „Zeit" und „Ewigkeit", also von „Zeit" und *„Gott".*

Versteht man sie im Zusammenhang des Lebens Jesu, so gibt „Zeit" nun nicht mehr nur einzelne ihrer Merkmale, sondern jetzt ihre *Bestimmung* (Wozu ist „Zeit" bestimmt?) zu erkennen[20]. Wie man an der Lebenszeit Jesu sieht, ist „Zeit" (verstanden im Zusammenhang des unmittelbaren Selbstbewußtseins: als *Geschichte*) dazu bestimmt, als ganzes auf den sie begründenden Grund bezogen, so relativiert, eingeholt und als sie selbst identifiziert zu werden. Auf diese Verhältnismäßigkeit hin ist sie angelegt. Vorher war sie Zeit, die sich *noch nicht* (in den ihr gemäßen Zusammenhang) eingestellt hat.

Im Beieinander von sinnlichem Selbstbewußtsein und Gottesbewußtsein hat sich in der Lebenszeit Jesu Christi diese Verhältnismäßigkeit eingestellt. Dabei fällt es dem durch „Zeit" bestimmten sinnlichen Selbstbewußtsein zu, dem Gottesbewußtsein Bestimmtheit, Klarheit, Konkretion etc. zu verleihen. Denn „nur in dem sukzessiven Gegensatz geschiedener Momente" wurzelt „Klarheit des Bewußtseins"[21]. Also muß das Gottesbewußtsein, um *klares* Bewußtsein sein zu können, auf das sinnliche bezogen werden, muß das sinnliche *zeitliches* Selbstbewußtsein sein. Alles was sich im allgemeinen Teil dieses Abschnitts unter der Überschrift „Der Vollzug der Zeit in der Welt: Wirklichkeit" an Merkmalen der Zeit ergeben hat, tritt hier nun konkret als die Bestimmung der Zeit in Kraft. „Zeit" ist demnach primär dazu bestimmt − wie es urbildlich an Jesu Christi Lebenszeit hervortritt −, das Gottesbewußtsein *wirklich* werden zu lassen[22], ihm *Begrenztheit, Beson-*

---

20. Vgl. die Formulierung, dergemäß im „neuen Leben die ursprüngliche *Bestimmung* des Menschen erreicht wird" (§ 101,4: II,104.5f).

21. § 59,1: I,314.3f.

22. Vgl. dazu oben § 11,1. − Wie ja das sinnliche Selbstbewußtsein für das schlechthinnige Abhängigkeitsgefühl die *Bedingung seines zeitlichen Seins* bildet (vgl. I,34.28f).

derheit und *Klarheit* zu geben[23]. Das Gottesbewußtsein wirklich werden zu lassen — das bedeutet: die Situationen und Zustände des Selbstbewußtseins *wirksam* qualifizieren zu lassen. Ebenso jene Einsichten, die sich in dem Paragraphen „Der Vollzug der Zeit im Menschen: Selbstbewußtsein" ergeben haben, können jetzt also Anwendung finden. Ohne die Zeit könnte Gott im Selbstbewußtsein des Menschen nicht *anwesend* sein[24], es nicht wirksam bestimmen. Nur schließlich, wir haben vorgreifend diese Formulierung schon gebraucht[25], weil der Mensch zeitlich ist: weil sein Leben in

23. Wenn Schleiermacher formuliert: „Aber auch, wenn das schlechthinnige Abhängigkeitsgefühl im allgemeinen der ganze Inhalt eines Momentes von Selbstbewußtsein wäre, würde dies ein unvollkommner Zustand sein; denn es würde ihm die *Begrenztheit* und *Klarheit* fehlen, welche aus der Beziehung auf die Bestimmtheit des sinnlichen Selbstbewußtseins entsteht." (§ 5,3: I,36.2—7), so ist mit dieser „Bestimmtheit des sinnlichen Selbstbewußtseins" nicht zuletzt *zeitliche* Bestimmtheit gemeint. Erst durch den Zusammenhang mit dem sinnlichen Selbstbewußtsein wird ein Moment des Gottesbewußtseins zu einer *besonderen* frommen Erregung (vgl. § 5,4: I,37.6ff). Und das Gottesbewußtsein kann nur *das unsrige* sein, wenn es mit dem Selbstbewußtsein vereint auftritt (vgl. § 163,2: II,436.7—10). — Vgl. Schultz, Protestantismus, 55f: „Die bestimmte Form und Artikulation des schlechthinnigen Abhängigkeitsgefühls erfolgt nur durch die Verbindung ihrer Momente mit den Momenten des sinnlichen Bewußtseins." Auch Schultz muß hier eine positive Bedeutung der Zeit konstatieren: „Bemerkt nämlich Schleiermacher, daß sich Frömmigkeit als Wirklichkeit nur konkretisiert in der Berührung mit den zeitlichen Momenten des sinnlichen Selbstbewußtseins, und daß jede besondere Form der Frömmigkeit nur aus dieser Berührung kommt, dann gewinnt die *Geschichte* als Realisierungsstätte des zeitlosen Gefühls eine *positive* Gültigkeit." (62). Freilich sollte man nicht „Berührung"nennen (und so wieder abwerten), was Schleiermacher selbst in der Einheit des Momentes beisammen sein läßt. Aber die Deutung des Zeitverständnisses Schleiermachers durch Schultz zielt überhaupt auf den Nachweis ab, daß für Schleiermacher „Zeit auch in der Glaubenslehre wie für die antike Schau etwas *Unwertiges*" bleibe, „das überwunden werden muß" (60). Für die „Gesamtbewegung" der Zeitdeutung Schleiermachers von den „Reden" bis zu den letzten Schriften und Predigten gelte, „daß in dieser Bewegung fortlaufend die griechische Auffassung der Zeit durchschlägt". Einer der Wesenszüge dieser Zeitauffassung kommt zum Ausdruck in der völligen *Entwertung* der Zeit bis zu einem Nichtseienden, der Beschränkung der Zeit auf die Erscheinung, der Aufweis der reinen dauernden Gegenwart als des ganz erfüllten Augenblicks, als der immanentisierten Ewigkeit." (46). — Mit Recht hat D. Offermann (56; 176) dagegen den oben schon (§ 13 bei Anm. 34) zitierten Satz aus dem ersten Sendschreiben an Lücke geltend gemacht. Daß im Zugleich von sinnlichem Selbstbewußtsein und Gottesbewußtsein „das Zeitliche immer mehr *verschwindet* vor der Ausstrahlung durch das zeitlos ewige Grundgefühl" (Schultz, 62), sagt Schleiermacher weder, noch kann er es so meinen, verlöre doch damit das Gottesbewußtsein zunehmend an Klarheit und, im äußersten Fall, seine Wirklichkeit überhaupt. In *Christus*, in dem doch das Gottesbewußtsein in absoluter Kraft herrschte, müßte nach Schultz die Zeit überhaupt verschwunden sein (anders schon Schultz selbst, 71f).

24. Vgl. zur Präsenz Gottes im menschlichen Selbstbewußtsein: Barth, Schleiermacher, 151; 160f.

25. Vgl. oben § 12 am Ende des Abschnitts 2 b.

Situationen qualifiziert und in den Zuständen des Selbstbewußtseins „bestimmt" wird und als Erlebnisfolge verläuft, kann Gott
(in der Verwirklichung seines ewigen Ratschlusses) bestimmend in
ihm *anwesend* sein und an ihm *wirksam* werden und so mit seiner
Ewigkeit in der Zeit sein[26].

Gerade indem auf diese Weise die Zeit göttliche Relativierung
erfährt, weil sie ins Einvernehmen mit der Ewigkeit gesetzt wird
und die Ewigkeit, sich auf sie einstellend, in sich mächtig werden
läßt, wird sie gleichsam ins *Recht* gesetzt. Alles andere als überholt (wie etwa die Sünde), ist sie vielmehr eingeholt[27], hat sie
durch ihre Verhältnismäßigkeit letzten Sinn gewonnen und (wenngleich in bestimmter Hinsicht nicht selbständige) Bedeutung erlangt. Ein einzelner konkreter Moment, bezogen und eingestellt
auf seinen ewigen Grund „in der Einheit des Momentes" von sinnlichem Selbstbewußtsein und Gottesbewußtsein, das Beieinander
nicht mehr nur von Sein und Sosein, wie im sinnlichen Selbstbewußtsein[28], sondern von Sein, Sosein und Grund des Seins, das
ist als „*Vollendungspunkt* des Selbstbewußtseins"[29] die *Vollendung* dieses Momentes. Der „Vollendung" und Erfüllung „der
menschlichen Natur"[30] entspricht die Vollendung und Erfüllung
der Zeit. Dieser Moment ist in sich unüberbietbar sinnvoll und
vollkommen, er hat *als* konkreter geschichtlicher Moment seine

---

26. Vgl. eine Formulierung aus § 156,1: II,405.27−29: „... wir hingegen behaupten,
die seligmachende Liebe Gottes sei nicht eher als mit der Erscheinung Christi *wirksam*
geworden" und aus demselben Paragraphen (§ 156,3: II,407.18−21): „Allein die Folgerung, daß die seligmachende Liebe Gottes erst mit der Erscheinung Christi angefangen
habe, müssen wir uns gleich unsern Grundsätzen gemäß dahin beschränken, daß nur die
zeitliche Erscheinung dieser Liebe nicht eher begonnen habe." − Der ewige Gott in der
Zeit des Menschen konstituiert nicht, wie Schultz es meint (56 u.ö.), „eine *zeitlose
Schicht*" im Menschen, sondern qualifiziert das menschliche Dasein *als ganzes* − entsprechend der formalen Struktur des unmittelbaren Selbstbewußtseins, die Situation des
Daseins als ganze zu ergreifen (vgl. oben § 12b). Und keineswegs gilt für Schleiermacher,
daß „die letzte Wesensschicht" im Menschen „mit dem Absoluten *identisch* ist" (67) −
wogegen schon Schleiermacher selbst sich (wiederum im ersten Sendschreiben an Lücke)
gewehrt hat: das Gottesbewußtsein ist nicht Gott selbst, betont er dort (Auswahl 132:
WW I/2, 594).
27. Vgl. Gl[1], § 10L: „Die Frömmigkeit ist die höchste Stufe des menschlichen Gefühls, welche die niedere mit in sich *aufnimmt*..." (vgl. Gl[1], § 10,4; § 11 L).
28. Vgl. oben § 12,2a.
29. § 5,3: I,35.26.
30. Vgl. § 89L: II,23.18f. „Erfüllt" ist die menschliche Natur, weil „eine Sättigung
der Natur mit Gottesbewußtsein" erfolgt (§ 94,3: II,47.34). − Von der *Herrlichkeit* des
Geschöpfs, die sich gerade seiner Relativierung verdankt, spricht auf seine Weise auch
Barth (KD III/3, 193f).

eigene Ehre[31]. Er ist *wesentlich* geworden[32], gleichsam „verewigt". In diesem Sinne, unterschieden also von dem uns bisher geläufigen Sprachgebrauch Schleiermachers, kann das neue Leben als „*ewig*" bezeichnet werden: „Denn dieses [sc. das neue Leben] ist in sich selbst ewig und erlangt keinen Zuwachs durch die Länge der Zeit."[33] Hier wird die Zeit nicht überstiegen und als etwas ontologisch Minderwertiges zurückgelassen (auch Christus ist der Zeit nicht enthoben), sondern gebracht, wohin sie gehört: ins Einvernehmen mit ihrem Grund. Sie ist etwas, das (nicht überwunden, sondern) relativiert werden muß. Aus dieser Beziehung gewinnt sie ihre eigene Ehre[34].

---

31. „Jeder Moment in der Thätigkeit des sinnlichen Selbstbewußtseins muß dadurch seine *Weihe* erhalten, daß die innersten Beweggründe und Triebkräfte dem höchsten, dem religiösen Selbstbewußtsein entstammen", so formuliert H. Stephan (Die Lehre Schleiermachers von der Erlösung, Tübingen/Leipzig 1901, 19).

32. Wie ja auch „das Gottesbewußtsein das *Wesen* jedes im höheren Sinne selbstbewußten oder vernünftigen Lebens" konstituiert (§ 158,1: II,412.24—26).

33. § 118,1: II,226.19—21; vgl. § 118,2: II,227.21f: „Denn ist dieses [sc. das neue] Leben ein an sich ewiges..." Vgl. Gl[1], § 137L Anm.; § 137,2 („... weil das durch das Seyn Gottes in uns erzeugte und beherrschte Leben in jedem Augenblick unerschöpflich und also in sich selbst unendlich ist.") Nicht in diesem Sinne kann der berühmte Satz der „Reden" (Reden, 74) verstanden werden: „Mitten in der Endlichkeit Eins werden mit dem Unendlichen und ewig sein in einem Augenblick, das ist die Unsterblichkeit der Religion." Schultz hat auf die Nähe der Zeitauffassung der „Reden" (1799) zu der der „Monologen" (1800) hingewiesen (vgl. oben den Exkurs nach § 13,1) und die in beiden Werken vollzogene Abwertung der Zeit herausgestellt (Protestantismus, 46ff; dieser Deutung folgt P. Cornehl, Die Zukunft der Versöhnung. Eschatologie und Emanzipation in der Aufklärung, bei Hegel und in der Hegelschen Schule, Göttingen 1971, 83ff). Ebensowenig wie in den „Monologen" bezeichnet der „Augenblick" der „Reden" ein *beziehungsvolles* Zugleich von Zeit und Ewigkeit. – Hätte Hertel mit seiner (wie wir meinen: fehlgehenden) Interpretation der Zeitauffassung der „Reden" recht – es wäre völlig unverständlich, wie den „Reden" im Abstand von nur einem Jahr die „Monologen" hätten folgen können. Den Gedanken der „Gleichzeitigkeit" und „Identität" des Menschen mit seiner Zeit des „Annehmens" der Zeit, der nach Hertel in den „Reden" vertreten sein soll (119ff: vgl 104f), können wir schon dort nicht entdecken. Zudem widerspricht er allem. was die „Monologen" zu diesem Thema sagen. Hertel geht denn auch über das Zeitverständnis der „Monologen" sehr schnell hinweg (200). Nicht recht verständlich erscheinen die Sätze „So ist auch die Zeit, die der Mensch sucht, in der Zeit da. Es kommt darauf an, das Ereignis der Zeit da sein zu lassen." (120; das Heidegger-Zitat der Anm. 152 derselben Seite hätte als eine Interpretation der Zeitauffassung *Hegels* durch Heidegger kenntlich gemacht werden müssen).

34. Die Formulierung G. Weißenborns (Darstellung und Kritik der Schleiermacherschen Dogmatik, Leipzig 1849,29) „Das schlechthinige Abhängigkeitsgefühl kann und soll sich an jeden Moment sinnlichen Selbstbewußtseins anlehnen. Erst so erhält das Leben des Menschen seine Weihe und Vollendung..." nehmen wir auf, indem wir statt „Leben" „Lebenszeit" setzen. – Daß für das Zeitproblem die Frage von Bedeutung ist, wohin die Zeit „gehört", sagt nachdrücklich auch Fuchs: „Man kommt in der Zeitinter-

Die solchermaßen erfüllte und verhältnismäßige — als in das ihr gemäße Verhältnis eingestellte — Zeit verdient im Sinne Schleiermachers (wenngleich nicht in seiner Terminologie) *eschatologisch* genannt zu werden. Wesentlichkeit und Wirklichkeit kommen in ihr überein[35]. Was ein schon formales Charakteristikum des Momentes des unmittelbaren Selbstbewußtseins war: seine Gleichzeitigkeit[36], das ist hier im Moment des Gottesbewußtseins gewissermaßen die Gleichzeitigkeit von „Zeit" und „Ewigkeit"[37].

3. Offenbarung; Repräsentanz; Abbildung

Eine neue Stufe des In-seins Gottes und ein neuer Schöpfungsmoment sind im Leben Christi erreicht, ausgezeichnet dadurch, daß die „allmächtige Gegenwart Gottes in der Welt überhaupt"[38] sich hier inhaltlich bestimmt als „Vereinigung des göttlichen Wesens mit der menschlichen Natur", d.h. als seine Anwesenheit im menschlichen Selbstbewußtsein. Als *Liebe,* nicht mehr nur als Allgegenwart[39], gilt es jetzt das In-sein Gottes zu verstehen[40]. Welchen Sinn hat die *Anwesenheit* Gottes, wenn mit ihr Anwesenheit im menschlichen *Selbstbewußtsein* gemeint ist?

Diese Anwesenheit besagt zunächst, wir haben oben schon darauf hingewiesen, — Offenbarung und Selbstmitteilung Gottes[41]. *Daß* ein Sein Gottes in der Welt, Gott in der Welt anwesend ist, wird durch Christus erst *offenbar.* Ist doch das spezifische Worin des In-seins Gottes hier das *Selbstbewußtsein* Christi. Gott ist

pretation nur weiter, wenn man merkt, wohin die Zeit gehört." (Alte und neue Hermeneutik, in: Glaube und Erfahrung. Zum christologischen Problem im Neuen Testament, Gesammelte Aufsätze III, Tübingen 1965, 193—230; dort 228). Vgl. auch oben § 14 bei und in Anm. 16.

35. Richtig Schultz, Protestantismus, 71f: „Christus ist die Gestalt des Menschen, in welchem das schlechthinige Abhängigkeitsgefühl als Sein Gottes völlig zur Wirklichkeit geworden ist, ... so daß die Erscheinung selbst zum Wesen geworden ist."

36. Vgl. oben § 12,2a.

37. Vgl. oben § 13,1 zum „zugleich" des sinnlichen Selbstbewußtseins und des Gottesbewußtseins.

38. Vgl. § 172,1: II,470.13.

39. Vgl. § 94,2: II,45.16ff.

40. Aus diesem Grund hebt Schleiermacher dieses In-sein Gottes an einigen Stellen als „eigentliches" oder „wahres" hervor (vgl. § 94L: II,43.16; § 94,2: II,46.19.29; § 96,3: II,57.25). Vgl. auch Gl[1], § 116,3: „Das ursprüngliche, auch abgesehen von dem Zusammenhange mit ihm [sc. mit Christus], der menschlichen Natur mitgegebene Bewußtseyn Gottes, kann nicht eben so *schlechthin* ein Seyn Gottes in uns genannt werden..." Es ist „nicht ein *wahrhaftes* und *eigentliches* Seyn Gottes in uns."

41. Vgl. oben § 8,2. — Vgl. § 164,1: II,441.25; § 164,2: II,442.35.

nicht nur in Christus, sondern dieser ist sich dessen auch bewußt[42]. Er hat dieses Sein Gottes als dessen Anwesendsein mit seinem Bewußtsein ergriffen[43]. Für Christus gibt es ein klares Innewerden des Seins Gottes in ihm. Nicht nur also *begründet* Gott die Lebenszeit Christi, sondern dessen Selbstbewußtsein hat diese Begründung seinerseits *ergründet*[44]. Christus läßt Gott in seinem Selbstbewußtsein, die Ewigkeit in seiner Lebenszeit mächtig sein; er ist seinem Leben auf den Grund gegangen, indem er seine Grundsituation ergriffen hat. So ist der Übergang zur zweiten Weltzeit wesentlich ein Umschlag zu diesem Bewußtsein und ist der Erlöser der „Wendepunkt"[45]: nicht mehr nur ist alles Seiende von Gott her, sondern der Beginn einer Wendung ist vollzogen, einer Wendung nun auch zu Gott hin[46]. Gott ist also nicht nur das *Woher*, sondern auch das (gleichfalls

42. In einer handschriftlichen Randbemerkung zur ersten Auflage (zitiert bei Redeker II, 502.30f) heißt es: „In jedem endlichen Sein ist das Verhältnis der Abhängigkeit gesetzt, aber nur das *sich bewußte* kann es aussprechen oder manifestieren." – Zu Recht sagt Brandt (275; Hervorhebung im Original): „Gott *ist* nicht nur ontologisch im Menschen und überläßt es dann der menschlichen Geschichte der Sünde, wie weit der Mensch dies ontologische Datum wahrnehmen kann. Sondern er *will* als dieser ontologisch in dem menschlichen Bewußtsein mitgesetzte Fluchtpunkt der Abhängigkeit *faktisch* im Menschen sein und nimmt deshalb die Geschichte des Menschen selbst in die Hand, um die Sünde zu überwinden. Und eben dieses Wollen Gottes kann man sachgemäß nur Liebe nennen." Dergestalt als Liebe *wirkt* Gott zuerst in Jesus Christus. Darum formuliert Schleiermacher, „die seligmachende Liebe Gottes sei nicht eher als mit der Erscheinung Christi *wirksam* geworden" (§ 156,1: II,405.27–29) und erläutert dies: „Allein die Folgerung, daß die seligmachende Liebe Gottes erst mit der Erscheinung Christi angefangen habe, müssen wir uns gleich unsern Grundsätzen gemäß dahin beschränken, daß nur die zeitliche Erscheinung dieser Liebe nicht eher begonnen habe." (§ 156,3: II,407.18–21).

43. Vgl. § 53,1: I,272.28f.

44. Beißer formuliert (66), daß das Gottesbewußtsein „die den Menschen wie alles übrige Seiende immer schon tragende und umfassende Ganzheit", nämlich Gott, „*entdeckt*". Vgl. dazu etwa § 61,4: I,333.4ff: „Denken wir nun an den göttlichen Ratschluß der Gesamtentwicklung des menschlichen Geschlechts vermittels der Erlösung, und daß diese schon in der *Idee* der menschlichen Natur von Anbeginn, wenn gleich den Menschen selbst *unbewußt, eingeschlossen* lag: so..." Vgl. Brunner (162; Hervorhebung im Original): das Gefühl schlechthinniger Abhängigkeit „konstatiert, was *ist.*" – Selbstverständlich ist Gott für Schleiermacher auch die Ursache dieser „Entdeckung": nicht nur verursacht er die Lebenszeit Christi, sondern auch das Bewußtsein dieser Verursachung.

45. Vgl. (dort freilich in einem anderen Zusammenhang) § 61,5: I,336.23f.

46. Vgl. § 62,2: I,343.20; § 62,3: I,343.37f; § 63L: I,344.38. – Wie denn für Schleiermacher alle Aussagen über Gott eine Hinwendung zu ihm voraussetzen: „Was ... die göttlichen Eigenschaften betrifft, so ist ... offenbar, daß von einem Zustande, welcher Abwendung von Gott ist, nicht Aussagen über Gott ausgehen können, sondern nur erst, wenn der Mensch irgendwie wieder zu Gott *hingewendet* ist; denn alle Aussagen über Gott setzen eine Hinwendung zu ihm voraus." (§ 64,2: I,350.29–34).

nicht zeitlich gemeinte) *Wohin* der Welt[47]. Diese Wendung nun versteht sich als *Abbildung*. Durch Jesus Christus ist für Schleiermacher der Welt eine Wendung gegeben, die sie als Abbild Gottes zutagetreten läßt. Ihm zugewandt bildet sie ihn ab. Daß Gott sich in der Welt und ihrer Geschichte als seinem vollendeten Kunstwerk vollkommen und restlos selbst darstellt[48] – das tritt von Christus an in die Dimension der Offenbarung. Bei ihm kommt es heraus, kommt es zur Äußerlichkeit, zur Wirklichkeit und Zeit: daß die Welt das Abbild Gottes ist. Als Abbild empfängt die Welt ihr ganzes Sein vom Urbild, von Gott als ihrer Ursache. Sie ist insofern nichts von sich selbst und alles von Gott her, schlechthinniges Bewirktwerden, von Gott schlechthin abhängig. Die Welt *als* Abbild, die Wirkung *als* getreues Bild der Ursache nun auch *zutagetreten* zu lassen – das heißt sich der schlechthinnigen Abhängigkeit *bewußt* sein, „die Welt ... *als* in der göttlichen Allmacht *be*gründet zum Bewußtsein kommen" lassen, *er*gründen[49]. Bis zu Christus aber ist die Welt sich ihrer selbst nicht bewußt. In Christus beginnt sie es zu werden, indem er die Welt als ganze repräsentiert[50]. Mit sich befaßt er repräsentativ die Welt als ganze in die schlechthinnige Abhängigkeit von Gott; nicht nur sein Leben – damit zugleich das gesamte endliche Sein bringt er exemplarisch (urbildlich) auf seinen göttlichen Grund. Nur in seinem Selbstbewußtsein vermag sich dies in Vollständigkeit zu vollziehen, denn nur sein Leben wird in stetiger, in keinem Moment zurückgedrängter Kräftigkeit vom Gottesbewußtsein beherrscht. Nur in ihm kann sich das Gottesbewußtsein als reine Tätigkeit geltend machen.

47. Vgl. auch die Fassung der Sünde als „Abkehr von Gott" (§ 65,1: I,353.12f.17 u.ö.). Daß Schleiermacher Gott auch als „Wohin" verstehen könnte, ist nach Brunner (272f) ausgeschlossen.

48. Vgl. oben § 8 bei Anm. 59.

49. § 59,2: I,315.31f. – Denn von der göttlichen Ursächlichkeit gilt, daß „sie sich in unserm schlechthinnigen Abhängigkeitsgefühl im allgemeinen *abspiegelt*" (§ 64,2: I, 351.16f; vgl. auch § 57,1: I,309.4–7, wo gesagt wird, „daß die göttliche Allmacht in der ganzen Lebendigkeit als die ewige, allgegenwärtige und allwissende sich überall in der Welt vermittels des schlechthinnigen Abhängigkeitsgefühls offenbart", sowie Gl[1], § 189,3). Das Gefühl schlechthinniger Abhängigkeit ist für Schleiermacher *Vollzug einer Spiegelung*. Vgl. Brandt, 170: „Dort, im innersten Kern seines Wesens [sc. im unmittelbaren Selbstbewußtsein], ist der Mensch, gerade indem er sich unmittelbar der Nicht-Göttlichkeit seines Wesens bewußt ist, dem nicht-weltlichen, nicht-menschlichen Sein Gottes *adäquat*." Insofern ist das Abbild – *Gegen*bild und Widerschein. Nur darum auch kann die Ewigkeit als Gegenteil der Zeit gelten (vgl. oben § 6,1). Vgl. auch Hirsch, 302: „Das Endliche und Besondre macht uns im *Spiegel* des frommen Gemütszustandes das Unendlich-Eine und die von diesem getragne Lebensganzheit auf seine Weise kund."

50. Vgl. zum Folgenden erneut § 94,2: II,45.16ff.

Indem Christus so die ganze Welt in ihrem absoluten·Bewirkt-
sein von Gott, in ihrer schlechthinnigen Abhängigkeit, eben als
Abbild repräsentiert, bildet er *Gott* ab[51]. Christus selber ist in vor-
züglicher Weise Gott adäquat, sein Abbild und seine Selbstdarstellung, denn in ihm *vollzieht sich* diese Abbildung.

In der so verstandenen „Vereinigung des göttlichen Wesens mit
der menschlichen Natur" als dem letzten Worumwillen der göttlichen Liebe zeigt sich auch die Bestimmung des Worin des Anwe-
sendseins Gottes[52]. Das Sein Gottes abzubilden ist allem Anschein
nach seine Aufgabe. Zunächst ist es die Bestimmung Jesu Christi
und mit ihm des Menschen überhaupt, das Sein Gottes in ihm offenbar zu machen, denn „alles Menschliche" soll, „von der Kraft
der Erlösung durchdrungen", „erst in dieser Verbindung zu seiner
Vollendung" gelangen[53]. Aber auch der Welt im ganzen, die Christus repräsentiert, ist es bestimmt, als Abbild Gottes nun auch zutagezutreten[54]. So scheint es die Bestimmung der Zeit — wie es in
der geschichtlichen Lebenszeit Christi nicht nur erkennbar, sondern auch vollzogen ist —, die Ewigkeit in ihr sichtbar werden zu
lassen[55]. Die Zeit soll, sich auf sie einstellend, die Ewigkeit Gottes
in sich mächtig werden lassen.

Die Ewigkeit soll in der Zeit ergründet werden. „Zeit" soll *Zeit
zur Abbildung* sein, also *Zeit zur Ewigkeit Gottes in uns,* und das
heißt: Zeit zu ihrer eigenen Relativierung. Das ist ihre Bewandtnis.

Dies geschieht durch das Einvernehmen von Ewigkeit und Zeit,
zustandegebracht im Beieinander von Gottesbewußtsein und sinnlichem, geschichtlichem Selbstbewußtsein — „so daß auch *jeder*
Moment das Göttliche in Christo als das ihn Bedingende *kund-
gibt*"[56]. Der Bestimmung von „Zeit" wird genügt, indem jeder

51. Vgl. § 94,2: II,46.10. – Vgl. Hirsch, 341: „Gemeint ist [sc. mit der Formel vom
eigentlichen Sein Gottes in Christus] das Einfache, daß der Unendliche, Ewige mit seiner
unbedingten Macht und Gewalt dem frommen Bewußtsein Jesu gegenwärtig war und sich
das gesamte innre Leben Jesu zu seinem Werkzeug und *Abbild* gestaltete."
52. Vgl. oben die Abschnitte über „Liebe", „Weisheit" und „Weltregierung" Gottes
(§ 4,1) sowie über das In-sein Gottes (§ 8,3).
53. Vgl. § 166,2: II,448.32–34.
54. Die Welt, so formuliert es G. Weißenborn (Vorlesungen über Pantheismus und
Theismus, Marburg 1859, 64), entspricht für Schleiermacher „ihrer Idee" „erst dann,
wenn sie, bei aller Verschiedenheit von Gott, sich immer zugleich als eine Offenbarung
dieses, d.h. als ein solches Sein bekundet, worin sich Gott nach seinem Wesen offenbar
gemacht hat."
55. Auf seine Weise hat Plato (Timaios 37 d) die Zeit als das Abbild der Ewigkeit verstanden. Vgl. dazu etwa H. Conrad-Martius, 95ff. Inwieweit Schleiermacher an dieser
Stelle (und inwiefern er überhaupt) Plato folgt, soll hier nicht untersucht werden.
56. § 97,3: II,72.7–9. – Vgl. die Formulierung der 1. Auflage (§ 116,3), nach der
„jede Offenbarung Gottes in einem Endlichen nichts anders ist, als das sich *kundgebende*

zeitliche Moment sich von seinem ewigen Grund einvernehmen läßt: sich als schlechthin abhängig — weil ganz und gar verursacht, ganz und gar von Gott her und so als getreues Abbild seiner Ewigkeit — nun auch *zeigt*...

4. Die Zeit als Lebenszeit Christi

Für Schleiermacher bewahrt die Lebenszeit Christi *kein Geheimnis*. Sie bedarf keineswegs besonderer Offenbarung und Aufklärung. Sie spricht für sich. Wie die Jünger schon in der Zeit vor seinem Tod Jesus als den Sohn Gottes erkannten, ohne von seiner Auferstehung und Himmelfahrt zu ahnen, so kann auch für uns „der richtige Eindruck von Christo vollständig vorhanden sein ... ohne eine Kunde von diesen Tatsachen"[57]. Indem Schleiermacher die „Tatsache der Auferstehung" in eine Reihe stellt mit der von der „Himmelfahrt Christi" und seiner „Vorhersagung von seiner Wiederkunft", bestreitet er wie diesen so auch jener, eigentlicher Bestandteil der Lehre von der Person Christi sein zu können[58]. Hat sich die erlösende Wirksamkeit Christi schon zu seinen Lebzeiten ungehindert gezeigt, so ist die Osterzeit dazu nicht mehr vonnöten[59]. Dies auch darum nicht, weil sein Tod in der Kontinuität seiner Wirksamkeit keineswegs einen Einbruch bedeutet. Lediglich insofern herrscht eine relative Diskontinuität, als nach der „Entfernung Christi von der Erde"[60] die Empfänglichkeit des Einzelnen Christus gegenüber in Selbsttätigkeit: das Wollen des Reiches Christi, umschlägt[61]. Die Regierung Christi selbst jedoch bleibt unverändert und kontinuierlich wirksam. Ebensowenig wie die vierzig Tage der Osterzeit spielen für Schleiermacher die drei Tage des Grabes Christi irgendeine Rolle. Was im Neuen Testament so radikale Diskontinuität bedeutet, daß die Auferstehung Christi von den Toten nur als Werk des aus dem *Nichts* schaffenden Gottes

---

Seyn Gottes in diesem Endlichen...", so daß „also in dem Erlöser ein vollkommnes Seyn Gottes gesetzt" ist.

57. § 99,1: II,82.14ff und 83.7ff.

58. § 99: II,82.1ff.

59. „Für Schleiermacher ... steht die *Erkennbarkeit* Christi schon in der Zeit seiner irdischen Gegenwart, in der Zeit vor der Ausgießung des Geistes, nicht in Frage... Es gibt also eine Kontinuität der Erkenntnis Christi, die bis zum historischen Jesus selbst zurückreicht; die Gabe des Heiligen Geistes kann hier nichts Neues bringen." (Brandt, 194; Hervorhebung im Original).

60. § 122L: II,254.19.

61. Brandt (193ff) hat das ausführlich gezeigt.

verstanden werden kann (Röm 4,17), das fügt sich für Schleiermacher anscheinend ohne Bruch zusammen. Und ohne erkennbare Bedeutung bleibt, daß nach dem Neuen Testament zwischen der einen und der anderen Form der Wirksamkeit Christi die durch das Nichts bestimmte Zeit der drei Tage seines Grabes stehen, in Konfrontation mit der Gott Kontinuität neu schuf.

Gewiß spricht auch Schleiermacher in gewissem Sinne von einer „neuen Schöpfung", und gewiß liegt auch für ihn die Kontinuität zwischen dem ersten und dem zweiten Adam letztlich im „Ratschluß" Gottes[62], aber diese neue Schöpfung ist doch wesentlich die Vollendung der alten. Denn in ihr wird wirklich, wozu grundsätzlich die Möglichkeit immer schon bestand: die Herrschaft des Gottesbewußtseins. Was im Ratschluß Gottes immer schon beieinander war, legt sich hier in die beiden Schöpfungsmomente auseinander. *Zwischen* ihnen liegt für Schleiermacher nichts — aber keineswegs *das Nichts.* Es bedarf gewissermaßen keiner Anstrengung, sie zusammenzuhalten, kein Widerstand ist zu überwinden: ihre Kontinuität erscheint durchaus ungefährdet. Sie treten auch für Schleiermacher mit Beginn der Erscheinung Christi, nicht etwa mit seinem Tode auseinander. Nur der *Tod* Christi aber — wenn anders es der Tod dessen ist, der für uns vom Vater „zur Sünde" und „zum Fluch" (2 Kor 5,21; Gal 3,13) gemacht worden ist[63] — stellt die Frage nach dem Nichts.

Daß für Schleiermacher Christus wie *selbstverständlich* über seinen Tod hinaus wirkt, zeigt, daß er am Problem der Zeit des Grabes Jesu wie am Problem der Osterzeit vorbeigeht. Hier ist nicht der Auferstandene *als* Gekreuzigter wirksam, sondern die schon vor seinem Tode wirksame Ursächlichkeit geht — unabhängig von Kreuz und Auferstehung — weiter. Was wir schon bisher gegen Schleiermacher geltend gemacht haben: daß nach seinem Verständnis die Liebe Gottes nichts erträgt, daß ihr jede Negation

---

62. Vgl. § 94,3: II,48.14−19.

63. Für Schleiermacher hingegen gilt, „daß der Tod für Christum kein Übel habe sein können" (§ 98,1: II,80.9f). Von Bedeutung beim Tode Christi ist darum lediglich Christi *„Hingebung"* in Leiden und Tod (vgl. schon § 103,4: II,102.14−16: „Die Vollkommenheit liegt also hier nicht eigentlich und unmittelbar in dem Leiden selbst, sondern nur in der Hingebung in dasselbe."; besonders dann § 104,1: II,119.28; § 104,4: II,127. 14; 131.32; 132.9f), die doch nicht in der Lage waren, die Kräftigkeit seines Gottesbewußtseins bzw. seine vollkommene Seligkeit zu überwinden (vgl. § 101,4: II,102.25ff; § 104,4: II,127.24f; 128.3f). Nicht um den Tod selber, sondern um Christi Verhalten zu seinem Tode, um sein Gottesbewußtsein angesichts des Todes geht es für Schleiermacher. Es ist darum nur konsequent, wenn er an anderer Stelle die Möglichkeit eines *Scheintodes* Jesu ausdrücklich *nicht* ausschließt (so in seinen 1832 gehaltenen Vorlesungen über das Leben Jesu; vgl. WW I/6, 443f).

fremd bleiben muß und daß die Zeit des Sünders keineswegs als
verdorbene Unzeit verstanden werden kann, konzentriert sich in
dieser Frage: ob Schleiermacher das *Kreuz Christi* nicht verkennt,
ja ob er es mit seiner Methode der Dogmatik verstehen *kann;* und
ob darum auch „Zeit" ohne Beachtung jener drei und jener vierzig Tage nicht notwendig mißverstanden werden muß und *dieses*
Zusammenhangs und *dieser* Relativierung bedarf, um *als* Zeit
hervorzutreten.

§ 15 *Die abbildliche und fortschreitende Relativierung der Zeit:* Kirche

Zwar kommt der den göttlichen Ratschluß vollziehende Verwirklichungsprozeß in Jesus Christus insofern zum Ziel, als dieser — als
der vollkommen Erlöste — schon „die ganze neue, eine Kräftigkeit
des Gottesbewußtseins enthaltende und entwickelnde, Schöpfung
in sich trägt"[1], aber auch diese neue Schöpfung, gleichsam das Im-
plikat des Seins Christi, bedarf der weltlichen Verwirklichung, ist
doch „die ganze innere Mannigfaltigkeit des menschlichen Geschlechtes nach Raum und Zeit" Gegenstand des göttlichen Wohlgefallens[2], insofern sich aus ihm das Reich Gottes herausbilden
soll. Lediglich in der Lebenszeit dieses Einen, noch nicht in einem
„Gesamtleben", noch nicht in der Geschichte der Menschheit als
ganzer war Gott, als sein „Sein in Christus" galt[3]. In ihm ist *der*
Mensch, aber noch nicht die Menschheit erlöst[4]. Und die Bestimmung der Zeit überhaupt wird zwar an ihm sichtbar, tatsächlich
genügt wird dieser Bestimmung aber lediglich in seiner begrenzten
Lebenszeit. Sosehr seine Lebenszeit die Zeit der neuen Schöpfung
repräsentiert und insofern auch die neue Zeit, die Zeit als Zeit,
in ihm zutagegebracht wird und für seine Lebenszeit auch als Zeit
konstituiert ist, sowenig hat sich damit schon die Zeit als Zeit, die
Zeit der neuen Schöpfung *im ganzen,* konstituiert. Aber kann sich

1. § 94,2: II,46.29—31.
2. § 120,3: II,243.28—30. — Vgl. oben § 4,2.
3. Vgl. Brandt, 201: „In seiner [sc. Christi] Person konnte Gott nur der menschlichen
Natur als solcher, nicht der Geschichte der Menschheit einwohnen." Haben wir uns
schon bisher an zahlreichen Stellen an den Ergebnissen der zuverlässigen Arbeit Brandts
orientiert, so wird dazu jetzt umso mehr Gelegenheit sein, als das eigentliche Thema
Brandts, der Heilige Geist und die Kirche, im Hinblick auf unsere Frage jetzt zum Thema
wird.
4. Vgl. § 106,2: II,149.13—18.

die Bestimmung von „Zeit" erst dann vollenden, wenn dieser Bestimmung auch tatsächlich genügt wird? Tritt mit dem Übergang
von der Zeit Christi zur Zeit der Kirche ein fundamentaler Wandel
der *Gesamtsituation* ein, vergleichbar jenem, der die Erscheinung
Christi begleitet?

1. Die Zeit der Kirche als Wirkungsgeschichte Christi

Wie für Schleiermacher im Zusammenhang seiner Erörterung der
göttlichen Eigenschaft „Ewigkeit" die Zeit (zumindest ansatzwei-
se) zum Gegenstand dogmatischer Aussagen wird, so im Zuge seiner Lehre vom Heiligen Geist und der Kirche (jedenfalls indirekt)
— die Geschichte[5].
Freilich ist diese Geschichte als die Zeit der Kirche in ihrem Wesen nichts anderes als die *Wirkungsgeschichte Jesu Christi.*
In der Beschreibung des Verhältnisses der durch den Heiligen
Geist konstituierten Kirche zur Erscheinung Christi läßt Schleiermacher keinen Zweifel daran, daß mit dem Entstehen der Kirche
keineswegs etwa eine dritte „Weltzeit" oder wiederum ein neuer
„Schöpfungsmoment" erreicht sei. Vielmehr bleibt die Gesamtsituation durch den Situationswandel bestimmt, der durch Christus
vollzogen ist. Denn die durch ihn geschaffene neue Situation reicht
durchaus über seine Lebenszeit hinaus, deren Beginn sie lediglich
ist. Bleibt doch die *Kraft*, durch die sie heraufgeführt wurde, unverändert wirksam[6]. Ungehindert herrscht Jesus Christus kraft seines schlechthin kräftigen Gottesbewußtseins in der Kirche weiter
— gerade darin besteht für Schleiermacher sein „königliches
Amt"[7]. Von einer „Abtretung der Wirksamkeit Christi an die
Kirche"[8] kann keine Rede sein. In dieser Hinsicht gibt es eben
nicht „verschiedene Zeiten", denn „seine königliche Macht ist und
bleibt überall und zu allen Zeiten dieselbe"[9]. *Im ganzen* sucht
Schleiermachers Lehre vom Heiligen Geist als dem Gemeingeist
der Kirche diesen Sachverhalt herauszustellen: die Geschichte der

---

5. Vgl. Brandt, 74.

6. Schleiermacher spricht von einer *„absoluten* Kraft" Christi, was seine erlösende
Tätigkeit betrifft (§ 104,4: II,131.31).

7. Vgl. § 105: II,136.21ff. Zur Unumschränktheit der Herrschaft vgl. in diesem Paragraphen 137.16; 138.21; 138.36; 142.12f; die Lebenszeit Christi als „Beginn" 137.34;
§ 22,2: I,131.23; § 14Z: I,100.15f.

8. § 24,4: I,141.9f. Dem wird in dem Satz Brunners „Der Erlöser ist ... direkt die Gemeinde, nur indirekt Christus" (248) nicht Rechnung getragen.

9. § 105,1: II,138.19ff.

Kirche ist wesentlich Wirkungsgeschichte Christi[10].

Im Sinne der von uns oben schon erwähnten Stufung der Ursächlichkeit, nach der eine Ursächlichkeit „am kleinsten" ist, „wo der Raum nur erfüllt ist durch sogenannte tote Kräfte, und größer, wo eine größere Lebensentwicklung ist, am größten also, wo klares menschliches Bewußtsein wirksam ist"[11], muß der größten Ursächlichkeit die größte Empfänglichkeit für die Wirkung Gottes entsprechen[12], denn im Gottesbewußtsein ist die menschliche Lebensentwicklung auf ihrer größten Höhe[13]. Unbeschränkte Empfänglichkeit und Offenheit für die Wirkung Gottes aber findet sich im Gottesbewußtsein Christi: darum ist sein Leben, „weil ausschließend durch das Sein Gottes in ihm bestimmt, nur Tätigkeit ... und gar nicht Leiden"[14]. Dieser Übergang von lebendiger Empfänglichkeit zu Selbsttätigkeit vollzieht sich in Christus als das „Wollen des Reiches Gottes"[15] und stellt die Verbindung her zwischen der Christi eigentümlichen Würde (der durch das Sein Gottes in ihr ausgezeichneten Besonderheit seiner Person) und der ihm eigenen Wirksamkeit (der Stiftung des neuen Gesamtlebens der Kirche)[16].

In diesem Sinne ist die Tätigkeit Christi mit der Richtung auf die Menschheit von größter Ursächlichkeit, geradezu „weltbildend"[17]. Christus *zeitigt* das neue Gesamtleben, in bezug darauf selber „relativ zeitlos"[18]. Diese Zeit aber, die zu dem von Christus Gezeitigten gehört, ist als die Zeit der neuen Schöpfung die Zeit *als* Zeit. Vollends in Christus zutagegetreten, konstituiert sie sich immer mehr in dem von ihm ausgehenden Gesamtleben.

Als der in bezug auf Gott schlechthin Empfängliche, in dessen Selbstbewußtsein sich Gott als reine Tätigkeit geltend zu machen

---

10. Einzelne Belege dafür beizubringen erübrigt sich; man vgl. z.B. den § 124 (II, 264.34ff). – Vgl. Barth, Schleiermacher, 169f.

11. § 53,1: I,273.13–16. Vgl. oben § 12,3.

12. Vgl. ebd. 273.16ff.

13. Vgl. § 166,1: II,447.10–12: „... was das Eigentümlichste und Höchste des Menschen ist, nämlich das Gottesbewußtsein..." – Vgl. die Formulierung einer Predigt „Aber ... das reine Bild des Menschen, der ohne die Sünde auf Erden wandelte, das Bild einer stets mit Gott einigen Seele, wo hätten wir es her? Die *Spize unseres Bewußtseins* fehlte uns, wenn Er nicht gewesen wäre!" (WW II, Neue Ausgabe Bd. 3, 10).

14. § 108,6: II,170.13–15; vgl. § 101,4: II,103.32–36 und § 53,1: I,273.19f.

15. Vgl. § 110,3: II,188.24f; § 122,3: II,257.21f.

16. Vgl. § 88,2: II,20.25–29 und den § 92 (II,31.18ff).

17. Vgl. § 100,2: II,92.35. – Diese „Weltbildung" läßt die Welt als Abbild zutagetreten.

18. Vgl. oben § 10,2; § 12,3. – Von einer relativen Zeitlosigkeit Christi spricht auch Brandt (201): „Die Zeitlosigkeit also ist das Charakteristikum der Zeit Christi."

vermag, *als* das Abbild Gottes ist Jesus Christus für Schleiermacher
das Urbild des neuen Gesamtlebens, schlechthin aktiv, produktiv
und verursachend, was die Beförderung der Kräftigkeit des Gottesbewußtseins in diesem Gesamtleben, und so denn auch: was die
Konstituierung der *neuen* Zeit betrifft[19]. Beginnend mit ihm und
sich in der Kirche fortsetzend tritt die Welt als Abbild Gottes zutage[20], wobei die Kirche wiederum Christus abbildet, seine „Herrlichkeit" „immer deutlicher abspiegelt"[21], bzw. seine Würde offenbart[22]: Welt wie Kirche als das Gezeitigte sind das getreue Abbild
des Zeitigenden. Und wie Christus alles, was er ist, von Gott her
ist, so das Gesamtleben alles, was es ist, vom Erlöser her[23]. Darum
kann es im Übergang von der Zeit des irdischen Jesus zur Zeit des
Gemeingeistes der Kirche keine eigentliche Diskontinuität geben.
Eine (bezüglich der Wirksamkeit Christi) bloße „*Fortsetzung*"[24]
vielmehr findet statt, keinesfalls aber − tritt doch keine neue Kraft
hinzu[25] − eine Veränderung der Gesamtsituation. Gegenüber der
allgemeinen Beschreibung der Welt als dem „Gebiet der Erscheinung"[26] gilt von Christus an als die Definition der Welt: „das Gebiet, in welchem" von jetzt an unverändert „die Erlösung ihre
Kraft beweist"[27].

Ist auch die Geschichte, die für Schleiermacher in seiner Lehre
von der Kirche und vom Heiligen Geist Bedeutung gewinnt, auf
diese Weise lediglich als Wirkungsgeschichte Jesu Christi zu verstehen und im Übergang von Christus zur Kirche keine Änderung
der Gesamtsituation (im Sinne einer neuen Inbeziehungsetzung
von „Zeit" und „Ewigkeit") zu denken, so muß doch an dieser

---

19. Vgl. miteinander die Leitsätze der Paragraphen 93 (II,34.2−7) und 125 (II,270.
6−9). − Zum Zusammenhang von Urbildlichkeit und Wirksamkeit Christi vgl. besonders
§ 93,2: II,36.17−22.

20. Vgl. oben § 9,2.

21. § 157,1: II,409.11f.

22. In diesem Sinne kommt Schleiermacher zu der Parallele von „Kirche" und
„Welt": „... Kirche, welche ebenso die vollständige Offenbarung der Würde des Erlösers
sein muß, wie die Welt die vollständige Offenbarung der Eigenschaften Gottes" (§ 92,2:
II,33.32−34).

23. Vgl. § 93,1: II,34.16ff, wonach sich das Gesamtleben zum Erlöser in dem Verhältnis befindet, „alles, was es ist, nur zu sein vermöge der Empfänglichkeit für seine
Einwirkung".

24. Als „Abbild" und „Fortsetzung" beschreibt Schleiermacher das Verhältnis der
Kirche zur Tätigkeit Christi explizit im dritten Abschnitt des § 127 (II,282.34ff). − Vgl.
§ 124,1: II,266.11; § 120,2: II,240.21f; 241.13; § 122,2: II,257.38f; § 122,3: II,258.21;
§ 124,2: II,268.13f; § 127,3: II,283.5ff.

25. Vgl. § 93,2: II,34.34.

26. Vgl. § 47,1: I,236.31; § 97,3: II,71.12. − Vgl. oben § 7 bei Anm. 21.

27. Vgl. § 164,2: II,442.24f.

Stelle die Differenz zwischen dem Selbstbewußtsein *Christi* und dem *christlichen* Selbstbewußtsein (in der Kirche) deutlich werden. Nicht nur, daß im einzelnen christlichen Selbstbewußtsein das Gottesbewußtsein nicht in absoluter Kräftigkeit hervortritt, auch die Beziehung auf *Christus selbst* unterscheidet beide voneinander, denn für Schleiermacher „ist offenbar, daß es in der christlichen Gemeinschaft keinen frommen Moment gibt, in welchem nicht auch Beziehung auf Christum mitgesetzt ist"[28]. Offenbar gerade durch einen geschichtlichen Bezug, der Christus selber naturgemäß nicht eigen war, unterscheidet sich das Selbstbewußtsein Christi vom christlichen Selbstbewußtsein. Letztlich als sie selbst muß für Schleiermacher die Zeit in *unserem* christlichen Selbstbewußtsein hervortreten, sollen die dogmatischen Prinzipien der Glaubenslehre eingehalten werden.

Keineswegs also ist das Problem, ob die Erörterung der Zeit der Kirche zu einer umfassenderen Charakterisierung der Bestimmung von „Zeit" anzuleiten vermag, durch den bloßen Hinweis auf die Eigenart dieser Zeit der Kirche als der Wirkungsgeschichte Christi und auf die unveränderte Gesamtsituation schon erledigt. Doch bevor wir diese Frage wieder aufnehmen, soll diese bleibende neue Gesamtsituation näher beschrieben werden.

2. Die Zeit zum Wort

Der als Gemeingeist der Kirche wirksame Heilige Geist[29] ist für Schleiermacher der Ausdruck der fortschreitenden und ununterbrochenen und also bleibenden Wirksamkeit Christi als einer solchermaßen bleibenden „Vereinigung des göttlichen Wesens mit der menschlichen Natur". Im Heiligen Geist bleibt Gottes Liebe wirksam, insofern sich in ihm die *Kraft* des Gottesbewußtseins anhaltend Geltung verschafft[30]. Auf diese Weise bleibt die Gesamtsituation der Welt, weil unverändert durch dieselbe Kraft qualifiziert, sich selbst gleich[31].

---

28. § 32,1: I,172.25—27.

29. Dieses „als" zu erläutern gilt vor allem das Buch Brandts.

30. Darum bleibt die Kirche *wesentlich* sich selbst immer gleich (vgl. §§ 126ff: II, 274.1ff). — Formuliert im Blick auf das Verhältnis von Christologie und Soteriologie, heißt es bei Slenczka treffend: „Man kann nicht sagen, daß bei Schleiermacher die Christologie in die Soteriologie aufgelöst wird. Denn die Person Jesu Christi ist der für alle Zeiten *gleichbleibende* Durchgangspunkt für das Sein Gottes..." (217). Vgl. auch Brandt, 20.

31. Vgl. § 13,1: I,89.15f: das Christentum als „eine *bleibende* Erscheinung".

Was nun der Kraft des Gottesbewußtseins anhaltend Geltung
verschafft und so die Situation gleich bleiben läßt, das ist für
Schleiermacher das *Wort der Verkündigung*. So ist die Wirkungsgeschichte Christi immer zunächst *Verkündigungsgeschichte*[32].
Unmittelbar hängen die geschichtliche Erscheinung Christi und
die Vermittlung der Erlösung durch das Wort zusammen: denn
eine Erlösung durch die bloße *Idee* eines Erlösers gibt es für
Schleiermacher nicht. Darauf aber müßte es hinauslaufen, wollte
man annehmen, „daß einigen Christus ohne das Wort unmittelbar
innerlich offenbart werden könnte"[33]. Vielmehr muß ausgeschlossen werden[34], „als ob es einen Anteil an der Erlösung und eine
Beseligung des Menschen durch Christum geben könne außerhalb
des von ihm gestifteten Gesamtlebens, so daß der Christ dieses
entbehren und mit Christo gleichsam allein sein könne. Dieser Se-
paratismus, den wir, weil er beiseitestellt, daß das ursprünglich
göttlich Gewirkte doch nur als ein *geschichtlich Erscheinendes*
aufgenommen werden konnte, und auch nur als ein Geschichtliches fortwirken muß, allerdings als fanatisch zu bezeichnen haben, und der folgerichtig immer nur vereinzelt entstehn kann
und auch so immer wieder verschwinden muß, zerstört das Wesen
des Christentums, indem er eine Wirksamkeit Christi ohne *räumliche* und *zeitliche Vermittlung* postuliert..." Diese Vermittlung
aber ist eine des wirksamen *Wortes: „*Die Wirksamkeit Christi ist
also hier *nur* in der menschlichen Mitteilung des Wortes..."[35] Nicht
anders als durch die „Selbstverkündigung Christi" auch hat das
Christentum seinen Anfang genommen (darin zur Hauptsache besteht das prophetische Amt Christi), und allein durch die Verkündigung hat es sich immer und überall ausgebreitet[36].
    In dieser Verkündigungsgeschichte als Wirkungsgeschichte Chri-
sti bringt sich die Verwirklichungsgeschichte des göttlichen Ratschlusses zum Zuge. Die absolute Kraft Gottes selbst wirkt in
diesem Wort[37]; darum glaubt Christus für Schleiermacher „an den

---

32. Vgl. Brandt, 143; 194ff.
33. Vgl. § 108,5: II,166.18ff.
34. Das folgende Zitat § 87,3: II,17.20−31.
35. § 108,5: II,167.25f.
36. Vgl. § 16,2: I,108.31−33; § 18,1: I,115.23f; § 19Z: I,124.7ff sowie § 103: II,
108.7ff; § 104,3: II,123.26−28 und § 15,2: I,106.28f.
37. Vgl. § 108,5: II,165.17 („göttliche Kraft des Wortes"); § 114,2: II,214.15
§ 136,3: II,322.17; sowie die Fortsetzung des oben bei Anm. 35 begonnenen Zitats:
„Die Wirksamkeit Christi ist also hier nur in der menschlichen Mitteilung des Wortes
aber nur in der dieser, sofern sie das Wort Christi fortbewegt, einwohnenden göttlicher
Kraft Christi selbst..." (§ 108,5: II,167.25−27).

unwiderstehlichen Fortgang seines Wortes"[38]. Auf diese Weise aber wirkt die göttliche Kausalität (in der Wirksamkeit Christi) in ihrer ganzen — sie von jeder toten Ursächlichkeit radikal unterscheidenden — Lebendigkeit[39]. Die „Kraft des sich mitteilenden Lebens Christi" und die „Kraft des lebendigen Wortes"[40], vereint in der schlechthin lebendigen Wirksamkeit Gottes, wirken auf das menschliche Bewußtsein. Die Zeit des Bewußtseins aber ist für Schleiermacher als situativ zu verstehen: sie erlaubt, weil sie Offenheit bedeutet, Qualifikation. Qualifiziert wird das zeitliche Bewußtsein hier durch ein Wort. Dieses Wort zu vernehmen hat für Schleiermacher der Mensch immer schon die Fähigkeit[41]; immer schon ist er empfänglich für die Äußerung[42], darum auch vorbehaltlos offen für die worthafte Einwirkung Jesu Christi. Als Mensch hat er Zeit zum Vernehmen dieses ihm extra se begegnenden Wortes, *Zeit zum Wort.*

Indem dann dieses Wort im zeitlichen Selbstbewußtsein zur Wirkung kommt, qualifiziert es die im Selbstbewußtsein je bestehenden Situationen. Das macht die Zeit der Kirche aus: daß die Situationen der Glaubenden durch das wirksame Wort Jesu Christi bleibend qualifiziert werden; und eben darin bleibt sich die Gesamtsituation gleich. Wenn wir das Erlöstsein durch Christus formal als „Irgendwiegewordensein" und Christus also als die nicht mehr gegenwärtige, gleichwohl aber anwesende Ursache dieses be-

---

38. § 158,2: II,414.19.

39. Slenczka hat diese Intention Schleiermachers nicht eigens bedacht, wenn er von einer „mechanischen Kausalität" (249), von einem „unpersönlich-mechanischen Vermittlungsprinzip" (253) oder einem „kausalen Schematismus" (297; ähnlich auch öfter) bei Schleiermacher spricht.

40. Vgl. § 102,3: II,107.20f und § 123,3: II,264.29f.

41. Immer schon hat der Mensch die Fähigkeit zur „Auffassung" und „Aufnahme des göttlichen Wortes" (vgl. § 108,6: II,169.8ff), denn durchaus besteht ein „Anknüpfungspunkt" (das „nie gänzlich erloschne Verlangen nach der Gemeinschaft mit Gott"; vgl. 170.32ff). Besonders deutlich spricht davon auch der 2. Abschnitt des § 70 (I,371.1ff; dort 372.14ff: die Empfänglichkeit für das Wort).

42. „Was aber das schlechthinnige Abhängigkeitsgefühl ... betrifft, so wird jeder wissen, daß es ... durch die mitteilende und erregende Kraft der *Äußerung* zuerst in ihm ist geweckt worden." (§ 6,2: I,43.16−19). − Von der „Empfänglichkeit" für die Wirkungen Christi spricht Schleiermacher § 93,2: II,34.32−35.2. In dem umfangreichen § 108 legt Schleiermacher im 5. Abschnitt allen Nachdruck auf die Wirksamkeit Christi in Form des *Wortes,* um im 6. Abschnitt das „Sich-Hingeben" in diese Einwirkung „oder das Freilassen der lebendigen Empfänglichkeit für dieselbe" (§ 108,6: II,170.2f) als die dieser Wirksamkeit Christi entsprechende Haltung zu bezeichnen. − Vgl. auch § 122: II,254.18ff (vgl. dort den Zusammenhang von Verkündigung und Empfänglichkeit 255.16f!). Diese Empfänglichkeit legt dann ihrerseits den bleibenden Grund für die folgende Selbsttätigkeit für das Reich Gottes (255.11−15). Vgl. dazu Brandt, 195ff.

stimmten „Soseins" unseres unmittelbaren Selbstbewußtseins verstehen[43], so wäre dem – der Struktur des unmittelbaren Selbstbewußtseins gemäß – die Vorstellung eines zeitlichen *Abstandes* ganz unangemessen[44]: durch das Wort, doch darin *unmittelbar*, vergegenwärtigt sich uns Christus[45]. Die Geschichte als Zeit-Zwischen-Raum zwischen ihm und uns, dessen Entfernung überwunden werden muß, kann hier erst in zweiter Linie in Betracht kommen. Zu Recht ist betont worden, daß Schleiermacher durch seine Auffassung der Wirksamkeit Christi auf seine Weise mit dem christologischen auch das hermeneutische Problem löst[46]. Zwischen den Christus Gleichzeitigen und den Späteren besteht, was den „Grund des Glaubens" betrifft, kein „Unterschied zwischen verschiedenen Zeiten; sondern er muß bei uns derselbe sein wie bei den ersten Christen"[47]. Deshalb besteht dieser Unterschied nicht, weil für jene wie für uns *in* je konkreten Situationen Zeit zum Vernehmen der sich gleichbleibenden Gesamtsituation ist. Wird sie aber in unserer Zeit zum Wort vernommen, sind wir Christus gleichzeitig[48].

Anwesend in unserem Selbstbewußtsein ist er freilich als Nichtmehr-Gegenwärtiger. Wäre dies verkannt[49], dann hätte die „Urbildlichkeit" Christi seine „Geschichtlichkeit" überflüssig gemacht. Darum ist zu Recht gesagt worden: „Sosehr auch Schleiermacher die Gegenwärtigkeit und die personale Beziehung zu Christus betont, es darf nie vergessen werden, daß für ihn der gegenwärtige Christus identisch ist mit dem historischen Jesus von Nazareth."[50] Nicht nur also wird das unmittelbare Selbstbewußtsein

---

43. Vgl. oben § 12,2b.

44. So auch Jacob, 69: „Die enge Verbindung zwischen Christus und der Kirche hat nun auch zur Folge, daß es für Schleiermacher das Problem der Verbindung mit Jesus über den historischen Abstand hinweg nicht gibt." Ähnlich Mulert, 66.

45. Vgl. § 108,5: II,167.30–33.

46. Vgl. Slenczka, 213; der Sache nach 197–223 passim.

47. § 128,2: II,285.38–286.2. – Vgl. § 88,2: II,20.29–31; § 122,3: II,258.39f; § 123,3: II,264.27–30.

48. Das hat Brunner verkannt, wenn er das Prinzip der „Gleichzeitigkeit mit Christus" *gegen* Schleiermacher ausspielen will (202; 208f). Das Prinzip der zeitlosen Wahrheit, das Brunner an dieser Stelle vertritt (208f; unter Hinweis auf den Satz des Pythagoras, also eine mathematische Richtigkeit), nimmt sich in der Auseinandersetzung mit Schleiermacher merkwürdig anachronistisch aus.

49. Vgl. Gl[1], § 114,1.

50. So formuliert Jacob (71) und fährt fort: „Die Bedeutung, die im historischen Jesus als heilsgeschichtlicher Tatsache das geschichtlich Vorgegebene für uns hat, wird nun noch erhöht durch Schleiermachers Auffassung vom Prozeß der Kirchengeschichte. Der christliche Glaube ist mit der Geschichte nicht nur dadurch verbunden, daß der gegenwärtige Christus je und je die Brücke vom Damals zum Heute schlägt, sondern neben

des Christen als solches immer schon irgendwie weltlich bestimmt und ist seine Zeit geschichtliche Zeit – als das Selbstbewußtsein des *Christen* ist es auch immer schon von einer *bestimmten Geschichte*, der Lebenszeit des Erlösers, geprägt. Und dem von dort ausgehenden Prozeß der Wirkungsgeschichte verdankt es sich, daß Jesus Christus überhaupt in unserem Selbstbewußtsein wirksam werden kann. Zwar gilt in seiner Anwesenheit dort kein geschichtlicher Abstand, aber ohne jene Wirkungsgeschichte zwischen seiner Lebenszeit und uns erreichte uns gleichsam seine Anwesenheit überhaupt nicht. Soll sich die neue Gesamtsituation durchsetzen und Christus anwesend sein, so ist das möglich nur in einer solchen konkreten Situation, die schon von der Wirkungsgeschichte Christi erreicht ist, d.h. die gleichsam ihren Ort schon im Gesamtleben der Kirche hat[51].

Darin, mit einem Wort, liegt die der Geschichte eigene Ehre begründet: daß Christus mit seiner „Urbildlichkeit" auch „*Geschichtlichkeit*" zukommt[52].

Diese neue Gesamtsituation freilich haben wir sofort in dem erörterten Sinne zu präzisieren: sie ermöglicht, daß sich die *Grund*situation in Geltung setzt.

Gerade dadurch bestimmt sich die neue Gesamtsituation, daß in ihr die einzelnen Situationen auf ihre Grundsituation zurückgeführt werden können. Wiederum im Zusammenhang der formalen Struktur des unmittelbaren Selbstbewußtseins formuliert: Das „Irgendwiegewordensein", das ein bestimmtes „Sosein" ist, wird im Selbstbewußtsein ja nur im Beieinander mit einem „*Sein*" erfahren. Ist nun die neue Gesamtsituation in der konkreten Situation hervorgetreten, so wird ein bestimmtes Sosein, in Analogie zum „Irgendwiegewordensein" können wir sagen: ein „Erlöstwor-

---

diesem kairologischen Aspekt steht für Schleiermacher der chronologische. Der Prozeß der Kirchengeschichte stellt uns zugleich in eine Entwicklung und verbindet uns auch auf diese Weise mit Jesus Christus."

51. Vgl. § 87,3: II,17.19–32. – Vgl. auch Hirsch, 335: „Schleiermacher kennt keine Berührung mit Christus außer der, die sich durch die geschichtliche Kunde von Person, Lehre, Tätigkeit, Schicksal, Wirkung und Nachwirkung vermittelt..." Diese geschichtliche Vermittlung führt aber gerade zur *Anwesenheit* Christi. Daß die Alternative Brunners, dergemäß Schleiermacher Christus im Schema der „geschichtlichen Kraft" einführt („Es ist mit Christus eine neue Kraft in die geschichtliche Welt eingetreten...", 199) – was „ein direktes Verhältnis" zu Christus eo ipso ausschließe (200), gerade *nicht* gilt, haben wir u.a. durch die Interpretamente „Situation", „Gesamtsituation" etc. deutlich zu machen versucht.

52. Schleiermacher könnte der Geschichtlichkeit Christi nicht ein derartiges Gewicht geben, wäre „Zeit" nach seinem Verständnis wirklich „etwas Unwertiges", wie Schultz (vgl. oben § 14 Anm. 23) glauben machen will.

densein", erfahren[53]. Insofern aber in der neuen Gesamtsituation die einzelnen Situationen auf ihre Grundsituation zurückgeführt werden, gilt nun auch: das *Sosein* wird als von *Christus* her *bestimmt*, aber das *Sein* als von *Gott* her *begründet* erfahren. Dies geschieht durch die erlösende Wirksamkeit Christi im Wort der Verkündigung. Die Kräftigkeit seines Gottesbewußtseins teilt sich unserem Gottesbewußtsein mit[54], das, nunmehr frei hervortretend, den Moment, in dem es ja an der Zeit ist, zu dominieren vermag. Das Sein Gottes in Christus wird zum Sein Gottes in der Kirche und so im Gottesbewußtsein der Glaubenden. Alles, was wir über die Relativierung der Zeit im Zusammenhang mit dem Gottesbewußtsein Christi gesagt haben[55], gilt übertragen nun auch hier: die Lebenszeit des Menschen, auf den ihr gemäßen Grund gebracht, ins Einvernehmen mit der Ewigkeit Gottes versetzt und also gründlich relativiert, gewinnt in dieser Relativierung Erfüllung und Vollendung. Die konkrete Situation ist als *Grund*situation in Geltung gesetzt und so das Wesentliche mit dem Wirklichen übereingekommen. Indem wir Christus gleichzeitig werden, wird unsere Zeit mit der Ewigkeit Gottes gleichzeitig. Als Erlöste, also dank jener Zeit zum extra nos begegnenden Wort, gewinnen wir Zeit zur Ewigkeit in uns[56].

So kommt es, daß mit anhaltender Wirksamkeit Christi auch die Zeit fortschreitend in diesem Sinne relativiert wird, indem eine Entwicklung als fortschreitende Verwicklung von immer mehr Menschen in diese Wirkungsgeschichte Christi stattfindet: immer mehr wird die *neue* Zeit, die Zeit *als* Zeit, die Zeit zur Ewigkeit Gottes, konstituiert.

---

53. Vgl. § 11,3: I,79.12−14: „... alle fromme Momente, soweit das schlechthinnige Abhängigkeitsgefühl sich darin frei äußert, als durch jene Erlösung *geworden*...“
54. Die Alternative: „... da Christus nicht *Inhalt* des Glaubens, sondern nur *Ursache* der Kräftigkeit des religiösen Bewußtseins ist“ (Brunner, 123 Anm. 2; Hervorhebung im Original; vgl. 138) trifft den Sachverhalt nicht. Christus ist *als* verursachend im Selbstbewußtsein anwesend. Durchaus gilt für Schleiermacher, daß der Glaube erst durch Christus ist, was er ist (gegen Brunner, 138).
55. Vgl. oben § 14,2.
56. Darum gibt es im *christlichen* Selbstbewußtsein kein „Verhältnis zu *Christo*, durch welches das *Gottes*bewußtsein in den Hintergrund gestellt oder gleichsam antiquiert würde...“ (§ 62,3: I,344.27−29), wie Schleiermacher mit Nachdruck feststellt (vgl. den ganzen Abschnitt 343.30−344.32).

3. Die bleibende Neuheit

Im Leben des Christen liegen Sünde und Gnade weiterhin miteinander im Streit. Durchaus hat die alte Gesamtsituation im christlichen Selbstbewußtsein noch Raum, denn zumindest als ,,Nachwirkung" oder ,,Rückwirkung" beeinflußt die Sünde auch noch das Leben des neuen Menschen[57]; ein Kampf zwischen dem alten und dem neuen Menschen findet nach wie vor statt[58]. Freilich besagt das keineswegs eine Gefährdung der neuen Situation. Sie ist unüberholbar, und alles scheinbar Neue wäre nur ein ,,Rückschritt"[59], ,,so daß alles dem menschlichen Geschlecht noch Bevorstehende, soweit es dessen Gemeinschaft mit Gott betrifft, nur als weitere Entwicklung des Werkes Christi anzusehen ist, nicht als neue Offenbarung"[60]. Die Wirksamkeit Christi ist *in sich* Vollendung und Ende (der prophetischen, der hohepriesterlichen und der königlichen Tätigkeit[61]). Sie wird nicht durch etwas anderes vollendet oder beendet, darum *kann* die durch sie geschaffene neue Gesamtsituation nicht veralten[62]. Weil im Leben der Christen das Alte, die Sünde, durch ein Noch-nicht gekennzeichnet, also von dem her, was zu werden im Begriff ist, immer schon Vergangenheit ist und weil Sünde und Gnade miteinander konfrontiert *bleiben,* die Gnade (als die Wirkung der Wirksamkeit Christi) die Sünde also immer erneut Vergangenheit sein läßt, darum *bleibt* die Gesamtsituation sich prinzipiell gleich; sie *bleibt neu.*

Indem nun die konkreten Situationen der Geschichte mit dieser prinzipiell neuen Gesamtsituation in Einklang kommen, also ins Einvernehmen mit ihrem göttlichen Grund gesetzt werden, relativiert sich alles ,,früher" und ,,später". Der § 118 stellt es dar, wie jede ,,frühere und spätere Aufnahme der einen und andern in die Gemeinschaft der Erlösung"[63] und wie das ,,früher" oder ,,später" des Zeitpunkts der eigenen Wiedergeburt angesichts des neuen Le-

57. Vgl. § 101,2: II,98.28f und § 109,2: II,175.12—14.
58. Vgl. § 110,2: II,186.8f; § 111,1: II,189.26.
59. Vgl. § 93,2: II,34.30—32.
60. § 103,4: II,117.12—15; vgl. § 103,3: II,114.19—22; § 169,1: II,455.26—28.
61. Vgl. die Paragraphen 102 bis 105 (II,105.4ff).
62. Vgl. etwa § 105,1: II,138.10—24. Dort heißt es, Christus habe sich nicht nur während seines Erdenlebens als König bewiesen, indem er Anweisungen über die Art gegeben habe, ,,wie sein gebietender Wille solle ausgeführt werden, sondern seine königliche Macht ist und bleibt überall und zu allen Zeiten dieselbe. Denn jene Gesetze und Anweisungen *veralten nicht,* sondern bleiben geltend in ungeschwächter Kraft in der Kirche Christi; und wenn er seine Jünger wegen der Zukunft auf seine geistige Gegenwart verweiset: so unterscheidet auch das nicht verschiedene Zeiten."

bens an Bedeutung verliert. Denn dieses neue Leben „ist in sich ewig und erlangt keinen Zuwachs durch die Länge der Zeit"⁶⁴. Entscheidend ist nur, bei der bleibenden Neuheit dieser neuen Situation zu verweilen, sie also in möglichst jeder Situation in „regebleibender Empfänglichkeit" zu vernehmen⁶⁵. Daß mithin „Zeit" im neuen Leben des Christen relativiert wird, bedeutet in diesem Zusammenhang nun im Besonderen: relativiert wird das Schema von „früher" und „später" durch die Unterscheidung von „alt" und „neu". Ungleich bedeutsamer für das christlich-fromme Selbstbewußtsein ist diese Unterscheidung als jenes Schema.

„Eschatologisch" haben wir (im Sinne, wenn auch nicht in der Terminologie Schleiermachers) den auf seinen Grund gebrachten Moment des Selbstbewußtseins genannt⁶⁶, weil mit ihm für Schleiermacher ein Letztes im Bereich der Wirklichkeit erreicht ist und dort die Zeit selbst Wesentlichkeit gewonnen hat. Was darüber hinauszugehen beansprucht — das gilt es für Schleiermacher jetzt in seiner Lehre von der „Vollendung der Kirche" (§§ 157—163) zu beachten — müßte die bleibende Neuheit der neuen Gesamtsituation noch einmal hinter sich lassen. Eine Eschatologie, die sich so verstehen wollte, die also den „Verlauf des menschlichen Erdenlebens"⁶⁷ zu übersteigen unternähme, müßte prinzipiell derselben (mit einem Selbstbetrug einhergehenden) Verstiegenheit verfallen⁶⁸, durch die für Schleiermacher auch eine spekulative Theologie unmöglich ist: „Daher wir uns auf jeden Fall so an der Grenze christlicher Lehre befinden, daß wir nichts Bestimmtes aussprechen können, ohne sie zu überschreiten."⁶⁹ Strenggenommen kann

63. § 118L: II,223.32—34.

64. § 118,1: II,226.20f. — Vgl. oben § 14 bei Anm. 33. — Daß gleichwohl das neue Leben immer nur ein „werdendes" ist, liegt daran, daß „dieses neue Leben ... nur auf das alte gleichsam gepfropft wird" (vgl. § 106,1: II,148.10—13). In seinem bleibenden Zusammenhang mit dem alten Leben bleibt auch das neue dem „früher" und „später" ausgesetzt, das somit keinesfalls einfach verschwindet, sondern relativiert wird.

65. Vgl. § 93,2: II,34.32ff, sowie § 123,3: II,264.22ff (wonach durch die Predigt das neue Leben in den Einzelnen übergeht). — Zur Relativierung der konkreten Geschichte im Gottesbewußtsein vgl. auch § 120,3: II,244.20—25.

66. Vgl. oben § 14 bei Anm. 35.

67. § 157L: II,408.19f; vgl. § 157,1: II,409.13f („Verlauf der menschlichen Dinge"); § 157,2: II,409.32f („jenseits aller menschlichen Dinge"); § 159,1: II,418.1f („in dem gegenwärtigen Verlauf der menschlichen Dinge").27 („Ende aller irdischen Dinge"); § 160L: II,421.15 („Ende der irdischen menschlichen Dinge").

68. Vgl. den Satz schon der „Reden" (19): „... wer einen Unterschied macht zwischen dieser und jener Welt, betört sich selbst, alle wenigstens welche Religion haben, glauben nur an Eine."

69. § 114,2: II,214.10—13.

es in der Dogmatik überhaupt keine Lehre von der Vollendung der Kirche geben, weil eine solche nicht mehr Beschreibung unseres *gegenwärtigen* Selbstbewußtseins sein könnte und „uns jenseits unserer Zustände hinausführen" müßte[70]. Darum kann den eschatologischen Lehrstücken der Glaubenslehre von vornherein nicht der gleiche Wert wie den bisher behandelten beigelegt werden[71]. Was in diesen Paragraphen für Schleiermacher aufgeführt werden kann, das ist eine Prüfung jener in der Kirche geltenden Vorstellungsweisen, die − „unserm dermaligen Erfahrungskreise fremd" − „als Gegenstand einer möglichen künftigen aufgestellt" werden können, also eine Prüfung der Vorstellungen christlicher Phantasie[72], im Hinblick vor allen Dingen auf die ihnen zugrundeliegenden Interessen[73]. Wie ist das „Streben, Vorstellungen dieses Inhaltes zu bilden, begründet"? ist dabei die Frage[74]. Kriterium bleibt hier allemal unser *gegenwärtiges* christliches Selbstbewußtsein[75]. Dies aber bestimmt sich durch das Beieinander von Gottesbewußtsein und zeitlichem sinnlichen Selbstbewußtsein, ein Beieinander, das auch im Eschaton nicht als aufgehoben gedacht werden kann[76]. Schon diese Gegenwart, also das hier ausgesprochene Verhältnis von „Ewigkeit" und „Zeit", darf als der Vollendungspunkt des Selbstbewußtseins gelten. Nur was als Tendenz im gegenwärtigen Selbstbewußtsein schon „vorhanden" und präsent ist[77], kann von der Zukunft erwartet werden. Alles andere „ist nicht drin"[78].

Uns die *Gegenwart* zu verderben − das ist die Gefahr, die aus

70. Vgl. § 157,2: II,409.26ff; 410.13ff (das Zitat: 410.17). In den Erläuterungen zu seinen „Reden" (WW I/1, 281) notiert Schleiermacher, „daß in dem Zustand frommer Erregung die Seele mehr im Augenblick versenkt als der Zukunft zugewendet ist."
71. Vgl. § 159L: II,417.1f.
72. Vgl. § 159,2: II,420.1ff; vgl. § 158,3: II,416.29−32.
73. Vgl. § 160,2: II,423.22; § 158,3: II,416.23; § 161,1: II,425.10; § 161,2: II, 426.9.
74. Vgl. § 161,3: II,429.13. Keineswegs bleiben dabei, wie G. Sauter formuliert (Zukunft und Verheißung. Das Problem der Zukunft in der gegenwärtigen theologischen und philosophischen Diskussion, Zürich/Stuttgart 1965, 81), die „Elemente positiver Entfaltung (affirmativa)" „als Ausfallprodukt nach dem Läuterungsprozess zurück, der alle Energien bereits verbraucht hat", sie gehen vielmehr, wenn man denn dieses Bild gebrauchen will, schon in diesen Prozeß ein und *an ihnen* läutert sich das Vorstellungsmaterial.
75. Vgl. § 157,2: II,410.13ff; § 163,2: II,436.3 sowie die oben in Anm. 72 genannten Stellen.
76. Vgl. § 163,2: II,436.4ff.
77. Vgl. oben § 12,2b.
78. Vgl. Jüngel, Möglichkeit, 227.

diesen Vorstellungen erwachsen kann[79]. So führen die Darstellungen Schleiermachers in diesen Paragraphen durchgehend zu Aporien, zurückführbar auf die Frage, wie eine Vollendung der Kirche vorgestellt werden soll, wenn die durch die Wirksamkeit Christi konstituierte neue Gesamtsituation nicht als ihrerseits überholt gedacht werden kann[80] und unser gegenwärtiges Selbstbewußtsein als Kriterium eingesetzt bleiben muß. Sich diese Neuheit nicht genug sein zu lassen, bei ihr nicht zu verweilen und der „Neugierde" zu verfallen — diesem Motiv der Eschatologie[81] will Schleiermacher entgegentreten.

Der Eschatologie jedenfalls, wie sie in diesen Paragraphen dargestellt wird, bedarf es für Schleiermacher nicht, um die Zeit als Zeit sichtbar werden zu lassen. Weil die Zukunft grundsätzlich nicht eigentlich Neues (im Sinne eines neuen Verhältnisses von „Ewigkeit" und „Zeit") bringen kann, darum auch vermögen die der Zukunft geltenden Lehrstücke der Kennzeichnung der „Bestimmung" von „Zeit" nichts Neues hinzuzufügen.

4.   Christi Gottesbewußtsein und christliches Gottesbewußtsein

Ist Gott mit seiner Ewigkeit im christlich frommen Selbstbewußtsein anwesend, so ist das Gewordensein dieses Selbstbewußtseins ohne Beziehung zu einer bestimmten *Geschichte* nicht zu denken. Denn: „Das Christentum ist eine der teleologischen Richtung der Frömmigkeit angehörige monotheistische Glaubensweise, und unterscheidet sich von andern solchen wesentlich dadurch, daß *alles* in derselben bezogen wird auf die durch Jesum von Nazareth vollbrachte Erlösung"[82]. Diese Erlösung aber vermittelt sich auf

---

79. Vgl. § 158,3: II,416.29. — „Betrügt die Hoffnung den Menschen um das Glück der Gegenwart?", heißt ein Abschnitt in der „Theologie der Hoffnung" (21ff) Moltmanns, in dem auf den Einfluß des *Parmenides* (vgl. oben § 6 Anm. 26) hinsichtlich der Antwort der christlichen Theologie auf jene Frage hingewiesen wird.

80. Denn nichts kann gedacht werden, was die Erlösung als überflüssig erscheinen ließe (vgl. § 162,1: II,430.21f).

81. Vgl. im Sendschreiben an Lücke (Auswahl 142; WW I/2, 609): „Denn daß sie [sc. die Kritiker der Glaubenslehre] es ... bei den prophetischen Lehrstücken hernach doch wieder genau nahmen, wie schnell sie auch das frühere überschlagen hatten, das verdanke ich der natürlichen *Neugierde* des den Tod fürchtenden Kindes in uns." — Vgl. die Bestimmung der Neugierde als „Unverweilen beim Nächsten" bei Heidegger (Sein und Zeit, 172). — Auch Jacob (50ff) weist im Zusammenhang der Erörterung der Eschatologie Schleiermachers auf dessen Betonung der Gegenwärtigkeit des Heils hin und erläutert dies mit Hilfe des Begriffs des „Neuen".

82. So der Leitsatz zum § 11 (I,74.26—30).

geschichtliche Weise (in der Kirche) im Wort der Verkündigung unserem Selbstbewußtsein, das dank dieser Vermittlung „christlich fromm" genannt zu werden verdient. Dieser Bezug auf Christus selbst und so auf eine bestimmte Zeit (nämlich die Lebenszeit Christi, ohne die es das Christentum nicht gäbe) unterscheidet das christliche vom Selbstbewußtsein Christi. So richtig es ist, daß sich in der Gesamtsituation, verstanden als konstituiert aus dem Bezug von Ewigkeit und Zeit, im Übergang vom „Sein Gottes in *Christi* Selbstbewußtsein" zum „Sein Gottes in *unserem* Selbstbewußtsein" nichts ändert, weil in beiden Fällen die Zeit schließlich ins Einvernehmen mit ihrem göttlichen Grund gesetzt wird, und daß insofern auch aus der Erörterung der Zeit der Kirche keine neue Fassung der „Bestimmung" der Zeit gewonnen werden kann, so sehr bedarf doch diese Einsicht der Ergänzung durch den Hinweis darauf, daß bei diesem Einvernehmen im christlichen Selbstbewußtsein doch immer eine *bestimmte* Zeit mitgemeint ist. Als neue (d.h. *als* Zeit) konstituiert wird in unserem Selbstbewußtsein somit nur diejenige bestimmte Zeit, in der ich mein Sosein (abgesehen von dem Sosein, das auf die verschiedenen weltlichen Bestimmungen zurückgeht) der Wirksamkeit Christi im Wort der Verkündigung verdanke – wie es ja in unserem christlichen Selbstbewußtsein keine Beziehung zu Gott gibt, die nicht auch Beziehung zu Christus wäre[83]. Freilich: diese Relation um jener willen, aber jene doch nie ohne diese.

Weil aber als hermeneutisches Prinzip Schleiermachers gilt, daß im Sinne der Dogmatik etwas *als* etwas nur in *unserem* frommen Selbstbewußtsein erscheinen kann, und weil schließlich auch die Erörterungen der Christologie, in deren Rahmen wir zum erstenmal die Zeit *als* Zeit darstellen konnten, unter der Überschrift stehen „Von dem Zustande des *Christen,* sofern er sich der göttlichen Gnade bewußt ist"[84] – weil mithin *unser* christliches Selbstbewußtsein der Ort *dogmatischer* Wahrheit ist[85], darum genügte jene Bestimmung, die wir in unseren, der Christologie Schleiermachers geltenden Erörterungen vorgenommen haben, noch keineswegs zur Aufhellung der Zeit *als* Zeit.

„Zeit", schon formal zu bestimmen als Zeit für ... und im Zusammenhang des unmittelbaren Selbstbewußtseins dann genauer zu verstehen als Zeit zum Betroffen- und Angegangenwerden, ist

---

83. Wie entsprechend auch das Umgekehrte gilt – vgl. § 32,1: I,172.2–27.
84. II,29.2f.
85. Vgl. § 34,1: I,181.30, wo das „Selbstbewußtsein" als „Ort für die Wahrheit" bezeichnet wird.

für Schleiermacher Zeit zum Gottesbewußtsein, Zeit zur Anwesenheit Gottes im Selbstbewußtsein, also Zeit zur Ewigkeit Gottes in uns, Zeit zur Abbildung. Soweit noch konnten wir „Zeit" schon im vorigen Paragraphen bestimmen. Aber hinzukommen muß, den Erörterungen dieses Paragraphen gemäß: daß „Zeit" immer auch Zeit zur Anwesenheit *Christi* im Selbstbewußtsein sein muß. Denn Zeit zur Ewigkeit kann sich niemand nehmen. Zu ihr muß man von Jesus Christus erlöst werden. Nur aber im Wort der Verkündigung vermittelt sich Jesus Christus. Dieses Wort zu vernehmen bedeutet die Übernahme der durch ihn geschaffenen neuen Gesamtsituation, in der die Zeit für Gott zur Geltung zu kommen vermag. So verdankt sich die Zeit zur Ewigkeit der Zeit zum Wort. Im christlichen Bewußtsein der Erlösung aber kommt beides überein. Dort sind Christus und Gott gleichermaßen anwesend[86]. Dort findet sich Zeit zum Vernehmen der göttlichen Liebe als des göttlichen Willens zur Anwesenheit: *Zeit zur Liebe Gottes*. Wird sie vernommen, so kommt es zu „Erkenntnis" und „Anerkennung" der göttlichen Liebe, d.h. zu jener letzten *Verwirklichung* der Liebe[87], in der sich begrenztes und klares *Innewerden* der Anwesenheit Gottes vollzieht[88]. Die tiefste Bewandtnis mit der Zeit hat es für Schleiermacher bei dieser Zeit zur Liebe Gottes. Konstituiert als sie selbst hat sich die Zeit also dann, wenn im Selbstbewußtsein des Christen die Zeit zum Wort Christi die Zeit zur Ewigkeit Gottes mit sich bringt. Dies ist die Zeit zur Liebe Gottes, in der sich Offenbarung als Abbildung vollzieht. Zeit *dazu* zu sein ist die letzte Bestimmung von „Zeit".

Anhang: Glaubenslehre und Sittenlehre

Innerhalb der Glaubenslehre zwar wird mit dem von uns erörterten letzten Worumwillen ein Endpunkt erreicht, die Glaubenslehre aber weist über sich hinaus: wesentlich gehört ihr die Sittenlehre zu[89]. Wir haben bereits darauf hingewiesen, wie für Schleier-

---

86. Vgl. nur § 94,2: II,46.14–31!
87. Vgl. § 166,2: II,448.12 („verwirklicht sich die göttliche Liebe"); 448.17 („Anerkennung der göttlichen Liebe"); 448.25 („Erkenntnis der göttlichen Liebe").
88. Vgl. oben § 4,1. – Vgl. auch die Formulierung der ersten Auflage (§ 183,3): „Uns aber liegt von beiden [sc. Weisheit und Liebe] die Liebe näher, denn der Begnadigte ist sich seiner selbst bewußt als eines Gegenstandes jener göttlichen Gesinnung, indem seine Seele gleichsam der Ort einer göttlichen Mittheilung ist."
89. Vgl. § 29,2: I,162.34–39: „Daher ist es notwendig, daß wenn allgemeine Andeu-

macher das Ergreifen der Situation im Selbstbewußtsein nicht ihre bloße Feststellung meint, sondern immer auch einen Antrieb zum *Tun* in sich enthält, und wie diese „lebendige Empfänglichkeit", nun in vollster Ausbildung, in Christus zu der ihm eigenen Wirksamkeit führt[90]. Wollte man dieser Linie unserer Darstellung folgen, so müßte jetzt — was der Absicht dieser Arbeit, die sich im Raum der Glaubenslehre halten will, nicht entspricht — zur Erörterung der Sittenlehre Schleiermachers übergegangen werden. Denn die christliche gehört für Schleiermacher ausdrücklich zum Typ *teleologischer* Frömmigkeit, in der das Gottesbewußtsein Veranlassung und Impuls zu einer Tätigkeit abgibt, im Christentum dargestellt als Tätigkeit im Reiche Gottes, so daß „jede fromme Erregung, die von einem leidentlichen Zustande ausgeht, im Bewußtsein eines Überganges zur Tätigkeit endet"[91]. So ist es nur sachgemäß, daß Schleiermacher in der Glaubenslehre immer wieder an die Grenze zur Sittenlehre stößt[92].

Dabei ist das Verhältnis des frommen Zustandes zur Tätigkeit ein Verhältnis der Folge: die Frömmigkeit geht, jene dann begleitend[93], in die Praxis über[94]. In der berühmten Formulierung Schleiermachers heißt es dazu, daß die Glaubenslehre an der Frage orientiert sei: Was muß *sein*, weil das religiöse Selbstbewußtsein ist?, während die Sittenlehre auf die Frage antworte: Was muß *werden*, wenn das religiöse Selbstbewußtsein ist?[95]. Wie nun schon diese Gegenüberstellung von „Sein" und „Werden" auf eine größere Nähe der Sittenlehre zur „Zeit" weist, so haben wir auch schon oben[96] dem Gefühl die „Zeitigung" von Tätigkeiten zuschreiben können. Es legt sich von daher nahe, das christlich

tungen auf die christliche Sittenlehre in der Glaubenslehre nicht gegeben werden, man doch dieses immer im Auge habe, daß zu einer wie auch immer gestalteten christlichen Glaubenslehre auch eine übereinstimmend mit ihr sich entwickelnde Sittenlehre wesentlich gehöre." Weil so beide zusammengehören, könnte die Glaubenslehre ebensogut als Teil der Sittenlehre wie diese als Teil jener konzipiert werden (vgl. § 26,2: I,147.15ff).

90. Vgl. oben am Ende des § 12 und § 15,1.

91. Vgl. den ganzen § 9 (I,59.1ff); das Zitat § 9,2: I,63.14—16.

92. Vgl. etwa § 56Z: I,306.1ff; § 60,3: I,324.26ff; § 78,1: I,421.1ff; § 112,5: II, 206.11ff; § 126,2: II,276.36ff; § 169,3: II,457.10ff.

93. Vgl. „Reden", 38f: „Alles eigentliche Handeln soll moralisch sein und kann es auch, aber die religiösen Gefühle sollen wie eine heilige Musik alles Tun des Menschen begleiten; er soll alles mit Religion tun, nichts aus Religion." (vgl. auch 166).

94. Vgl. dazu den ganzen mit dem Verhältnis von Glaubens- und Sittenlehre befaßten § 26 (I,146.11ff), die oben bei Anm. 91 zitierte Stelle, sowie: § 56Z: I,306.6—10; § 78,2: I,422.24f.36ff. Mit diesem Problem beschäftigt sich die Arbeit Millers als ganze, bezeichnenderweise überschrieben „Der Übergang".

95. Vgl. WW I/12, 23.

96. Vgl. § 12,3.

bestimmte Gefühl nun wiederum als ein relativ Zeitloses und Verursachendes dem ganzen Gebiet der aus ihm entspringenden zeitlichen Tätigkeiten gegenüberzustellen, also das für die Zustände des
Selbstbewußtseins kennzeichnende „Sein" in seiner relativen
Ruhe[97] und das für die Tätigkeiten charakteristische „Werden"[98]
in bezug auf die ihnen eigene Nähe zur Zeit im Sinne der erwähnten Stufung der Ursächlichkeit zu verstehen und so mit der Sittenlehre einen neuen Bereich von „Zeit" eröffnet zu sehen.

Drei Phasen sind dann, entsprechend den drei trinitarischen Stufen, in der „Weltbildung" zu unterscheiden: Allgemein bildet Gott
in seiner schlechthinnigen Ursächlichkeit die Welt; im Besonderen ist aber auch die „Tätigkeit des Erlösers weltbildend, und ihr
Gegenstand ist die menschliche Natur, deren Gesamtheit das kräf-
tige Gottesbewußtsein eingepflanzt werden soll als neues Lebens-
prinzip"[99]; schließlich aber macht „der Heilige Geist von der
christlichen Kirche aus sich als die letzte weltbildende Kraft geltend", „indem uns die Aufgabe entsteht, die Welt als die gute immer mehr zur Anerkennung zu bringen, und der ursprünglich der
Weltordnung zum Grunde liegenden göttlichen Idee gemäß alles
dem göttlichen Geist als Organ anzubilden, und mit dem System
der Erlösung in Verbindung zu bringen"[100]. So richtig es ist, daß
die Kräftigkeit des Gottesbewußtseins als das letzte Ziel der göttlichen Liebe in der Glaubenslehre als das letzte Worumwillen zu
gelten hat, so wenig darf doch dieser Übergang der Glaubens-
zur Sittenlehre in seiner Begründung durch die göttliche Weisheit[101] vernachlässigt werden. Die Frage freilich zu beantworten,
ob (teleologisch) die Kräftigkeit des Gottesbewußtseins selber
noch einmal nur „um willen" eines anderen ist, oder ob (konse-
kutiv) die Tätigkeit des Christen lediglich als die „natürliche
Folge"[102] der Zustände des Selbstbewußtseins angesehen werden

---

97. Vgl. § 26,1: I,147.1; § 78,1: I,421.2f; § 98,1: II,78.33; § 107,1: II,150.31f;
§ 113,3: II,209.32.
98. Vgl. § 26,1: I,147.9. – Gaß formuliert: „... folglich hat die Dogmatik das relativ
Ruhende im christlichen Gemüthsleben, die Ethik das relativ *Bewegliche* und Thätige
zum Gegenstand" (633; Hervorhebung im Original).
99. § 100,2: II,92.35–93,1.
100. § 169,3: II,457.13–18.23f. – Darauf, daß die Sittenlehre „den Heiligen Geist
zum Prinzip ihres Inhalts" hat, weist Brandt hin (17 Anm. 30). – Die Nähe von „Tätigkeit" im Sinne der „Bildung der Welt" und „Zeit" zeigt sich z.B. in einer Formulierung,
nach der die „*Geschichte* unzertrennlich von Bildung der Welt durch den Menschen"
ist (§ 59Z: I,319.9f).
101. Vgl. § 169,3: II,457.12f; „... so führt uns die göttliche Weisheit als Entfaltung
der Liebe hier an das Gebiet der christlichen Sittenlehre..."
102. Vgl. § 26,2: I,147.25f; § 112L: II,198.8f; § 112,1: II,199.30f.

muß, ob mithin erst jener Bereich von „Zeit", der sich mit diesen Tätigkeiten eröffnet, ob erst die Zeit der Praxis die letzte Bestimmung von „Zeit" sichtbar macht — das könnte nur die Absicht einer dem Zeitverständnis Schleiermachers im ganzen geltenden Untersuchung, nicht das Ziel unserer, auf die Glaubenslehre beschränkten, Arbeit sein[103].

Exkurs: Zu Falk Wagners Schleiermacher-Interpretation

Wagner (Dialektik, Kap. IV, 137ff) sucht die Priorität der *freien Selbsttätigkeit* schon für die Dialektik und dann selbst für die Glaubenslehre zu erweisen. Dabei interpretiert er in zwei in dieser Hinsicht parallel laufenden Argumentationsreihen für die Dialektik und für die Glaubenslehre das Gefühl schlechthinniger Abhängigkeit als „Konstrukt" und „Reflexionsbestimmung". Ausgangspunkt ist die These, daß sich nach der Dialektik das unmittelbare Selbstbewußtsein *selbst* setze, also als causa sui im Kreisprozeß des Sich-selbst-Setzens faßbar sei (142f). Als Sich-selbst-Setzendes und freie Tätigkeit finde es sich aber immer schon vor, sei sich als solches immer schon gegeben. Dies Gegebensein zu erklären und durchsichtig werden zu lassen, dazu (und allein dazu) werde das Konstrukt des Gefühls schlechthinniger Abhängigkeit gebraucht. Nichts anderes als in dieser Weise funktionales Konstrukt, Reflexionsbestimmung (207), Erklärungsgrund, also ratio cognoscendi der freien Selbsttätigkeit als der ratio essendi (vgl. nur 202) sei das schlechthinnige Abhängigkeitsgefühl; doch mit ihm sei dieses und nichts anderes auch das Woher der schlechthinnigen Abhängigkeit, der transzendente Grund (Dialektik), bzw. Gott (Glaubenslehre). Lediglich um ein Subjekt zu benennen, durch das das Sich-Gegebensein der freien Selbsttätigkeit seinerseits gegeben sei, werde von Schleiermacher der transzendente Grund bzw. Gott *funktional gesetzt* (vgl. 163ff und 199ff) und so konstruiert, daß er das der freien Selbsttätigkeit gegebene Gegebensein der Gegenstände der Welt zu erklären vermag (203). In einem zusammenfassenden Abschnitt (278ff) erläutert Wagner noch einmal das Grundmotiv seiner Interpretation: Bei Schleiermacher wie auch überhaupt in der Theologie werde „überall dort, wo die Theologie vom Abhängigkeitsgefühl, von dem, was den Menschen unbedingt angeht, vom extra nos und vom Geschenk der Freiheit oder von einer Befreiung zur Freiheit spricht", auf den „Erklärungsgrund für das Sich-Gegebensein der freien

---

103. Gerade auch unter Hinweis auf die bei Schleiermacher betonte Fassung christlicher Frömmigkeit als teleologischer hat Barth (Prot. Theol. 389ff) von einer „ethizistischen Richtung" Schleiermachers (390) gesprochen. Besonders an der Lehre vom Gebet zeige sich die Unhaltbarkeit der These Brunners, nach der — zum Ausdruck gebracht schon im Titel seines Buches „Die Mystik und das Wort" — Schleiermacher Mystik und Christentum identifiziere. Stattdessen handele es sich bei Schleiermacher um eine „Identifikation des Christentums mit der *Kultur*bewegung" (389, Hervorhebung im Original): Schleiermacher „betet, weil er arbeiten will, er ist Mystiker, weil es ohne Mystik keine Kultur geben könnte" (390). Vgl. auch Barth, Schleiermacher, 180ff.

Selbsttätigkeit" Bezug genommen (279). „Das extra nos der Freiheit ist folglich ein funktionales Konstrukt des frei tätigen Selbstbewußtseins..." (280).
Schon im Vorwort hat Wagner auf die diesen Sätzen zugrundeliegende Prämisse seiner Arbeit aufmerksam gemacht („Denn die Theologie tritt unter
neuzeitlichen Bedingungen in allen ihren Gestalten und Positionen als Theorie
der Freiheit auf.") und die Tendenz seiner Interpretation offengelegt („Im
Interesse der Theologie ist daher Schleiermacher dort gegen Schleiermacher
selbst stark zu machen, wo er die konstruktive Selbsttätigkeit bei Entfaltung
seiner Dialektik zuwenig zum Zuge gebracht hat. Das gilt insbesondere für die
zentrale Bestimmung seines Denkens: Das schlechthinnige Abhängigkeitsgefühl kann nur dann in eine Theorie der Freiheit ohne Bruch eingebracht
werden, wenn man es als durch das selbsttätige Selbstbewußtsein konstruiert
und vermittelt begreift."). – Vom Gegebensein der freien Selbsttätigkeit zu-
rückgehend auf dessen Erklärungsgrund, das Gefühl schlechthinniger Abhängigkeit, und für diesen Erklärungsgrund wiederum im Rückgang das Subjekt
seines Sich-Gegebenseins benennend, also in einer Interpretationsrichtung
von der Selbsttätigkeit zu Gott, muß nach Wagner Schleiermacher verstanden
werden. Was wir als Bewandtniszusammenhang geltend zu machen versucht
haben, bemüht sich Wagner in gerade umgekehrter Richtung als Erkenntnis-
zusammenhang dergestalt zu erweisen, daß er von Funktion, Konstruktion,
Erklärungsgrund etc. spricht. Diese Interpretation aber muß sich *im Gegenzug*
zu Schleiermachers Intention entfalten (vgl. denn auch die von Wagner häufig
gebrauchten Wendungen „entgegen Schleiermachers Intention" o.ä.). Denn
daß der Schleiermacher der Glaubenslehre das Gefühl schlechthinniger Abhängigkeit und sein Woher nur um der freien Selbsttätigkeit willen *bewußt
funktional* setze, kann nicht gut behauptet werden. Überhaupt müßte dann
die gesamte Glaubenslehre als die umfassende Explikation lediglich einer
funktionalen ratio cognoscendi gelten, deren ratio essendi, die freie Selbsttätigkeit, in ihr selbst nur höchst beiläufig Erwähnung findet und erst außerhalb ihrer, etwa in der Sittenlehre, zum Zuge käme. Ist doch keineswegs die
freie Selbsttätigkeit, sondern die konkrete Form des unmittelbaren Selbstbewußtseins, das christlich-fromme Selbstbewußtsein, und also primär eine Gestalt von *„Abhängigkeit"*, ihr Konstitutionsprinzip. (Und schon nach den
„Reden", 29f, gehört der Religion „kindliche *Passivität"* und der *Moral* und
der *Praxis* das „Bewußtsein der Freiheit" zu.) Zudem interpretiert Wagner das
sinnliche Selbstbewußtsein, als dessen „Erklärungs- und Erkenntnisgrund"
das schlechthinnige Abhängigkeitsgefühl gelten soll (vgl. 204ff, bes. 207), ein-
seitig als Freiheitsgefühl, während es für Schleiermacher durchaus in Abhängigkeit und Freiheit geteiltes Bewußtsein ist. Denn wenn es richtig sein soll,
daß das sinnliche Selbstbewußtsein „sich also jeweils in bestimmter Weise als
sich gegeben" vorfindet (207), so kann das Gefühl relativer Abhängigkeit
davon nicht ausgenommen sein, als dessen „Erklärungs- und Erkenntnisgrund" das Gefühl schlechthinniger Abhängigkeit also ebenso namhaft zu machen wäre. Auf derselben Linie der tendenziellen Interpretation auf die Freiheit hin liegt der Vorwurf an Schleiermacher, er habe ein schlechthinniges
Freiheitsgefühl „eskamotiert" (vgl. 192), obwohl ihm von seiner Dialektik her

die Möglichkeit eines solchen Gefühls, nämlich als die Selbsttätigkeit des sich selbst setzenden Selbstbewußtseins, offengestanden hätte (193. Übrigens verwendet Wagner dabei ein Zitat, § 4,4: I,28.12f, das er durch Auslassung der Negation in sein gerades Gegenteil verkehrt.). Nun beruht aber die Konstruktion eines sich selbst setzenden Selbstbewußtseins, deren Denkmöglichkeit Schleiermacher nach Wagner „zum *zentralen* Gegenstand seiner Dialektik macht" (193), die er dort als eine „ausgeführte Konzeption" (189) „entwickelt" und „geltend macht" (190), auf einer bestimmten Interpretation einer einzigen knappen Wendung in der Dialektik, die Wagner dort schon nur mit Mühe als *Sich-selbst*-Setzen des unmittelbaren Selbstbewußtseins interpretieren kann (vgl. 142f), die aber in diesem Verständnis den ganzen weiteren Fortgang seiner Argumentation entscheidend bestimmt. Mit Hilfe einer keineswegs unbezweifelbaren Interpretation eines kurzen Satzes aus der von Schleiermacher unfertig hinterlassenen „Dialektik" gegenüber einer in seiner Glaubenslehre ausgeführten Explikation der Unmöglichkeit eines Gefühls schlechthinniger Freiheit sucht Wagner also auch hier „im Interesse der Theologie" (welcher?) „Schleiermacher dort gegen Schleiermacher selbst stark zu machen, wo er die konstruktive Selbsttätigkeit ... zuwenig zum Zuge gebracht hat" (9). Das ist unser entscheidender Einwand gegen dieses ansonsten scharfsinnige und in sich geschlossene Buch: daß es in Prämisse und Durchführung unverkennbar die Züge der Gewaltsamkeit trägt und Schleiermacher allzu kurzschlüssig als Theologe der Freiheit reklamiert werden soll, wobei diese Art von Freiheit ihr extra nos lediglich als funktionales Konstrukt verträgt. Auf die Theologie generell angewandt hätte dieses Verfahren, um einen von Wagner häufig gebrauchten Ausdruck zu verwenden, nur noch „ruinöse" Konsequenzen.

Zur Pflege des theologischen Themas „Zeit" in Gestalt einer Interpretation des Zeitverständnisses Schleiermachers in seiner Glaubenslehre beizutragen, wie auch mit Hilfe dieses Themas in die
Glaubenslehre einzuführen und dieses Werk besser verstehen zu
lernen — das war zu Beginn als Absicht dieser Untersuchung bezeichnet worden. Wir erwarteten, im Denken Schleiermachers eine
entscheidende Möglichkeit theologischen Zeitverständnisses anzutreffen; und wir glaubten, mit dem Thema „Zeit" die Glaubenslehre als ganze in einer bisher vernachlässigten Perspektive in den
Blick zu bekommen (zudem eine neue Sicht auf dieses oder jenes
Einzelproblem zu gewinnen) und so gleichsam eine Hilfslinie zum
Verständnis dieses großen Werkes Schleiermachers ziehen zu können.

In Hinblick auf die Frage, inwieweit das gelungen ist, müssen
die bisherigen Ausführungen für sich selbst sprechen; darauf zu
antworten kann nicht der Sinn dieses abschließenden Kapitels
sein. Wenn wir also jetzt noch einmal einige Probleme des Zeitverständnisses Schleiermachers aufnehmen, so ist das als Zusam-
menfassung nur in dem Sinne gemeint, daß auf einige — ein theologisches Verständnis von „Zeit" vor *grundsätzliche* Entscheidungen stellende — Besonderheiten der Glaubenslehre erneut aufmerksam gemacht werden soll.

§ 16 *Die unbewegte Zeit*

Den Weg unserer Darstellung haben wir uns zunächst einleitend
durch eine vorläufige Interpretation des § 52 der Glaubenslehre
(§ 2), dann entscheidend durch eine Erörterung der von Schleiermacher selber aufgewiesenen hermeneutischen Prinzipien seiner
Glaubenslehre (§ 3) und schließlich durch eine Reflexion auf die
drei Stufen des In-seins Gottes (§ 9) anweisen lassen. Im Verfolg
dieser Ordnung sind wir auf das Prinzip des Worumwillen innerhalb der Glaubenslehre aufmerksam geworden, haben den Be-
wandtnis-Zusammenhang der Welt, wie er auf die Erlösung des

Menschen und auf das Anwesendsein Gottes im menschlichen Selbstbewußtsein gerichtet ist, in Hinblick auf das Problem der Zeit sichtbar zu machen versucht, um so einer letzten Bestimmung von „Zeit", zutagegetreten im Beieinander von „Zeit" und „Ewigkeit" im Selbstbewußtsein Jesu Christi, ansichtig zu werden. Freilich mußte diese letzte Bestimmung von „Zeit" in den Zusammenhang unseres christlich frommen Selbstbewußtseins integriert werden, um dem Prinzip der Glaubenslehre zu entsprechen: das religiöse Gefühl des Christen zu explizieren. Hier, im Beieinander von sinnlichem Selbstbewußtsein und Gottesbewußtsein, gab sich letztlich „Zeit" *als sie selbst* zu erkennen. In unserer Erörterung der göttlichen Eigenschaft „Liebe" haben wir ja von vornherein darauf aufmerksam gemacht, daß wir in einen Weg auseinanderlegen würden, was im Selbstbewußtsein des Christen ursprünglich beisammen ist, daß dort zusammengehört, was in das Nacheinander einer heilsgeschichtlichen Folge gebracht werden kann. Mit der Erörterung des christlich frommen Gefühls, wie es Ausdruck des Seins Gottes in der Kirche ist, sind wir auf diese Weise also an den Ausgangspunkt zurückgekehrt, von dem her wir jener Bewegung gefolgt sind, deren Zeichen „Verwirklichung" hieß. Was überhaupt einen Platz in der Dogmatik beanspruchen will, muß ja für Schleiermacher im frommen Selbstbewußtsein in dieser oder jener Form „vorkommen". Also kann auch die Zeit als Zeit dogmatisch nur verstanden werden, weil und sofern sie im christlichen Gefühl vorkommt.

Die Entscheidungen, vor die sich ein theologisches Zeitverständnis angesichts dieser Anschauung Schleiermachers gestellt sieht, wollen wir im folgenden andeuten. Dabei werden nun unsere Bedenken Schleiermacher gegenüber, die wir auch bisher nicht verhehlt, wenngleich zurückgestellt haben, mehr hervortreten; und der kritischen Gegenstimme Karl Barths, die wir im Einzelnen immer wieder haben zu Wort kommen lassen, werden wir nun auch in ihrem grundsätzlichen Einwand gegen Schleiermacher Gehör schenken. Daß freilich im Gespräch mit Schleiermacher die Zeit schon gekommen ist, in der jene letzte Unsicherheit als überwunden gelten darf, die Barth Schleiermacher gegenüber eingestanden hat (vgl. sein Nachwort in der Schleiermacher-Auswahl, Hg. H. Bolli), kann nicht gut behauptet werden. So bleibt auch über den folgenden Ausführungen als Vorbehalt und Frage stehen: ob die Kritik eigentlich Schleiermacher trifft, oder ob es vielmehr nur nicht gelungen ist, ihn angemessen zu verstehen. Gilt doch nach wie vor jener Satz, mit dem man schon vor 80 Jahren eine Dissertation eröffnen konnte und von dem wir unsere Untersuchung wahrhaftig nicht ausnehmen wollen: „Schleiermacher gehört zu den großen Männern, die mehr besprochen als verstanden werden."[1]

1. Zeit als Zeit für ...

Wer Schleiermacher mehr verstehen als besprechen will, wird zur Einzelanalyse der Texte genötigt und muß Schleiermacher beim Wort nehmen. Eindrücklich wie bei kaum einem anderen werden dann Konsequenz und Scharfsinn dieses theologischen Denkers. Selbst wenn man, wie wir es unternommen haben, ein Thema vor Augen zu bringen sucht, dem die ausdrückliche Aufmerksamkeit Schleiermachers selber weniger galt, erweist sich die innere Geschlossenheit dieses Denkens. Zustimmung wie Ablehnung scheint immer dem Ganzen gelten zu müssen. Gleichwohl erlaubt uns unsere besondere Fragestellung — was bei ausgeführten und zentralen Themen der Glaubenslehre ungleich schwieriger wäre —, zu unterscheiden: selbst also wenn die Bedenken gegen seinen grundsätzlichen theologischen Ansatz überwiegen, Schleiermacher im Einzelnen immer wieder zu folgen.

Darin etwa wird man auch in heutiger theologischer Verantwortung Schleiermacher unbedingt zu folgen haben, daß man die wesentliche Bezogenheit von Zeit und Zeitlichem festhält. Gegen die Herrschaft eines physikalisch orientierten Zeitverständnisses, dem „Zeit" als von ihren Inhalten abstrakte Größe, linear, gleichförmig und mit austauschbaren Quanten erscheint[2], kann die Theologie im Gefolge biblischen Denkens schon formal Zeit prinzipiell als gefüllte Zeit, als Zeit für ... geltend machen, um sie als immer konkrete Zeit, als Zeit einmaliger Geschichte zu verstehen. Noch nicht freilich, wenn man sie als Lebenszeit begreift, als Zeit individueller Situationsfolge, ist die eigentliche Bewandtnis der Zeit für Schleiermacher erkannt. Erst mit der Frage, was denn in Wahrheit *an der Zeit* ist, tritt diese Bewandtnis zutage. Dann erst ist für Schleiermacher „Zeit" ihrer Bestimmung nachgekommen, wenn sie Zeit für dasjenige, was *vor allem* an der Zeit ist, Zeit zur Ewigkeit Gottes, Zeit zu seiner Liebe, Zeit für Gott, geworden ist. Für ein

---

1. O. Geyer, Friedrich Schleiermachers Psychologie nach den Quellen dargestellt und beurteilt, theol. Diss. Leipzig 1895.
2. Vgl. dazu die knappen, erhellenden Ausführungen von G. Picht „Unter dem Diktat der physikalischen Zeit. Über einen Schlüsselbegriff der industriellen Gesellschaft" (Evangelische Kommentare 1975, 75—77).

theologisches Verständnis von „Zeit" wird sich mithin in dieser Weise die Konkretion der Zeit ergeben: indem „Zeit" nicht ohne das Zeitliche, aber mehr noch: nicht ohne das, was in Wahrheit an der Zeit ist, verstanden wird. Und auch dies muß (mit Schleiermacher) in einem heutigen theologischen Zeitverständnis zum Zuge gebracht werden, daß die Zeit, so verstanden als Zeit zu ..., als Zeit zu — ihrer eigenen Relativierung bestimmt ist, also der Relativierung durch *Gott* bedarf. Diese Zeit zur Ewigkeit *bleibt* freilich für Schleiermacher immer auch Zeit zur Welt, so daß keineswegs Gott und Welt (also das Eine, was vor allem, und alles Jeweilige, was auch je an der Zeit ist) in falsche Konkurrenz zueinander treten müssen.

Auf einen möglichen Gesprächsgang zwischen Theologie und gegenwärtiger Philosophie, aber doch auch auf eine mögliche Selbstkorrektur der Theologie weist Schleiermachers Gedanke, daß in einer solchermaßen relativierten Zeit das Schema von „früher" und „später" durch die Unterscheidung von „alt" und „neu" überholt wird, wobei ebenso jene andere Ordnung, die von Vergangenheit, Gegenwart und Zukunft, in diese Relativierung durch „alt" und „neu" einbezogen werden müßte[3]. Der schematische Gebrauch dieser Ordnungen wäre dann abzulösen durch ein biblisch orientiertes Zeitverständnis, das zum Schema Vergangenheit/Gegenwart/Zukunft etwa anzusetzen hätte bei Hebr 13,8 oder bei Offb 1,17f und zur Ordnung von früher/später z.B. von Joh 8,58 ausgehen könnte. Der Zeit der Philosophen (und Physiker) wäre dann nicht nur die Zeit Abrahams, Isaaks und Jakobs entgegengesetzt, sondern die Zeit *Jesu Christi*. Nicht also wiederum ein Schema (alt/neu) hätte dann die Ordnungen von Zeit, die in ihren Grenzen zu erweisen wären, relativiert, sondern *christologisch*

---

3. In gegenwärtigen philosophischen Bemühungen um das Zeitproblem spielt die Unterscheidung zweier Zeitreihen, die in dieser Form J.E. McTaggart eingeführt hat, eine große Rolle: Einer A-Reihe, konstituiert durch das Schema von vergangen/gegenwärtig/zukünftig, dergemäß Ereignisse geordnet werden können und die nicht konstant ist, insofern was gegenwärtig ist, einmal zukünftig war und einmal vergangen sein wird, wird eine konstante B-Reihe gegenübergestellt, nach der in unveränderlicher Ordnung Ereignisse nach den Relationen „früher" und „später" (ergänzt durch: „gleichzeitig") zu ordnen sind. Dieses Schema liegt auch der Arbeit von P. Bieri „Zeit und Zeiterfahrung. Exposition eines Problembereichs" (Frankfurt a.M. 1972) zugrunde, in der (vor allem angelsächsische) sprachanalytische, physikalische und phänomenologische Analysen des Zeitproblems aufgenommen werden und die zu erweisen sucht, daß Zeiterfahrung nur als ein Geschehen in einer realen Zeit verständlich ist. — Soweit wir sehen, geht es vor allem Ernst Fuchs um diese Überholung zeitlicher Schemata (die freilich gerade als überholte neu verstanden werden können) durch eine Grundunterscheidung zweier Zeiten (vgl. etwa Hermeneutik, 194; 199f; 252ff).

wäre ein Neues begründet (vgl. 2Kor 5,17), das das Alte zum Alten macht[4]. Christologisch aber hat auf seine Weise auch Schleiermacher das Neue (als „neues Leben") begründet, weil zur Zeit für das, was vor allem an der Zeit ist, der Mensch durch Jesus Christus erlöst werden muß.

Was schließlich „mit Schleiermacher über ihn hinaus"[5] als Aufgabe eines theologischen Zeitverständnisses bleibt, ist die Ausarbeitung des Gedankens einer Zeit zum Vernehmen des Wortes, jener lebendigen Empfänglichkeit für die worthafte Einwirkung Christi, der sich für Schleiermacher die Zeit zur Ewigkeit im christlich-frommen Selbstbewußtsein verdankt und die wir abgekürzt „Zeit zum Wort" genannt haben. Ob freilich der Mensch immer schon diese Offenheit zum Vernehmen mitbringt oder ob nicht vielmehr auch sie (und mit ihr: „Zeit") im Wort selber erst gewährt wird[6], bleibt dringende Frage an Schleiermacher. Und zweifelhaft bleibt nicht minder, ob man noch Schleiermacher für sich hat, wenn man das Zeitverständnis streng christologisch so orientiert, daß man in einer Zeit zur Ewigkeit Gottes — nun nicht in uns, sondern in Jesus Christus, also in einer Zeit zur Ewigkeit im extra nos, im Christus-Ereignis, die Bestimmung von „Zeit" erfüllt sieht[7]. Darin aber, daß es mit der Zeit diese Bewandtnis hat: Zeit zum Wort und Zeit zur Ewigkeit zu sein, wird man Schleiermacher zustimmen können, wenn auch dieser Satz ausführlicher Entfaltung bedarf. Mit der Problemanzeige „Zeit und Wort" eröffnet sich hier ein unabsehbares Feld theologischer Aufgaben[8].

Mit einer Präzisierung dieses Stichworts nun ist vielleicht der entscheidendste Einwand gegen Schleiermacher namhaft gemacht: daß seinem Zeitverständnis diese Überschrift jedenfalls ganz unangemessen wäre: Zeit und Wort vom Kreuz.

---

4. In diese Richtung gehen die Ausführungen Barths (KD III/2, 524ff „Jesus, der Herr der Zeit").

5. Vgl. Ebeling, Eigenschaften, 341.

6. Jüngel hat darum die zeitgewährende Bitte als konstitutives Element der Verkündigung und Jesu Gleichnisse als zwingende Bitten zu verstehen gelehrt (z.b. Möglichkeit, 230f).

7. Darauf, daß Schleiermacher das extra nos nicht angemessen zur Geltung bringt, richtet sich auch die zugleich vorsichtige wie treffende Kritik Brandts an Schleiermacher (303ff).

8. Vgl. Ebeling, Zeit und Wort, in: Wort und Glaube II, 121–137. Soweit wir sehen, sind diese Überlegungen Ebelings von anderer Seite kaum weitergeführt worden.

2. Zeit und Wirklichkeit

„Wirklichkeit" (verstanden als Wirksamkeit und im Sinne erfahrbarer und erfaßbarer, phänomenaler Wirklichkeit) ist eines der entscheidendsten Stichworte unserer Interpretation geworden: Nicht nur daß das Schema von Ursache und Wirkung schon für die Gotteslehre konstitutiv ist und die Zeit selber als Wirkung der göttlichen Ursächlichkeit „Ewigkeit" erscheint — dieses Schema begegnet in der Glaubenslehre durchgehend und wir sind immer wieder darauf aufmerksam geworden; nicht nur daß für Schleiermacher, wie wir in einem Abschnitt mit der Überschrift „Der Vollzug der Zeit in der Welt: Wirklichkeit" gesehen haben, „zeitlich" und „wirklich" zu austauschbaren Synonymen werden und das zunächst formal betrachtete unmittelbare Selbstbewußtsein mit Hilfe der Kategorien jenes Abschnitts zu verstehen war — auch in unseren Erörterungen zu Christologie und Ekklesiologie Schleiermachers („Wirkungsgeschichte Christi") spielte diese Bestimmung „Wirklichkeit" eine entscheidende Rolle. In einem *Werk-Wirklichkeitsschema*[9] überhaupt erscheint also für Schleiermacher alles, was die Dogmatik zu sagen hat, ist doch das fromme Gefühl der Ausgangspunkt und weist es für Schleiermacher auf eine göttliche *Wirksamkeit,* ja gehen alle drei Formen dogmatischer Sätze auf eine so oder so *bewirkte* Modalität des unmittelbaren Selbstbewußtseins zurück. Einzig das kann für die Glaubenslehre von Interesse sein, was als phänomenal erfahrbar und faßbar im christlichen Selbstbewußtsein *wirklich* ist.

Die Zeit ist für Schleiermacher letztlich dazu da, Jesus Christus im Selbstbewußtsein wirksam und so Gott unmittelbar anwesend sein zu lassen. Sie erfüllt ihre Bestimmung im Zusammenhang göttlicher *Anwesenheit,* nicht aber freier göttlicher *Taten*[10]. „Zeit" ist nicht die Form der *Geschichte* Gottes *mit* uns[11], sondern die

---

9. Vgl. Jüngel, Möglichkeit, 211.

10. Vgl. Barth, KD III/2, 525: „Die Zeit ist diejenige Form der geschaffenen Welt, durch die diese zum Raum freier göttlicher Taten ... bestimmt wird." Vgl. 634: „Zeit" als der „Raum ... für die Geschichte des Bundes zwischen Gott und Mensch".

11. Vgl. Jüngel, Tod, 165; 148f. — Gleichermaßen Nähe wie Ferne zu Schleiermachers Zeitverständnis zeigen die von Fuchs in einem Brief an Ebeling mitgeteilten Überlegungen (Freundesbriefe von Ernst Fuchs, herausgegeben von Gerhard Ebeling, in: Festschrift für Ernst Fuchs, Hg. G. Ebeling / E. Jüngel / G. Schunack, Tübingen 1973, 1—66): „Verstehe ich also die Zeit als *simul,* so hängt nunmehr alles davon ab, daß ich festhalte, *wer* dabei mit uns zusammen geht: Gott mit dem Menschen." (37; Hervorhebung im Original). Daß *Gott* mit uns zusammen *geht,* könnte Schleiermacher nicht sagen.

Form seines *Seins in* uns[12]. Sie gehört als Zeit zum Innewerden der
Ewigkeit in uns für Schleiermacher zur Anwesenheit Gottes — und
nicht als Zeit zu einer uns von außen begegnenden Ewigkeit zu
Gottes sich ereignendem Anwesen. Als Form der Geschichte Gottes mit uns aber wird „Zeit" primär dann verstanden, wenn sie
vom Moment des Todes Jesu Christi, von den drei Tagen seines
Grabes und der Osterzeit her begriffen wird. Von dorther auch
gewinnt sie die Dimension des Geheimnisses und der Verborgenheit: „wirklich" heißt dann immer auch: wirklich in der Weise
der Verborgenheit, „wirksam" — wirksam als Geheimnis, „anwesend" — anwesend sub contrario. Nicht nur als Form der Wirksamkeit von Kräften, sondern als Form der Ohnmacht und der
Schwäche, in denen *Gott* mächtig ist, kann dann „Zeit" gedacht
werden[13].

Darum aber braucht Schleiermachers Zeitbegriff davon nichts
wissen zu wollen, weil bei ihm alles darauf ankommt, das Notwendige (das Gottesbewußtsein als notwendiges und wesentliches
Element menschlichen Lebens) *wirklich* werden zu lassen. Dem
Notwendigen freilich kommt letztlich unbegrenzte Kraft zu, und
das Wesentliche kann im Sinne Schleiermachers der Verborgenheit
unter dem Gegenteil entraten. Daß sich schlechthin Entscheidendes in der Zufälligkeit verbergen könnte, ist für ihn undenkbar[14].
Möglich braucht für Schleiermacher die Frömmigkeit nicht gemacht zu werden — das ist sie immer schon; sie bedarf vielmehr
lediglich der *Verwirklichung,* und dazu ist die *Zeit* da.

Ein Zeitbegriff, orientiert am Möglichen, wäre darum Schleiermacher ganz fremd[15]. Denn das Mögliche ist für ihn das „*nur
Mögliche*". Was aber nur möglich ist, kann nicht eigentlich im

---

12. Vgl. Brandt, 281f, der nachdrücklich auf diesen Sachverhalt hingewiesen hat.

13. Ganz und gar nicht gilt für Schleiermacher „Verborgenheit" als eine „notwendige
Bestimmung der Offenbarung" (so Barth, KD I/2, 70), ebensowenig kann ihr für ihn
eine „Knechtsgestalt" (68) eigen sein.

14. Vgl. Barth, KD IV/3, 850, wo Barth von der Schwachheit der christlichen Gemeinde spricht, die keineswegs wie Staat, Arbeit, Wirtschaft etc. zu den wesensnotwen-
digen Konstanten der menschlichen Existenz gehöre. „Von der sogenannten Religion
kann man das wohl sagen, wie es denn auch von *Schleiermacher* behauptet und den Gebildeten unter ihren Verächtern schön aufgezeigt worden ist... Von der Religion wie von
jenen anderen Konstanten der menschlichen Existenz und Geschichte her gesehen, ist die
christliche Gemeinde ein *schlechthin zufälliges* Phänomen..." (nur das Wort „Schleiermacher" bei Barth hervorgehoben).

15. Von dem ontologischen Grundsatz her „Höher als die Wirklichkeit steht die *Möglichkeit*" (38; Hervorhebung im Original) darf der in „Sein und Zeit" zum Ausdruck ge-
brachte Zeitbegriff *Heideggers* verstanden werden.

Selbstbewußtsein „vorkommen", es ist nichts als ein gleichgültiges Schattenbild[16].

3. Zeit und Nichts

Daß Schleiermacher im Unterschied zu Aristoteles „Zeit" nicht im Zusammenhang physikalischer Ortsveränderung[17], sondern in dem der Bewegung der Existenz[18], und zwar der christlich bestimmten Existenz, versteht, verliert angesichts der Orientierung jenes wie dieses Zeitbegriffs ausschließlich am *Wirklichen* an Bedeutung. Daß im Bereich des Wirklichen kein *Nichts* und darum auch keine durch das Nichts bestimmte *Zeit* einen Platz haben kann, das meint wie Aristoteles[19] so auch Schleiermacher. Das Nichts als die qualitativ andere Dimension der Welt kommt in diesem eindimensionalen und in sich kontinuierlichen Werk-Wirklichkeitsschema nicht vor; Schleiermacher will von ihm nichts wissen[20]. In diesem Sinne kann man denn in der Tat von seinem „Monismus" sprechen. Eine vom Nichts bestimmte Zeit − das ist nicht eine ʼZeit, die

16. Vgl. § 55,2: I,298.24−28: „... wie sich in uns die immer lebhaft uns bewegende Vorstellung des Wirklichen abstuft in die auch noch lebhaft gefärbte und durch Hoffnung und Furcht bewegende des Wahrscheinlichen, welche sich dann in die gleichgültigen Schattenbilder des bloß Möglichen verliert."

17. Für Aristoteles (seine berühmte Zeitabhandlung steht im Buch IV der „Physik" Kap. 10−14; vgl. dazu P.F. Conen, Die Zeittheorie des Aristoteles, Zetemata 35, München 1964) war die „Physik" der dem Zeitproblem angemessene Rahmen und in ihm die Bewegung als eine der ἀρχαί der φύσις der unmittelbare Zusammenhang, in dem „Zeit" ihren Platz beanspruchte: die Zeit als Zeit zu erfassen (τί δ ἐστὶν ὁ χρόνος καὶ τίς αὐτοῦ ἡ φύσις − 218 a 31) − das bedeutete für ihn: die Zeit in dem ihr eigenen Beieinander mit der Bewegung, als der Ortsveränderung im Bereich der φύσις, und eben so als ἀριθμὸς κινήσεως κατὰ τὸ πρότερον καὶ ὕστερον (219 b 1−2) zu verstehen.

18. Die Bewegung, erfaßt „nach dem Modell physikalischer Ortsveränderung" (Aristoteles), und die „Dialektik der Lebensbewegung" (Schleiermacher) stellt Ebeling (Wirklichkeitsverständnis, 99) einander gegenüber.

19. Vgl. Jüngel, Möglichkeit, 220.

20. Nimmt man Schleiermachers Hinwendung zum phänomenal Wirklichen und den Satz Martin Heideggers „Die Wissenschaft will vom Nichts nichts wissen" (Was ist Metaphysik?, 10. Auflage mit Nachwort und Einleitung, Frankfurt a.M. 1969, 27) zusammen, so ist Schleiermachers Dogmatik − *Wissenschaft*. Denn auch von ihr gilt: „Erforscht werden soll nur das Seiende und sonst − nichts; das Seiende allein und weiter − nichts; das Seiende einzig und darüber hinaus − nichts" (26). Vgl. zur Kontinuität als Bedingung der Möglichkeit von „Wissenschaft" die Formulierung der ersten Auflage der Glaubenslehre (Gl[1], § 20,2): „Alles Vernünftige hängt unter sich genau zusammen, so daß von jedem aus jedes andere kann gefunden und begriffen werden, worin eben die Möglichkeit der *Wissenschaft* liegt."

sich lediglich noch nicht (in das ihr gemäße Verhältnis) eingestellt hat, sondern das ist eine radikal entstellte Zeit, eine Zeit „aus den Fugen", mit der sich die Ewigkeit Gottes nicht einfach (gleichsam in ontologischer Partnerschaft) ins Einvernehmen setzt, sondern der sie total widerspricht, indem sie sich ihr *entgegen*setzt[21]. Sie ist nicht die Weise, in der sich Relationen vollziehen[22], sondern in der Relationen abgebrochen und zerstört werden[23], nicht die Weise, in der sich Veränderung und Wechsel im Sinne Gottes[24], sondern im Sinne eines Widerspruchs gegen ihn vollziehen. Darum muß ihr ihrerseits widersprochen — und kann ihr nicht einvernehmlich entsprochen werden.

Karl Barth hat gezeigt, daß Schleiermacher von seinen Voraussetzungen aus das wirklich Nichtige nicht zu erkennen vermochte, wenn anders es in den Zuständen des Selbstbewußtseins in keiner Form „vorkommen" kann[25]. Diese Zustände müssen in sich kontinuierlich und konsistent sein, soll die „Selbigkeit der Person" erhalten bleiben; sie kennen nur fließende Differenzen, ein Auf und Ab, keinesfalls aber ein Nichts. Mit Barth muß gegen Schleiermacher eingewandt werden: „Das *Dasein* des wirklich Nichtigen enthüllt sich uns nicht einfach irgendwo, z.b. in irgend einem Abgrund unseres eigenen Inneren... Wir begegnen ihm als der Realität,

---

21. Vgl. etwa Barth, KD I/2, 74.

22. Vgl. oben § 11,2.

23. Richtig (gegen Schleiermacher formuliert) bei Brunner: „Hier wird ein Band zerrissen, ein ursprünglich Zusammengehöriges wird auseinandergezerrt, eine Einheit wird zerbrochen, eine von Gott geschaffene Harmonie wird willkürlich zerstört." (231).

24. Vgl. oben den letzten Teil des Abschnitts § 11,2.

25. Im Rahmen der Auseinandersetzung mit der Sündenlehre Schleiermachers heißt es bei Barth: „Man versteht das ganze Trauerspiel, wenn man beachtet, daß Schleiermacher, auch hier seiner historisch-psychologischen Methode getreu, unter Gnade und Sünde nur die beiden entsprechenden christlich frommen Bewußtseinszustände verstanden hat. Es ist ja wahr: In unserem Bewußtsein existiert jener Gegensatz immer nur als ein auf- und abschwankendes Nebeneinander und nicht als ein ausschließendes Gegeneinander. In unserem Bewußtsein ist das Gute immer ebenso am Bösen, wie das Böse am Guten, ist uns die Gnade Gottes nie als schlechthin streitend oder gar siegreich unserer Sünde gegenüber gegenwärtig, sondern hat die Sünde ihr gegenüber ihren nur allzu gesicherten Ort, und ist es in der Tat so, daß wir die Gnade nicht erkennen können, ohne zugleich unsere Sünde erkennen zu müssen. In unserem Bewußtsein und im Blick auf das Bewußtsein des Menschengeschlechtes überhaupt mag dann auch die Reflexion Platz greifen und ihr Recht haben, daß die Unkraft unseres Gottesbewußtseins nun einmal zu den Bedingungen unserer Existenz ‚gehöre' und also notwendig und uns ebendeshalb von Gott verordnet sei. Der Irrtum Schleiermachers bestand darin, daß er die historisch-psychologische Wirklichkeit des christlich frommen Bewußtseins *absolut* setzte und also das in dessen Grenzen erreichbare Verständnis der Sünde für das Verständnis der *wirklichen* Sünde hielt." KD III/3, 383 (Hervorhebungen im Original).

der Gott in *Jesus Christus gegenübergetreten* ist."[26] Und „Daß
es sich in dem Verhältnis zwischen Gott und der Sünde um eine
real sich abspielende *Begegnung* und *Geschichte* handelt, das
wollte Schleiermacher nicht wahrhaben... Gott selbst hat bei ihm
an dieser Sache keinen Anteil, sondern steht unberührt über ihr...
Er selbst hat hier keinen Partner und Feind. Er selbst ist hier nicht
angefochten."[27] Und es kann dann präzisiert werden: „Im *Tode*
Jesu Christi hat sich das alles Sein konstituierende ‚Ja‘ Gottes
dem ‚Nein‘ des Nichts ausgesetzt. In der *Auferweckung* Jesu
Christi hat sich dieses ‚Ja‘ gegen das ‚Nein‘ des Nichts durchgesetzt. Und eben damit entschied sich gnädig, warum überhaupt
Seiendes ist und nicht vielmehr nichts."[28] Von einem Gott, der
die Toten lebendig macht und der aus dem Nichts ins Sein ruft
(Röm 4,17), redet Schleiermacher nicht.

Das Neue Testament aber spricht vom Vergehen des Alten, vom
Vergehen auch des Schemas dieser Welt[29] – in das *Nichts*, aus dem
Gott Neues hervorruft; und es spricht davon eben im Zusammenhang von Kreuz und Auferweckung Jesu Christi[30]. Steht zwischen
beiden, zwischen der Zeit seines Grabes und der Osterzeit, *nur*
Gott selbst, erhält nur seine Liebe die Kontinuität zwischen dieser
und jener Zeit, so ist mit Kreuz und Auferweckung Christi mit der
Welt im ganzen auch die Zeit *von der Stelle gekommen.* Im Durch-
gang durch das *Nichts* ist die Zeit von der Stelle gekommen, um
als *neue* Zeit zutagezutreten. Als Zeit also ist die Zeit mit dem

---

26. AaO. 380 (nur das Wort „Dasein" bei Barth hervorgehoben).
27. AaO. 377 (Hervorhebung im Original). – Dies hat auch Heidegger verkannt,
wenn er schreibt: „Daher bekümmert [sc. in der christlichen Dogmatik] auch gar nicht
die Schwierigkeit, daß, wenn Gott aus dem Nichts schafft, gerade es [lies: er] sich zum
Nichts muß verhalten können. Wenn aber Gott Gott ist, kann er das Nichts nicht kennen,
wenn anders das(!) ‚Absolute‘ alle Nichtigkeit von sich ausschließt." (Was ist Metaphysik?, 39). Gerade diese „Schwierigkeit" sucht die Theologie zunehmend als die verhei-
ßungsvolle, *eschatologische Tat Gottes* zu verstehen.
28. E. Jüngel, Gottes Sein ist im Werden. Verantwortliche Rede vom Sein Gottes bei
Karl Barth. Eine Paraphrase, Tübingen 1967²; das Zitat 122.
29. Vgl. 2Kor 5,17 und 1Kor 7,31.
30. Vgl. Moltmann, Hoffnung, 206: „Wenn aber in dem Geschehen der Auferwek-
kung des Gekreuzigten creatio ex nihilo erkannt wird, so stehen hier nicht mögliche
Veränderungen des Seienden auf dem Spiel, sondern *Nichts und Alles.*" Freilich gilt für
Moltmann dann die Offenbarung Gottes in Kreuz und Auferstehung als „Spielraum der
Geschichte, in welchem das Versinken aller Dinge ins Nichts *und* die neue Schöpfung als
möglich erscheinen" (ebd.), eine Formulierung, die man in dem Sinne immerhin verstehen kann, als werde hier mit der Möglichkeit einer radikalen Problematisierung jener Offenbarung gerechnet. – Schultz (Theologia crucis bei Hegel und Schleiermacher, 313)
weist darauf hin, daß Schleiermacher, weil keine *theologia crucis* vertretend, nicht vom
Nichts redet.

Tode Jesu Christi vergangen[31] und ex nihilo – nicht in einer ihr selbst eigenen[32], sondern kraft einer von Gott errungenen Kontinuität – neu geworden. „Zeit" wäre dann verstanden nicht lediglich von der Lebenszeit her, die Jesus Christus als Irdischer hat, sondern mehr noch vom Vergehen der Zeit selber her, das im Kreuz Jesu Christi seinen Ausdruck findet. Daß dort die Zeit in Nichtigkeit versinkt, aber durch Gottes Kraft neu wird, bringt sie von der Stelle. Bei Schleiermacher hingegen scheint die Zeit überhaupt nie von der Stelle zu kommen.

4. Zeit und Gott

Deshalb kann für Schleiermacher „Zeit" nicht von der Stelle kommen, weil in seinem Gedanken der Anwesenheit Gottes im Selbstbewußtsein die Ewigkeit der Zeit zwar gegenübertritt, dieser Gedanke es aber nicht zuläßt, „Zeit" als solche zu verstehen, die Gott sich in Jesus Christus für uns nimmt[33]. Diese Relativierung der Zeit kennt Schleiermacher nicht, in der die Gleichung gilt: „,Das Wort ward Fleisch' heißt auch: ,Das Wort ward Zeit' "[34]; in der Gott

---

31. Daß die Zeit, gerade indem sie vergeht, als Zeit bleibt, sagt Martin Heidegger in seinem Vortrag „Zeit und Sein" (in: Zur Sache des Denkens, 1–25; das folgende Zitat 3): „Denn die Zeit selber vergeht. Aber indem die Zeit ständig vergeht, bleibt sie als Zeit". Oder auch: „Die Zeit selbst im Ganzen ihres Wesens bewegt sich nicht, ruht still." (Das Wesen der Sprache, in: Unterwegs zur Sprache, 213). – Gegen die Rede der frühen dialektischen Theologie von der Aufhebung der Zeit durch die Ewigkeit richtet sich das 1927 erschienene Buch von H.W.Schmidt „Zeit und Ewigkeit. Die letzten Voraussetzungen der dialektischen Theologie" (Gütersloh 1927). Nur sehr am Rande kommt dort der Zusammenhang von „Zeit" und „Sünde" zur Sprache, und ein die Zeit aufhebendes Nein Gottes wird ausdrücklich abgelehnt (303).

32. Vgl. Fuchs, Marburger Hermeneutik: „Es gibt da [sc. bei Paulus] formal eine Pluralität der Zeit, zwei Zeiten, die nicht mehr unter den Oberbegriff der Kontinuität subsumiert werden können." (60).

33. Vgl. zum folgenden Barth, KD III/2, 546f; KD I/2, 50ff. – „Wir stellten ja vorhin fest, daß die Existenz des Menschen Jesus nun gerade nicht nur das bedeutet, daß Gott dem Menschen, der Schöpfer dem Geschöpf, die Ewigkeit der Zeit irgendwie gegenübertritt... Die Existenz des Menschen Jesus bedeutet aber dies, daß Gott Mensch, der Schöpfer Geschöpf, die Ewigkeit Zeit wurde. Sie bedeutet also, daß Gott sich für uns Zeit nimmt und Zeit hat, daß er selbst in unserer Mitte, gleich wie wir selbst, zeitlich ist. Aber nun eben so zeitlich, wie es ihm, Gott, dem Schöpfer, angemessen und entsprechend ist: zeitlich in der Einheit und in Entsprechung zu seiner Ewigkeit." (KD III/2, 625; Hervorhebung im Original).

34. Barth, KD I/2, 55. – Vgl. auch Mühlen (34), der die Menschwerdung des Sohnes „die Zeitwerdung des göttlichen Du" und das Kreuzesgeschehen „die Zeitwerdung des göttlichen Wir" nennt.

selber zeitlich wurde und sich Zeit nahm; und in der er selber diese Zeit in den Tod mitnahm und neu entstehen ließ — und auf *diese* Weise *Zeit zur Liebe* hatte. Von einer Zeit des Menschen zur Ewigkeit, einer Zeit für den ewigen Gott kann man bei Schleiermacher Eindrückliches lernen — doch auch von einer Ewigkeit, in der Zeit für den Menschen ist? Wohl ist in bezug auf „Zeit" bei Schleiermacher von „Veränderung" und „Wechsel" die Rede — doch nicht von jenem Wechsel der Zeit selber (entstanden dadurch, daß Gott zeitlich wurde), von dem es heißt: „Er wird ein Knecht und ich ein Herr, *das* mag ein Wechsel sein..." Kann die Zeit als die Form der Geschichte Gottes mit uns bezeichnet werden, als der Ort freier göttlicher Taten, so muß zuerst und grundlegend die Tat *dieses* Wechsels in Betracht kommen. Erst sie brachte die Zeit in Bewegung und ließ sie von der Stelle und zu sich selbst kommen. Gleichsam eindimensional ist für Schleiermacher wie die Welt (im Werk-Wirklichkeitsschema, ohne die Dimension des Nichts) so auch Gott: als der ausschließlich Wirkende, ohne die Dimension des Leidens; als der lediglich Hohe, ohne jede Niedrigkeit; als der Ewige, ohne Zeitlichkeit; als der ganz und gar nicht Bedrohte, Ungefährdete, dem Tod nicht Ausgesetzte, ohne daß er das Nichts abgewiesen, den Tod ertragen und aus Tod und Nichts eine neue Schöpfung hervorgerufen hätte.

Zu einem solchen Zeitverständnis jedenfalls setzt das Denken Schleiermachers, zumal auch seine Gotteslehre, nicht in Bewegung: das, ausgehend von der Lebenszeit Christi, der Zeit die Dimension des Geheimnisses läßt, und das, im Blick auf Kreuz und Auferweckung Jesu Christi, „Zeit" nicht ohne „Unzeit", vom Möglichen und nicht nur vom Wirklichen, vom Vergehen der Zeit selber und von ihrer Neuwerdung aus dem Nichts her zu denken unternimmt. Für Schleiermacher gibt es das nicht: eine Zeit, die dadurch Relativierung erfährt und von der Stelle kommt, daß sich in diesem Sinne ereignet: Das Wort ward Zeit.

LITERATUR

I. Schleiermacher

a) Aus den gesammelten Werken
Sämmtliche Werke (WW)
I. Abtheilung. Zur Theologie
1. Band, Berlin 1843
133—460: Ueber die Religion. Reden an die gebildeten unter ihren
Verächtern (1799. 1806. 1821. 1831)
2. Band, Berlin 1836
391—484: Ueber die Lehre von der Erwählung, besonders in Beziehung
auf Herrn Dr. Bretschneiders Aphorismen
485—574: Ueber den Gegensaz zwischen der sabellianischen und atha-
nasianischen Vorstellung von der Trinität
575—653: Ueber seine Glaubenslehre, an Herrn Dr. Lücke
6. Band, Berlin 1864
Das Leben Jesu. Vorlesungen an der Universität zu Berlin im Jahr 1832
gehalten von Dr. Friedrich Schleiermacher, Hg. K.A. Rütenik
8. Band, Berlin 1845
Einleitung ins Neue Testament. Aus Schleiermacher's handschriftlichem
Nachlasse und nachgeschriebenen Vorlesungen mit einer Vorrede von
F. Lücke, Hg. G. Wolde
12. Band, Berlin 1884[2]
Die christliche Sitte nach den Grundsätzen der evangelischen Kirche im
Zusammenhange dargestellt, Hg. L. Jonas

II. Abtheilung. Predigten
1. Band, Neue Ausgabe, Berlin 1843
2. Band, Neue Ausgabe, Berlin 1843
3. Band, Neue Ausgabe, Berlin 1843
4. Band, Neue Ausgabe, Berlin 1844
9. Band, Berlin 1847

III. Abtheilung. Zur Philosophie
4. Band, Erster Teil, Berlin 1839
13—282: Geschichte der Philosophie, Hg. H. Ritter
4. Band, Zweiter Teil, Berlin 1839
Dialektik. Aus Schleiermacher's handschriftlichem Nachlasse, Hg.
L. Jonas
6. Band, Berlin 1862
Psychologie. Aus Schleiermacher's handschriftlichem Nachlasse und
nachgeschriebenen Vorlesungen, Hg. L. George

7. Band, Berlin 1842
Vorlesungen über die Ästhetik. Aus Schleiermacher's handschriftlichem Nachlasse und aus nachgeschriebenen Heften, Hg. C. Lommatzsch

b) Einzelausgaben u.a.

Der christliche Glaube nach den Grundsäzen der evangelischen Kirche im Zusammenhange dargestellt. Erster Band: Berlin 1821, Zweiter Band: Berlin 1822 (Gl[1])
Der christliche Glaube nach den Grundsätzen der evangelischen Kirche im Zusammenhange dargestellt, 7. Auflage, aufgrund der zweiten Auflage von 1830/31, Hg. M. Redeker, Bd. I und II, Berlin 1960
Über die Religion. Reden an die Gebildeten unter ihren Verächtern. Hg. H.-J. Rothert, Philosophische Bibliothek Meiner 255, Hamburg 1961[2] (Reden)
Dialektik. Hg. R. Odebrecht, Leipzig 1942 (Dialektik)
Monologen. 1800, in: Friedrich Schleiermacher. Kleine Schriften und Predigten, Hg. H. Gerdes / E. Hirsch, Bd. I, Berlin 1970, 11—75 (Monologen)
Räthsel und Charaden, Berlin 1874
Friedrich Schleiermacher und die Trinitätslehre, Hg. M. Tetz, Texte zur Kirchen- und Theologiegeschichte 11, Gütersloh 1969
Schleiermacher-Auswahl, Hg. H. Bolli, Siebenstern 113/114, München/ Hamburg 1968 (Auswahl)
Aus Schleiermacher's Leben. In Briefen, Hg. W. Dilthey / L. Jonas, 4 Bände, Berlin 1858—63 (Briefe)

II. Sekundärliteratur u.a.

Aristoteles, Physica, Hg. W.D. Ross, Oxford 1960[3]
Augustinus, In Iohannis Evangelium Tractatus CXXIV, CChr XXXVI Series Latina
G. Aulén, Das christliche Gottesbild in Vergangenheit und Gegenwart. Eine Umrißzeichnung, aus dem Schwedischen von Gretel Jonsson, Gütersloh 1930
K. Barth, Die kirchliche Dogmatik
Bd, I/1, Zollikon/Zürich 1955[7] (KD I/1)
Bd. I/2, Zollikon/Zürich 1948[4] (KD I/2)
Bd. II/1, Zollikon/Zürich 1958[4] (KD II/1)
Bd. III/1, Zollikon/Zürich 1947[2] (KD III/1)
Bd. III/2, Zollikon/Zürich 1948 (KD III/2)
Bd. III/3, Zollikon/Zürich 1961[2] (KD III/3)
Bd. IV/3 (2. Hälfte), Zollikon/Zürich 1959 (KD IV/3)
—, Schleiermacher, in: Die Theologie und die Kirche. Gesammelte Vorträge 2. Band, München 1928, 136—189 (Schleiermacher)
—, Die protestantische Theologie im 19. Jahrhundert. Ihre Vorgeschichte und ihre Geschichte, Zürich 1960[3] (Prot. Theol.)

O. Bayer, Was ist das: Theologie? Eine Skizze, Stuttgart 1973

F. Beißer, Schleiermachers Lehre von Gott dargestellt nach seinen Reden und seiner Glaubenslehre, Forschungen zur systematischen und ökumenischen Theologie 32, Göttingen 1970

E. Bloch, Tübinger Einleitung in die Philosophie I, edition suhrkamp 11, Frankfurt a.M. 1963

P. Bieri, Zeit und Zeiterfahrung. Exposition eines Problembereichs, Frankfurt a.M. 1972

H.-J. Birkner, Theologie und Philosophie. Einführung in Probleme der Schleiermacher-Interpretation, ThEx 178, München 1974

Boethius, De trinitate, MPL LXIV, 1247–1256

—, Philosophiae Consolatio, CChr Series Latina XCIV

W. Brandt, Der Heilige Geist und die Kirche bei Schleiermacher, SDGSTh 25, Zürich/Stuttgart 1968

E. Brunner, Die Mystik und das Wort. Der Gegensatz zwischen moderner Religionsauffassung und christlichem Glauben dargestellt an der Theologie Schleiermachers, 2. veränderte Auflage, Tübingen 1928

F. Buddeus, Institutiones theologiae dogmaticae, Leipzeig 1723

P.F. Conen, Die Zeittheorie des Aristoteles, Zetemata 35, München 1964

H. Conrad-Martius, Die Zeit, München 1954

P. Cornehl, Die Zukunft der Versöhnung. Eschatologie und Emanzipation in der Aufklärung, bei Hegel und in der Hegelschen Schule, Göttingen 1971

H. Dembowski, Schleiermacher und Hegel. Ein Gegensatz, in: Neues Testament und christliche Existenz. Festschrift für Herbert Braun zum 70. Geburtstag am 4. Mai 1973, Hg. H.D. Betz/L. Schottroff, Tübingen 1973, 115–141

H. Diels / W. Kranz (Hg.), Die Fragmente der Vorsokratiker, Bd. I, 12. veränderte Auflage, Zürich/Berlin 1966

W. Dilthey, Leben Schleiermachers, I. Bd., in 3. Auflage auf Grund des Textes der 1. Auflage von 1870 und der Zusätze aus dem Nachlaß, Hg. M. Redeker, Erster Halbband, Berlin 1970

J.A. Dorner, Ueber die richtige Fassung des dogmatischen Begriffs der Unveränderlichkeit Gottes, in: Gesammelte Schriften, Berlin 1883, 188–377

G. Ebeling, Einführung in theologische Sprachlehre, Tübingen 1971

—, Theologie und Verkündigung. Ein Gespräch mit Rudolf Bultmann, Hermeneutische Untersuchungen zur Theologie 1, Tübingen 1963[2]

—, Wort und Glaube. Zweiter Band. Beiträge zur Fundamentaltheologie und zur Lehre von Gott, Tübingen 1969
121–137: Zeit und Wort
287–304: „Was heißt ein Gott haben oder was ist Gott?" Bemerkungen zu Luthers Auslegung des ersten Gebots im Großen Katechismus
305–342: Schleiermachers Lehre von den göttlichen Eigenschaften (Eigenschaften)
396–432: Gott und Wort

—, Wort und Glaube. Dritter Band. Beiträge zur Fundamentaltheologie, Soteriologie und Ekklesiologie, Tübingen 1975

96—115: Beobachtungen zu Schleiermachers Wirklichkeitsverständnis (Wirklichkeitsverständnis)

116—136: Schlechthinniges Abhängigkeitsgefühl als Gottesbewußtsein. Zur Interpretation der Paragraphen 4 bis 6 von Schleiermachers Glaubenslehre (Gottesbewußtsein)

F. Flückiger, Philosophie und Theologie bei Schleiermacher, Zollikon/Zürich 1947

E. Fuchs, Alte und neue Hermeneutik, in: Glaube und Erfahrung. Zum christologischen Problem im Neuen Testament. Gesammelte Aufsätze III, Tübingen 1965, 193—230

—, Hermeneutik, Tübingen 1970[4] (Hermeneutik)

—, Jesus. Wort und Tat, Vorlesungen zum Neuen Testament 1, Tübingen 1971

—, Marburger Hermeneutik, Hermeneutische Untersuchungen zur Theologie 9, Tübingen 1968 (Marburger Hermeneutik)

—, Freundesbriefe von Ernst Fuchs, herausgegeben von Gerhard Ebeling, in: Festschrift für Ernst Fuchs, Hg. G. Ebeling / E. Jüngel / G. Schunack, Tübingen 1973, 1—66

H.G. Gadamer, Über leere und erfüllte Zeit, in: Kleine Schriften III. Idee und Sprache. Platon, Husserl, Heidegger, Tübingen 1972, 221—236

W. Gaß, Geschichte der protestantischen Dogmatik in ihrem Zusammenhange mit der Theologie überhaupt, Bd. IV, Berlin 1867

O. Geyer, Friedrich Schleiermachers Psychologie nach den Quellen dargestellt und beurteilt, theol. Diss. Leipzig 1895

G. Gloege, Artikel „Welt, dogmatisch", RGG[3], Bd. VI, 1595—1603

J.W. v. Goethe, Gedenkausgabe der Werke, Briefe und Gespräche, Hg. E. Beutler, Zürich/Stuttgart 1962[2], Bd. 2, Bd. 5

G.W. Hegel (Theorie Werkausgabe Suhrkampf, Hg. E. Moldenhauer / K.M. Michel, Frankfurt a.M. 1970)
Bd. 3: Phänomenologie des Geistes
Bde. 8—10: Enzyklopädie der philosophischen Wissenschaften im Grundrisse 1830
Bd. 11 (42—67): Vorrede zur Hinrich's Religionsphilosophie

M. Heidegger, Die Frage nach dem Ding. Zu Kants Lehre von den transzendentalen Grundsätzen, Tübingen 1962

—, Sein und Zeit, Tübingen 1967[11] (Sein und Zeit)

—, Über den Humanismus, Frankfurt a.M. 1947

—, Was heißt denken?, Tübingen 1961[2]

—, Was ist Metyphysik?, Frankfurt a.M. 1969[10] (Was ist Metaphysik?)

—, Das Wesen der Sprache, in: Unterwegs zur Sprache, Pfullingen 1971[4], 159—216 (Sprache)

—, Der Zeitbegriff in der Geschichtswissenschaft, in: Frühe Schriften, Frankfurt a.M. 1972, 357—375

—, Zur Sache des Denkens, Tübingen 1969
1—25: Zeit und Sein
61—80: Das Ende der Philosophie und die Aufgabe des Denkens

D. Henrich, Selbstbewußtsein. Kritische Einleitung in eine Theorie, in: Hermeneutik und Dialektik, Aufsätze I, Methode und Wissenschaft, Lebenswelt und Geschichte, Hg. R. Bubner / K. Cramer / R. Wiehl, Tübingen 1970, 257—284

H. Heppe / E. Bizer, Die Dogmatik der evangelisch-reformierten Kirche, 2. vermehrte Auflage, Neukirchen 1958

R. Hermann, Artikel „Schleiermacher. II. Theologie", RGG³, Bd. V, 1426—1435

—, Das Wissen und seine Welt in der Zeitlichkeit des Seins. Systematische Erörterungen zum Übergang von der Religionsphilosophie in die Dogmatik, ZSTh 10, 1932/33, 535—588 (Zeitlichkeit)

F. Hertel, Das theologische Denken Schleiermachers untersucht an der ersten Auflage seiner Reden „Über die Religion", SDSTh 18, Zürich/Stuttgart 1965

E. Hirsch, Geschichte der neuern evangelischen Theologie im Zusammenhang mit den allgemeinen Bewegungen des europäischen Denkens, Bd. V, Gütersloh 1975⁵

F. Jacob, Geschichte und Welt in Schleiermachers Theologie, ThA XXVI, Berlin 1966

W. Jens, Statt einer Literaturgeschichte, 5. erweiterte Auflage, Pfullingen 1962

E. Jüngel, Gottes Sein ist im Werden. Verantwortliche Rede vom Sein Gottes bei Karl Barth. Eine Paraphrase, Tübingen 1967²

—, Paulus und Jesus. Eine Untersuchung zur Präsizierung der Frage nach dem Ursprung der Christologie, Hermeneutische Untersuchungen zur Theologie 2, Tübingen 1967³

—, Quae supra nos, nihil ad nos. Eine Kurzformel der Lehre vom verborgenen Gott — im Anschluß an Luther interpretiert, EvTh 32, 1972, 197—240

—, Tod, Themen der Theologie 8, Stuttgart/Berlin 1971

—, Das Verhältnis von „ökonomischer" und „immanenter" Trinität. Erwägungen über eine biblische Begründung der Trinitätslehre — in Anschluß an und in Auseinandersetzung mit Karl Rahners Lehre vom dreifaltigen Gott als transzendentem Urgrund der Heilsgeschichte, ZThK 72, 1975, 353—364

—, Unterwegs zur Sache. Theologische Bemerkungen, BEvTh 61, München 1972

105—125: Vom Tod des lebendigen Gottes. Ein Plakat (Tod des lebendigen Gottes)

206—233: Die Welt als Möglichkeit und Wirklichkeit. Zum ontologischen Ansatz der Rechtfertigungslehre (Möglichkeit)

I. Kant, Kritik der reinen Vernunft, Hg. R. Schmidt, Philosophische Bibliothek Meiner 37a, Hamburg 1956

F.H. Kettler, Artikel „Trinität. III. Dogmengeschichtlich", RGG³, Bd. VI, 1025—1032

F. Kümmel, Über den Begriff der Zeit, Tübingen 1962

G.E. Lessing, Die Religion, Gesammelte Werke, Hg. P. Rilla, Bd. I, Berlin 1968², 201—212

H. Liebing, Ferdinand Christian Baurs Kritik an Schleiermachers Glaubenslehre, ZThK 54, 1957, 225—243

M. Luther, Vom Abendmahl Christi, Bekenntnis (1528), WA XXVI, 261–509

T. Mann, Der Zauberberg. Roman, Berlin 1954

M. Miller, Der Übergang. Schleiermachers Theologie des Reiches Gottes im Zusammenhang seines Gesamtdenkens, Studien zur evangelischen Ethik 6, Gütersloh 1970

J. Moltmann, Der gekreuzigte Gott. Das Kreuz Christi als Grund und Kritik christlicher Theologie, München 1973²

–, Theologie der Hoffnung. Untersuchung zur Begründung und zu den Konsequenzen einer christlichen Eschatologie, BEvTh 38, München 1968⁸ (Hoffnung)

H. Mühlen, Die Veränderlichkeit Gottes als Horizont einer zukünftigen Christologie. Auf dem Wege zu einer Kreuzestheologie in Auseinandersetzung mit der altkirchlichen Christologie, Münster 1969

H. Mulert, Schleiermachers geschichtsphilosophische Ansichten und ihre Bedeutung für seine Theologie, Studien zur Geschichte des neueren Protestantismus 3, Gießen 1907

J. Neumann, Schleiermacher. Existenz, Ganzheit, Gefühl als Grundlagen seiner Anthropologie, Berlin 1936

R.R. Niebuhr, Schleiermacher on Language and Feeling, Theology Today 17, 1960, 150–167

D. Offermann, Schleiermachers Einleitung in die Glaubenslehre. Eine Untersuchung der „Lehnsätze", Theologische Bibliothek Töpelmann 16, Berlin 1969

C.H. Ratschow, Anmerkungen zur theologischen Auffassung des Zeitproblems, ZThK 51, 1954, 360–387

G. Sauter, Zukunft und Verheißung. Das Problem der Zukunft in der gegenwärtigen theologischen und philosophischen Diskussion, Zürich/Stuttgart 1965

F. Schiller, Tabulae votivae, Sämtliche Werke Bd. I, München 1965⁴

H.W. Schmidt, Zeit und Ewigkeit. Die letzten Voraussetzungen der dialektischen Theologie, Gütersloh 1927

H. Scholz, Christentum und Wissenschaft in Schleiermachers Glaubenslehre. Ein Beitrag zum Verständnis der Schleiermacherschen Theologie, Berlin 1909

P. Schütz, Die Gegenwart der Zeit. Christliches Leben als parusiale Existenz, Evangelische Kommentare 1973, 264–267

W. Schultz, Schleiermacher und der Protestantismus, ThF XIV, Hamburg 1957 (Protestantismus)

–, Die Transformierung der theologia crucis bei Hegel und Schleiermacher, NZSTh 6, 1964, 290–317 (Theologia crucis bei Hegel und Schleiermacher)

P. Seifert, Die Theologie des jungen Schleiermacher, BFChTh 49, Gütersloh 1960

R. Slenczka, Geschichtlichkeit und Personsein Jesu Christi. Studien zur christologischen Problematik der historischen Jesusfrage, Forschungen zur systematischen und ökumenischen Theologie 18, Göttingen 1967

B. de Spinoza, Ethica. Ordine geometrico demonstrata, Opera lateinisch und deutsch, Bd. II, Hg. K. Blumenstock, Darmstadt 1967

R. Stalder, Grundlinien der Theologie Schleiermachers I. Zur Fundamentaltheologie, Veröffentlichungen des Instituts für europäische Geschichte Mainz 53, Wiesbaden 1969

G. Stammler, Ontologie in der Theologie? Eine systematische Skizze, KuD 4, 1958, 143–175

H. Stephan, Die Lehre Schleiermachers von der Erlösung, Tübingen/Leipzig 1901

D.F. Strauß, Charakteristiken und Kritiken, Leipzig 1839

Thomas von Aquin, Summa theologiae, Pars I, Opera XX, Turin (Marietti) 1952

F. Wagner, Der Gedanke der Persönlichkeit Gottes bei Fichte und Hegel, Gütersloh 1971

—, Schleiermachers Dialektik. Eine kritische Interpretation, Gütersloh 1974 (Dialektik)

C. Walther, Typen des Reich-Gottes-Verständnisses. Studien zur Eschatologie und Ethik im 19. Jahrhundert, FGLP 10. Reihe Bd. XX, München 1961

G. Weißenborn, Darstellung und Kritik der Schleiermacherschen Dogmatik, Leipzig 1849

—, Vorlesungen über Pantheismus und Theismus, Marburg 1859

K.E. Welker, Die grundsätzliche Beurteilung der Religionsgeschichte durch Schleiermacher, Leiden/Köln 1965

E. Zeller, Erinnerung an Schleiermacher's Lehre von der Persönlichkeit Gottes, Theologische Jahrbücher 1, Tübingen 1842, 263–287

GENERAL BOOKBINDING CO.

78   425NY2   4   340   A   6166

QUALITY CONTROL MARK

DATE DUE

GAYLORD   PRINTED IN U.S.A.